Historia von
D. Johann Fausten

TEXT DES DRUCKES VON 1587

KRITISCHE AUSGABE

D1238858

Mit den Zusatztexten der
Wolfenbütteler Handschrift
und der zeitgenössischen Drucke

HERAUSGEGEBEN VON
STEPHAN FÜSSEL UND
HANS JOACHIM KREUTZER

PHILIPP RECLAM JUN. STUTTGART

Universal-Bibliothek Nr. 1516 [5]
Alle Rechte vorbehalten.
© 1988 Philipp Reclam jun. GmbH & Co., Stuttgart
Gesamtherstellung: Reclam, Ditzingen. Printed in Germany 1988
RECLAM und UNIVERSAL-BIBLIOTHEK sind eingetragene
Warenzeichen der Philipp Reclam jun. GmbH & Co., Stuttgart
ISBN 3-15-001516-2

HISTORIA

Von D. Johañ

Fausten/ dem weitbeschreyten
Zauberer vnnd Schwartzkünstler/
Wie er sich gegen dem Teuffel auff eine be-
nandte zeit verschrieben/ Was er hierzwischen für
seltzame Abentheuwer gesehen/ selbs angerichtet vnd getrieben/ biß er endtlich seinen wol verdienten Lohn
empfangen.

Mehrertheils auß seinen eygenen hin-
derlassenen Schrifften/ allen hochtragenden/
fürwitzigen vnd Gottlosen Menschen zum schrecklichen
Beyspiel/ abscheuwlichen Exempel/ vnd treuw-
hertziger Warnung zusammen gezo-
gen/ vnd in den Druck verfertiget.

IACOBI IIII.
Seyt Gott vnderthänig/ widerstehet dem
Teuffel/ so fleuhet er von euch.

CVM GRATIA ET PRIVILEGIO.

Gedruckt zu Franckfurt am Mayn/
durch Johann Spies.

M. D. LXXXVII.

[a ij^r] Den ehrnhafften / Wolachtbaren vnnd Fůrnemmen Caspar Kolln / Churfůrstlichem Meyntzischen Amptschreibern / Vnd Hieronymo Hoff / Renthmeistern in der Graffschafft Kőnigstein / meinen insonders gůnstigen lieben Herrn vnd Freunden.

GOttes Gnad / meinen Gruß vnd Dienst zuvor / Ehrenhaffte / Wolachtbare / gůnstige liebe Herren vnd Freunde / Nach dem nun viel Jar her ein gemeine vnd grosse Sag in Teutschlandt von Doct. Johannis Fausti / deß weitbeschreyten Zauberers vnnd [a ij^v] Schwartzkůnstlers mancherley Abenthewren gewesen / vnd allenthalben ein grosse nachfrage nach gedachtes Fausti Historia bey den Gastungen vnnd Gesellschafften geschicht. Deßgleichen auch hin vnd wider bey etlichen newen Geschichtschreibern dieses Zauberers vnnd seiner Teuffelischen Kůnste vnd erschrecklichen Endes gedacht wirdt / hab ich mich selbst auch zum offtermal verwundert / daß so gar niemandt diese schreckliche Geschicht ordentlich verfassete / vnnd der gantzen Christenheit zur warnung / durch den Druck mittheilete / hab auch nicht vnterlassen bey Gelehrten vnd verstándigen Leuten nachzufragen / ob vielleicht [a iij^r] diese Histori schon allbereit von jemandt beschrieben were / aber nie nichts gewisses erfahren kőnnen / biß sie mir newlich durch einen guten Freundt von Speyer mitgetheilt vnd zugeschickt worden / mit begeren / daß ich dieselbige als ein schrecklich Exempel deß Teuffelischen Betrugs / Leibs vnd Seelen Mords / allen Christen zur Warnung / durch den őffentlichen Druck publicieren vnd fůrstellen wolte. Dieweil es dann ein mercklich vnnd schrecklich Exempel ist / darinn man nicht allein deß Teuffels Neid / Betrug vnd Grausamkeit gegen dem Menschlichen Geschlecht / sehen / sonder auch augenscheinlich spůren kan / wohin die [a iij^v] Sicherheit / Vermessenheit vnnd fůrwitz letzlich einen Menschen treibe / vnd ein gewisse Vrsach sey deß Abfalls von Gott / der Gemein-

schafft mit den bösen Geistern vnd verderbens zu Leib vnd
Seel / hab ich die Arbeit vnd Kosten so viel desto lieber daran
gewendet / vnnd verhoff hiemit allen denen / so sich
wöllen warnen lassen / einen wolgefälligen Dienst zuer-
zeigen.

Dise Histori aber / Ehrnhaffte / wolachtbare / günstige
liebe Herrn vnd Freundt / hab ich E. E. vnd A. dedicieren vnd
zuschreiben wöllen / nicht der Meynung / als solt dieselbige
dieser Wahrnung für andern bedürffen / denn mir / Gott lob /
E. E. vnd A. sonderlicher ernst vnd [a iiij^r] Eiffer zu Gott / der
waren Religion / Christlicher Bekändtnuß / vnd gehorsam
auß täglicher Beywohnung vnd Erfahrung gnugsam bekandt /
Sondern zu einem öffentlichen Zeugnuß der sonderlichen
Lieb vnd Freundschafft / die sich zwischen vns zum theil in
der Schul zu Vrsel / zum theil auß vieler Beywohnung vnd
Gemeinschafft angefangen / vnd noch auff den heutigen Tag
erhalten / auch / ob Gott wil / die vbrige zeit vnsers Lebens hie
auff Erden vnnd in dem ewigen Vatterlandt wåhren vnd
bestehen soll. Wie ich denn für meine Person darzu gantz
geneigt bin / auch E. E. vnnd A. also gesinnet weiß / daß sie an
allem dem / was [a iiij^v] zu erhaltung dieser vnser wolherge-
brachten Freundschafft dienen mag / nichts werden erwinden
lassen. Ich erkenne mich zwar schuldig / E. E. vnd A. in
anderm vnnd mehrerm vnd mit allem dem / was ich vermag /
zu willfahren vnnd zu dienen / Weil ichs aber auff dißmal
besser nicht hab / auch E. E. vnnd A. durch Gottes Segen an
zeitlicher Nahrung vnd leiblichen Gütern dermassen geschaffen vnd begabet weiß / daß sie meiner hierin nit bedürffen /
hab ich dannoch E. E. vnd A. auß meiner Truckerey mit
diesem geringen Büchlein verehren wöllen / Sonderlich dieweil mir auß vorigen Gesprächen bewust / daß E. E. vnd A.
auch vor [a v^r] längest dieser Historien fleißig nachgefragt /
Bitt derhalben / dieselbigen wollen mit diesem geringen Meß-
kram auff dißmal von mir für gut nemmen / vnd mein günstige Herrn vnd Freundt seyn vnd bleiben. Thue E. E. vnd A.
sampt derselbigen gantzen Haußhaltung in den gnädigen

Schutz vnnd Schirm deß Allmächtigen befehlen / Datum
Franckfurt am Mayn / Montags den 4. Sept. Anno M. D.
LXXXVII.

E. E. vnd A. Dienstwilliger Johann Spies /
Buchdrucker daselbst.

Wiewol alle Sünde in jhrer Natur verdammlich sind / vnnd
den gewissen Zorn vnd Straffe Gottes auff sich tragen / so ist
doch von wegen der vngleichen Vmbstände jmmer eine Sünde
grösser vnd schwerer / wirdt auch beydes hie auff Erden /   5
vnnd am Jüngsten Tag ernstlicher von Gott gestrafft /
denn die andern / Wie vnser HERR Christus selber saget /
Matth. 11. Es werde Tyro / Sydon /vnd Sodoma am jüngsten
Tag träglicher ergehen / denn Chorazim / Bethsaida vnd
Capernaum. Ohn allen zweiffel aber ist die Zauberey vnd   10
Schwartzkünstlerey die gröste vnnd schwereste Sünde für
Gott vnd für aller Welt / Daher auch Samuel die grobe vnnd
vielfältige Sünde deß Königs Sauls [a vj^r] ein Zauberey Sünde /
Abgötterey vnd Götzendienst nennet / 1. Sam. 15. vnd weiß
der H. Geist alle Sünde Sauls nicht anders zu beschreiben /   15
denn mit den zweyen Worten: Abgötterey vnd Zauberey /
dadurch sich ein Mensch aller dings von Gott abwendet / sich
den Götzen vnd Teuffeln ergibet / vnd denselben an Gottes
statt mit gantzem Willen vnnd Ernst dienet. Wie denn Saul
von Gott gar abtrünnig wirdt / alles wider sein Wort vnd   20
Befelch muhtwilliger weiß vnnd wider sein eygen Gewissen
fürnimmet vnd handlet / biß er endtlich gar an Gott verzweiffelt / den Teuffel selber zu Endor / bey der Warsagerin rahts-
fraget / 1. Sam. 28. Ist es aber nicht ein grewlicher vnd
erschrecklicher Handel / daß ein vernünfftiger Mensch / der   25
von Gott zu seinem Ebenbild erschaffen / vnd an Leib vnd
Seel so hoch geehret vnd reichlich begabet / demselbigen einigen waren Gott vnnd Schöpffer / dem er alle Ehr vnnd Gehorsam sein [a vj^v] Lebenlang schuldig ist / so schändtlich verlassen / vnd sich an einen erschaffenen Geist / darzu nicht an   30
einen guten vnd heyligen Geist / als die lieben heyligen Engel
im Himmel sind / die in jrer angeschaffenen Gerechtigkeit
vnnd Reynigkeit bestanden / nicht dienen lassen / Sonder an
einen bösen verfluchten Lügen ⟨-⟩ vnd Mordtgeist / der in der
Warheit vnd Gerechtigkeit nicht bestanden / vnnd seiner   35

Sünde halben auß dem Himmel in den Abgrund der Hellen
verstossen worden / mit Leib vnnd Seel / zu zeitlicher vnnd
ewiger Verdampnuß zu eygen ergeben. Was könnte doch
grewlichers vnd erschrecklichers von einem Menschen gesa-
5 get werden? Es ist auch der Teuffel nicht allein für sich ein
abtrünniger / verkehrter vnd verdampter Geist / durch seinen
Hoffart vnd Abfall von Gott worden / Sondern ist auch ein
abgünstiger / listiger vnd verführischer Geist / Gottes vnnd
deß Menschlichen Geschlechts wissentlicher vnd abgesag-
10 [a vij^r]ter Feindt / der weder Gott seine Ehr bey den Menschen / noch den Menschen Gottes Huldt vnnd Seligkeit gün-
net / Sonder das in alle Weg nach seinem besten Vermögen
hindert / vnd den Menschen von Gott abwendig machet. Wie
er solches bald nach seinem Fall mit der That selbst leyder all
15 zu geschwind an vnsern ersten Eltern erwiesen hat / in dem er
nicht allein Gottes außtrücklich Gebott vbel vnd anders / als
es gemeynet / deutet / vnd Gott beschuldiget / als ob er den
erschaffenen Menschen die höchste Seligkeit mißgünne / Sondern reitzet auch Euam eben dardurch zum Vngehorsam
20 gegen Gott / vnd leuget vnd treuget so lang vnd viel / biß er
endlich nit allein Euam / sondern auch durch das Weib Adam
selbst zu Fall bringt / vnd so viel an jm ist / nicht allein sie
beyde / Sondern auch das gantz Menschliche Geschlecht ins
zeitlich vnd ewig Verderben stürtzet. Vnnd ob wol hernach
25 Gott sich wider vber die Menschen [a vij^v]erbarmet / vnd jnen
durch deß Weibs Samen zu recht geholffen / auch zwischen
der Teuffelischen Schlangen eine Feindschafft gesetzt / so
lässet doch der Teuffel nit nach / dem Menschlichen
Geschlecht nachzustellen / vnnd sie zu allen Sünden / zeit-
30 licher vnnd ewiger Straff zu reitzen / vnnd zuverführen / wie
1. Pet. 5. steht: Ewer Widersacher der Teuffel geht vmbher /
wie ein brüllender Löuwe / vnd suchet / welchen er verschlinge. Ja wenn er gleich einmal bey einem Menschen fehl-
geschlagen vnd abgewiesen / oder wider außgetrieben wor-
35 den / so lässet er doch nicht nach / sondern suchet wider an /
vnd wo er einen sicheren Menschen antrifft / nimpt er sieben

årgere Geister zu sich / kehret ein vnd wohnet da / vnd wirdt
mit einem solchen Menschen årger als vorhin / Luc. 11. Derhalben vns auch der getrewe Gott so treulich vnd ernstlich für
deß Teuffels Grieffen / Listen / vnd sonderlichen vor den
Zauberischen Schwartzkünsten wahrnet / vnd vns [a viij{r}] dieselbige bey höchster vnnd eusserster Straff verbeut / daß vnter
seinem Volck kein Zauberer seyn / keiner auch die Zauberer
rahtsfragen soll. Leuit. 19. Jhr solt euch nicht wenden zu den
Warsagern / vnnd forschet nicht an den Zeichendeutern / daß
jr nicht an jnen vervnreiniget werdet. Denn ich bin der HERR
ewer Gott. Deut. 18. Du solt nicht lernen thun die Grewel
dieser Völcker / daß nicht vnter dir funden werde / der sein
Sohn oder Tochter durchs Feuwer gehen lasse / oder ein
Weissager / oder ein Tagwehler / oder der auff Vogelschrey
achte / oder ein Zauberer oder Beschwerer / oder Warsager /
oder ein Zeichendeuter / oder der die Todten frage / Denn wer
solches thut / der ist dem HERRN ein Grewel / vnd vmb
solcher Greuwel willen vertreibet sie der HERR Gott für dir
her. Es dråwet auch Gott den Zauberern vnd Schwartzkünstlern vnd jren Anhångern die höchste Straff / vnnd befilcht der
Obrigkeit dieselbige an jnen [a viij{v}] zuexequirn. Leuit. 20.
Wenn ein Mann oder Weib ein Warsager oder Zeichendeuter
seyn wirdt / die sollen deß Todts sterben / man soll sie steini-
gen / jr Blut sey auff jnen. Wer auch jemals Historien gelesen /
der wirt befinden / wenn gleich die Obrigkeit jr Ampt hierin
nit gethan / daß doch der Teuffel selbst zum Hencker an den
Schwartzkünstlern worden. Zoroastres / den man für Misraim / deß Chams Sohn / helt / ist von dem Teuffel selbst
verbrennet worden. Einen andern Zauberer / der sich vermessen / die Zerstörung der Statt Troia einem fürwitzigen Fürsten zu representieren vnnd für die Augen zu stellen / hat der
Teuffel lebendig hinweg in die Lufft geführet / Joannes Franciscus Picus. Deßgleichen hat er auch einem Graffen von
Matiscona vber seiner Zauberey gelohnet / Hugo Cluniacensis. Ein anderer Zauberer zu Saltzburg / wolt alle Schlangen in
ein Gruben / beschweren / war aber von einer grossen vnd

alten Schlang mit [b iʳ] in die Gruben gezogen vnd getödtet /
Wierus de praestigijs Daemonum lib. 2. ca. 4. Jn Summa / der
Teuffel lohnet seinen Dienern / wie der Hencker seinem
Knecht / vnnd nemmen die Teuffelsbeschwerer selten ein gut
Ende / wie auch an D. Johann Fausto zusehen / der noch bey
Menschen Gedåchtnuß gelebet / seine Verschreibung vnnd
Bůndtnuß mit dem Teuffel gehabt / viel seltzamer Abenthewr
vnd grewliche Schandt vnd Laster getrieben / mit fressen /
sauffen / Hurerey vnd aller Vppigkeit / biß jm zu letzt der
Teuffel seinen verdienten Lohn gegeben / vnd jm den Halß
erschrecklicher weiß vmbgedrehet. Damit ist es aber noch
nicht gnug / sondern es folgt auch die ewige Straff vnnd Ver-
dampnuß / daß solche Teuffelsbeschwerer endtlich zu jrem
Abgott dem Teuffel in Abgrund der Hellen fahren / vnd ewiglich verdampt seyn müssen. Wie Paulus Galat. 5. sagt: Wer
Abgötterey vnd Zau[b iᵛ]berey treibe / werde das Reich Gottes nicht ererben. Vnnd Apocal. 21. Der Zauberer / Abgötti-
schen vnd Lügener Theil werde seyn in dem Pful / der mit
Feuwer vnd Schweffel brennet / welches ist der ander Todt.
Das heisset dann fein geschertzt vnd gekurtzweilet mit dem
Teuffel / vnnd das suchet der Schadenfro / daß er die Menschen durch sein Zauberey an Leib vnd Seel schånde vnnd
verderbe. Wie soll vnd kan es auch wol anders gehen / wann
ein Mensch seinen Gott vnd Schöpffer verlassen / Christum
seinen Mittler verlåugnet / den im H. Tauff mit der H. Drey-
faltigkeit auffgerichten Bund vernichtiget / alle Gnaden vnd
Gutthaten Gottes / vnnd sein eygen Heyl vnnd Wolfahrt zu
Leib vnd Seel in die Schantz schläget / den Teuffel zu Gast
lådet / Bůndnussen mit jm auffrichtet / vnd also bey dem
Lügen⟨-⟩ vnd Mordgeist Warheit vnd Glauben / bey einem
wissentlichen vnnd abge[b ijʳ]sagten Feind guten Raht vnd
Lehr / vnd bey dem verdampten Helledrachen einige Hoffnung / Glück vnd Segen suchet. Das ist ja kein Menschliche
Schwachheit / Thorheit vnd vergeßlichkeit / oder / wie es
S. Paulus nennet / ein Menschliche Versuchung / Sondern ein
recht Teuffelische Boßheit / ein muhtwillige Vnsinnigkeit vnd

grewliche Verstockung / die mit Gedancken nimmermehr ergründet / geschweige dann mit Worten außgesprochen werden kan / darob auch ein Christenmensch / wann ers nur nennen hôret / sich von Hertzen entsetzen vnd erschrecken muß.

Fromme Christen aber werden sich für solchen Verführungen vnd Blendungen deß Teuffels wissen zuhûten / vnnd bey dieser Historien fleissig bedencken die Vermahnung / Jacob. 4. Seit Gott vnterthånig / widerstehet dem Teuffel / so fleuhet er von euch / nåhet euch zu Gott / so nåhet er sich zu [b iij^v] euch. Vnd Eph. 6. Seit starck in dem HERREN / vnnd in der Macht seiner Stårcke / ziehet an den Harnisch Gottes / daß jhr bestehen kônnet wider die listige Anlåuff deß Teuffels. Sollen jhnen auch fürstellen das Exempel Christi / welcher den Teuffel mit Gottes Wort von sich treibet / vnnd alle Anfechtungen vberwindet.

Damit aber alle Christen / ja alle vernůnfftige Menschen den Teuffel vnd sein Fürnemmen desto besser kennen / vnnd sich darfür hůten lernen / so hab ich mit Raht etlicher gelehrter vnd verstendiger Leut das schrecklich Exempel D. Johann Fausti / was sein Zauberwerck für ein abscheuwlich End genommen / für die Augen stellen wôllen / Damit auch niemandt durch diese Historien zu Fürwitz vnd Nachfolge môcht gereitzt werden / sind mit fleiß vmbgangen vnnd außgelassen worden die formae coniurationum / vnnd was sonst darin årgerlich seyn [b iij^r] môchte / vnnd allein das gesetzt / was jederman zur Warnung vnnd Besserung dienen mag. Das wôllest du Christlicher Leser zum besten verstehen / vnd Christlich gebrauchen / auch in kurtzem deß Lateinischen Exemplars von mir gewertig seyn. Hiemit Gott befolen.

[1]   Historia vonn D. Johann Fausten /
deß weitbeschreyten Zauberers /
Geburt vnd Studijs.

5 Doctor Faustus ist eines Bauwern Sohn gewest / zu Rod / bey
Weinmar bůrtig / der zu Wittenberg ein grosse Freundschafft
gehabt / deßgleichen seine Eltern Gottselige vnnd Christliche
Leut / ja sein Vetter / der zu Wittenberg seßhafft / ein Bůrger /
vnd wol vermögens gewest / welcher D. Fausten aufferzo-
10 gen / vnd gehalten wie sein Kind / dann dieweil er ohne Erben
war / nam er diesen Faustum zu einem Kind vnd Erben auff /
ließ jhn auch in die Schul gehen / Theologiam zu studieren /
Er aber ist von diesem [2] Gottseligen Fůrnemmen abgetret-
ten / vnd Gottes Wort mißbraucht. Derhalben wir

15 solche Eltern vnnd Freundt / die gern alles guts
vnd das best gesehen hetten / wie solches alle fro-
me Eltern gern sehen / vnd darzu qualificiert seind /
ohne Taddel seyn lassen / vnd sie in die Historiam
nicht mischen sollen / So haben auch seine Eltern

Ent-
schůldi-
gung der
Eltern
Doct.
Fausti.

20 dieses Gottlosen Kindes Grewel nit erlebt noch
gesehen. Denn einmal gewiß / daß diese Eltern deß D. Fausti
(wie menniglich zu Wittenberg bewußt) sich gantz hertzlich
erfrewet haben / daß jr Vetter jn als ein Kindt auffname / vnd
als darnach die Eltern sein trefflich ingenium vnnd memoriam
25 an jm spůrten / ist gewißlich erfolget / daß diese Eltern grosse
Fůrsorg fůr jhn getragen haben / gleich wie Hiob / am 1.
Capit. fůr sein Kinder gesorget hat / damit sie sich am HERRN
nicht versůndigten. Es folget darneben auch offt / daß
fromme Eltern Gottlose / vngerahtene Kinder haben / wie am
30 Cain / Gen. 4. An Ruben / Genes. 49. Am Absolon / 2. Reg.
[3] 15. vnd 18. zusehen ist. Das ich darumb erzehle / dieweil jr
viel gewest / so diesen Eltern viel Schuld vnnd Vnglimpff fůr-
werffen / die ich hiemit excusirt wil haben / daß solch Laruen

die Eltern nicht allein als schmehehafft / sondern als hette
Faustus von seinen Eltern gesogen / da sie etlich Artickel
fůrgeben / Nemlich / sie haben jm allen Mutwillen in der
Jugend zugelassen / vnd jhn nicht fleissig zum studieren
gehalten / das ist jnen den Eltern auch verkleinerlich. Jtem / 5
da die Freundt seinen geschwinden Kopff gesehen haben /
vnd er zu der Theologia nicht viel Lust gehabt / vnnd darzu
bekandt / auch offentlich ein Ruff vnnd Sag gewest / Er gehe
mit der Zåuberey vmb / jn bey zeiten solten gewarnet vnd
darvon abgemahnet haben. Solches alles seyn somnia, denn 10
sie hierinnen nicht sollen verkleinert werden / dieweil an jnen
kein Schuld ist. Fůr eins / ad propositum.

Als D. Faust eins gantz gelernigen vnd geschwinden
Kopffs / zum studiren quali[4]ficiert vnd geneigt war / ist er
hernach in seinem Examine von den Rectoribus so weit kom- 15
men / daß man jn in dem Magistrat examiniert / vnnd neben
jm auch 16. Magistros, denen ist er im Gehôre / Fragen vnnd
Geschickligkeit obgelegen vnd gesieget / Also / daß er seinen
Theil gnugsam studiert hat / war also Doctor Theologiae.
Daneben hat er auch einen thummen / vnsinnigen vnnd hof- 20
fertigen Kopff gehabt / wie man jn denn allezeit den Specule-
rer genennet hat / Ist zur bôsen Gesellschafft ge-
D. Faustus rahten / hat die H. Schrifft ein weil hinder die Thůr
legt sich vnnd vnter die Banck gelegt / ruch〈-〉 vnd Gottloß
auff die gelebt (wie denn diese Historia hernach gnugsam 25
Zåuberey. gibt) Aber es ist ein wahr Sprichwort: Was zum
Teuffel wil / das låßt sich nicht auffhalten / noch jm wehren.
Zu dem fand D. Faustus seines gleichen / die giengen mit
Chaldeischen / Persischen / Arabischen vnd Griechischen
Worten / figuris / characteribus / coniurationibus / incantatio- 30
nibus / vnnd wie solche [5] Namen der Beschwerung vnd
Zauberey môgen genennet werden. Vnd diese erzehlte Stůck
waren lauter Dardaniae artes / Nigromantiae / carmina / vene-
ficium / vaticinium / incantatio / vnnd wie solche Bůcher /
Wôrter vnd Namen genennt werden môgen. Das gefiel D. 35
Fausto wol / speculiert vnd studiert Nacht vnd Tag darinnen /

wolte sich hernacher keinen Theologum mehr nennen lassen /
ward ein Weltmensch / nandte sich ein D. Medicinae / ward
ein Astrologus vnnd Mathematicus / vnd zum Glimpff ward
er ein Artzt / halff erstlich vielen Leuten mit der Artzeney /
5 mit Kråutern / Wurtzeln / Wassern / Trāncken / Recepten vnd
Clistiern / darneben ohne Ruhm war er Redsprechig / in der
Gōttlichen Schrifft wol erfahren / Er wuste die Regel Christi
gar wol: Wer den Willen deß HERRN weiß / vnd thut jn
nicht / der wirdt zwyfach geschlagen. Jtem / Niemand kan
10 zweyen Herren dienen. Jtem / du solt Gott den HERREN
nicht versuchen. Diß alles [6] schlug er in Windt / setzte seine
Seel ein weil vber die Vberthūr / darumb bey jhm kein ent-
schuldigung seyn sol.

[2]

15   Doct. Faustus ein Artzt / vnd wie er
                 den Teuffel beschworen hat.

Wie obgemeldt worden / stunde D. Fausti Datum dahin / das
zulieben / das nicht zu lieben war / dem trachtet er Tag vnd
Nacht nach / name an sich Adlers Flūgel / wolte alle Grūnd
20 am Himmel vnd Erden erforschen / dann sein Fūrwitz / Freyheit vnd Leichtfertigkeit stache vnnd reitzte jhn also / daß er
auff eine zeit etliche zåuberische vocabula / figuras / characte-
res vnd coniurationes / damit er den Teufel vor sich
mōchte fordern / ins Werck zusetzen / vnd zu pro-   D. Faustus
25 biern jm fūrname. Kam also zu einem dicken   Beschweret
Waldt / wie etliche auch sonst melden / der bey   den Teuffel
Wittenberg [7] gelegen ist / der Spesser Wald ge-   zum
nandt / wie dann D. Faustus selbst hernach be-   erstenmal.
kandt hat. Jn diesem Wald gegen Abend in einem vierigen
30 Wegschied machte er mit einem Stab etliche Circkel herumb /
vnd neben zween / daß die zween / so oben stunden / in
grossen Circkel hinein giengen / Beschwure also den Teuffel
in der Nacht / zwischen 9. vnnd 10. Vhrn. Da wirdt gewißlich

der Teuffel in die Faust gelacht haben / vnd den Faustum den
Hindern haben sehen lassen / vnd gedacht: Wolan / ich wil dir
dein Hertz vnnd Muht erkühlen / dich an das Affenbäncklin
setzen / damit mir nicht allein dein Leib / sondern auch dein
Seel zu Theil werde / vnd wirst eben der recht seyn / wohin ich 5
nit (wil) ich dich meinen Botten senden / wie auch geschach /
vnnd der Teuffel den Faustum wunderbarlich äfft vnnd zum
Barren bracht. Denn als D. Faustus den Teuffel beschwur / da
ließ sich der Teuffel an / als wann er nicht gern an das Ziel vnd
an den Reyen käme / wie dann der Teuffel [8] im Wald einen 10
solchen Tumult anhub / als wolte alles zu Grund gehen / daß
sich die Bäum biß zur Erden bogen / Darnach ließ der Teuffel
sich an / als wann der Waldt voller Teuffel were / die mitten
vnd neben deß D. Fausti Circkel her bald darnach erschienen / als wann nichts denn lauter Wägen da weren / darnach in 15
vier Ecken im Wald giengen in Circkel zu / als Boltzen vnd
Stralen / dann bald ein grosser Büchsenschuß / darauff ein
Helle erschiene / Vnd sind im Wald viel löblicher Jnstrument /
Music vnnd Gesäng gehört worden / Auch etliche Täntze /
darauff etliche Thurnier mit Spiessen vnd Schwerdtern / daß 20
also D. Fausto die weil so lang gewest / daß er vermeynt auß
dem Circkel zu lauffen. Letztlich faßt er wider ein Gottloß
vnd verwegen Fürnemen / vnd beruhet oder stunde in seiner
vorigen condition / Gott geb / was darauß möchte folgen /
hube gleich wie zuvor an / den Teuffel wider zu beschweren / 25
darauff der Teuffel jhm ein solch Geplerr vor die [9] Augen
machte / wie folget: Es ließ sich sehen / als wann ob dem
Circkel ein Greiff oder Drach schwebet / vnd flatterte / wann
dann D. Faustus seine Beschwerung brauchte / da kirrete das
Thier jämmerlich / bald darauff fiel drey oder vier klaffter 30
hoch ein feuwriger Stern herab / verwandelte sich zu einer
feuwrigen Kugel / deß dann D. Faust auch gar hoch erschracke / jedoch liebete jm sein Fürnemmen / achtet jhms
hoch / daß jhm der Teuffel vnterthänig seyn solte / wie denn
D. Faustus bey einer Gesellschafft sich selbsten berühmet / Es 35
seye jhm das höchste Haupt auff Erden vnterthänig vnd

gehorsam. Darauff die Studenten antworteten / sie   O deß
wůßten kein hôher Håupt / denn den Keyser /   armen
Bapst oder Kônig. Drauff sagt D. Faustus / das   Dienſts
Håupt / das mir vnterthånig iſt / iſt hôher / bezeug-   vnd Ge-
5   te solches mit der Epiſtel Pauli an die Epheſer / der   horſams.
Fůrſt dieſer Welt / auff Erden vnd vnter dem Himmel / etc.
Beſchwur alſo dieſen Stern zum erſten / andern / vnd drittenmal / dar[10]auff gieng ein Fewerſtrom eines Manns hoch
auff / ließ ſich wider herunder / vnnd wurden ſechs Liechtlein
10 darauff geſehen / Einmal ſprang ein Liechtlin in die Hôhe /
denn das ander hernider / biß ſich enderte vnd formierte
ein Geſtalt eines fewrigen Manns / dieſer ging vmb den Circkel herumb ein viertheil Stund lang. Bald darauff endert
ſich der Teuffel vnd Geiſt in Geſtalt eines grauwen Můnchs /
15 kam mit Fauſto zuſprach / fragte / was er begerte. Darauff
war D. Fauſti Beger / daß er morgen vmb 12. Vhrn zu
Nacht jhm erſcheinen ſolt in ſeiner Behauſung / deß ſich
der Teuffel ein weil wegerte. D. Fauſtus beſchwur jhn aber
bey ſeinem Herrn / daß er jm ſein Begern ſolte erfůllen /
20 vnd ins Werck ſetzen. Welches jm der Geiſt zu letzt zuſagte /
vnd bewilligte.

[3]

[11]   Folget die Diſputation D. Fauſti mit
dem Geiſt.

25 Doctor Fauſtus / nach dem er morgens zu Hauß kame /
beſchiede er den Geiſt in ſeine Kammer / als er dann auch
erſchiene / anzuhôren / was D. Fauſti begeren were. Vnd iſt
ſich zu verwundern / daß ein Geiſt / wo Gott die
Handt abzeucht / dem Menſchen ein ſolch Ge-   D. Fauſt
30 plerr kan machen. Aber wie das Sprichwort lau-   beſchweret
tet / ſolche Geſellen můſſen doch den Teuffel   den Teuffel
endlich ſehen / hie oder dort. D. Fauſtus hebt   zum an-
                                                                     dern mal.

sein Gauckelspiel widerumb an / beschwur in von newem /
legt dem Geist etliche Artickel für:

I.   Erstlich / daß er jhm solt vnterthånig vnd gehor-
       sam seyn / in allem was er bete / fragte / oder
       zumuhte / biß in sein Fausti Leben vnd Todt   5
       hinein.

II.   [12] Daneben solt er jm das jenig / so er von jm
       forschen würd / nicht verhalten.

III.   Auch daß er jm auff alle Interrogatorien nichts
       vnwarhafftigs respondiern wölle.   10

Darauff jm der Geist solchs abschlug / wegerte sich dessen /
gab sein Vrsachen für / er hette keinen vollkommlichen
Gewalt / dann so ferrn biß ers von seinem Herrn / der vber jn
herrschete / erlangen könnte / vnd sprach: Lieber Fauste /
dein Begeren zu erfüllen / stehet nicht in meiner Kur vnd   15
Gewalt / sondern zu dem hellischen Gott. Antwort D. Faustus darauff: Wie sol ich das verstehen / bistu nit måchtig gnug
dises Gewalts. Der Geist antwort / nein. Spricht Faustus
wider zu jme: Lieber / sage mir die Vrsach? Du solt wissen /
                Fauste / sprach der Geist / daß vnter vns gleich so   20
Der Teuffel   wol ein Regiment vnd Herrschafft ist / wie auff
Regiment.   Erden / dann wir haben vnsere Regierer vnd Re-
                genten / vnd Diener / wie auch ich einer bin / vnnd
vnser Reich nennen wir die Legion. Dann ob wol der verstossen Lucifer auß Hoffart vnd Vber[13]muht sich selbst zu Fall   25
gebracht / hat diser ein Legion vnnd jhr viel der Teuffel ein
Regiment auffgericht / den wir den Orientalischen Fürsten
nennen / denn seine Herrschafft hatte er im Auffgang / Also
ist auch eine Herrschafft in Meridie / Septentrione vnd
Occidente / vnd dieweil Lucifer / der gefallene Engel / seine   30
Herrschafft vnnd Fürstenthumb auch vnter dem Himmel
hat / müssen wir vns verendern / zu den Menschen begeben /
denselben vnterthånig seyn / Denn sonst könde der Mensch
mit allem seinem Gewalt vnd Künsten jhm den Lucifer nicht
vnterthånig machen / es sey dann / daß er ein Geist sende / wie   35
ich gesandt bin. Zwar wir haben dem Menschen das rechte
Fundament vnserer Wohnung nie offenbaret / wie auch vnser

Regierung vnd Herrschafft / dann nach Absterben deß verdampten Menschen / der es erfehrt vnd jnnen wirt. D. Faustus entsetzt sich darob / vnd sprach: Jch wil darumb nicht
verdampt seyn / vmb deinet willen. Antwort der Geist:

5 [14]   Wiltu nit / so hats doch kein Bitt /
        Hats denn kein Bitt / so mustu mit /
        Helt man dich / so weistu es nit /
        Dennoch mustu mit / da hilfft kein Bitt /
        Dein verzweiffelt Hertz hat dirs verschertzt.

10 Darauff sagt D. Faustus / hab dir S. Veltins Grieß vnd
Crisam / heb dich von dannen. Da nun der Geist entweichen
wolt / ward D. Faustus von stund an eines andern
zweiffelhafftigen Gemůhts / vnd beschwure jn /   D. Faustus
daß er jhm auff Vesperzeit widerumb allda solte Beschweret
15 erscheinen / vnd anhören / was er jm weiter wůrde den Teuffel
fůrtragen / Das jm der Geist bewilligte / vnd also zum
vor jhm verschwande. Es ist hie zu sehen deß drittenmal.
Gottlosen Fausti Hertz vnd Opinion / da der Teuffel jhm /
wie man sagt / den armen Judas sang / wie er in der Hell seyn
20 mȗste / vnd doch auff seiner Halßstarrigkeit beharret.

[4]

[15] Die andere Disputation Fausti mit dem Geist /
      so Mephostophiles genennet wirdt.

Abendts oder vmb Vesperzeit / zwischen drey vnd vier
25 Vhren / erschien der fliegende Geist dem Fausto wider / der
erbotte sich jhm in allem Vnterthånig vnd gehorsam zu seyn /
dieweil jm von seinem Obersten Gewalt gegeben war / vnnd
sagt zu D. Fausto: Die Antwort bring ich dir / vnnd Antwort
mustu mir geben. Doch wil ich zuvor hören / was dein Beger
30 sey / dieweil du mir aufferleget hast / auff diese Zeit zu
erscheinen. Dem gab D. Faustus Antwort / jedoch zweiffelhafftig vnd seiner Seelen schådlich / denn sein Datum stunde

anders nit / dann daß er kein Mensch mȯchte seyn / sondern
ein Leibhafftiger Teuffel / oder ein Glied darvon / vnd begert
vom Geist wie folgt:

[16] Erstlich / daß er auch ein Geschickligkeit /
Form vnnd Gestalt eines Geistes mȯchte an sich
haben vnd bekommen.

D. Fausti
begeren an
den Geist.

Zum andern / daß der Geist alles das thun solte /
was er begert / vnd von jhm haben wolt.

Zum dritten / daß er jm gefliessen / vnterthȧnig vnd gehorsam seyn wolte / als ein Diener.

Zum vierdten / daß er sich allezeit / so offt er jn forderte vnd
beruffte / in seinem Hauß solte finden lassen.

Zum fȕnfften / daß er in seinem Hause wȯlle vnsichtbar
regirn / vnd sich sonsten von niemandt / als von jm sehen
lassen / es were denn sein Will vnd Geheiß.

Vnd letzlich / daß er jhm / so offt er jhn forderte / vnnd
in der Gestalt / wie er jhm aufferlegen wȕrde / erscheinen
solt.

Auff diese sechs Puncten antwort der Geist dem Fausto /
daß er jhm in allem wolt willfahren vnd gehorsamen / so ferrn
daß er jm dagegen auch etlich fȕrgehaltene Articket wȯlle
leisten / vnd wo er solches [17] thue / sol es weiter kein noht
haben / vnd seind diß darunter deß Geistes etliche Articket
gewesen:

Deß Teuf-
felsbegeren
an D. Fau-
stum.

Erstlich / daß er / Faustus / versprече vnd
schwere / daß er sein / deß Geistes / eygen seyn
wolte.

Zum andern / daß er solches zu mehrer Bekrȧff-
tigung / mit seinem eygen Blut wȯlle bezeugen / vnd sich
darmit also gegen jm verschreibe.

Zum dritten / daß er allen Christglȧubigen Menschen wȯlle
feind seyn.

Zum vierdten / daß er den Christlichen Glauben wȯlle ver-
lȧugnen.

Zum fȕnfften / daß er sich nicht wȯlle verfȕhren lassen / so
jhne etliche wȯllen bekehren.

Hingegen wõlle der Geist jhme / Fausto / etliche Jahr zum
Ziel setzen / wann solche verloffen / soll er von jhme geholt
werden / Vnd so er solche Puncten halten wũrde / soll er alles
das haben / was sein Hertz belũste vnd begerte / vnnd soll er
5 alsbaldt spũren / daß er eines Geistes gestallt vnnd [18] weise
haben wũrde. D. Faustus war in seinem Stoltz vnnd Hochmut so verwegen / ob er sich gleich ein weil besunne / daß er
doch seiner Seelen Seligkeit nicht bedencken wolte / sondern
dem bõsen Geist solches darschluge / vnnd alle Artickel zu-
10 halten verhiesse. Er meynet der Teuffel wer nit so schwartz /
als man jhn mahlet / noch die Hell so heiß / wie mann davon
sagte / etc.

[5]

Das dritte Colloquium D. Fausti mit dem
15   Geist von seiner Promission.

Nach dem D. Faustus dise Promission gethan / forderte er
deß andern Tags zu Morgen frũe den Geist / dem aufferlegte
er / daß / so offt er jn forderte / er jm in gestallt vnd Kleydung
eines Franciscaner-Mũnchs / mit einem Glõcklin erscheinen
20 solte / vnd zuvor etliche Zeichen [19] geben / damit er am
Gelãut kõnnte wissen / wenn er daher komme. Fragte den
Geist darauff / wie sein Name / vnnd wie er genennet werde?
Antwortet der Geist / er hieß Mephostophiles. Eben in dieser
Stundt fellt dieser Gottloß Mann von seinem Gott vnd
25 Schõpffer ab / der jhne erschaffen hatt / ja er wirdt ein Glied
deß leydigen Teuffels / vnnd ist dieser Abfall nichts anders /
dann sein stoltzer Hochmuht / Verzweifflung / Verwegung
vnd Vermessenheit / wie den Riesen war / darvon die Poeten
dichten / daß sie die Berg zusammen tragen / vnd wider Gott
30 kriegen wolten / ja wie dem bõsen Engel / der sich wider Gott
setzte / darumb er von wegen seiner Hoffahrt vnnd Vbermuht
von GOtt verstossen wurde / Also wer hoch steygen wil / der
fellet auch hoch herab.

Nach diesem richtet D. Faustus / auß grosser seiner Verwegung vnd Vermessenheit / dem bösen Geist sein Jnstrument /
Recognition / brieffliche Vrkund vnd Be[20]kannt-
nuß auff / Dieses war ein grewlich vnd erschrecklich Werck / vnd ist solche Obligation / nach sei-   5
nem elenden Abschied / in seiner Behausung gefunden worden. Solches wil ich zur Warnung vnd

D. Faust
verschreibt
sich gegen
den
Teuffel.

Exempel aller frommen Christen melden / damit
sie dem Teuffel nicht statt geben / vnd sich an Leib vnd Seel
mögen verkürtzen / wie dann D. Faustus baldt hernach seinen   10
armen famulum vnnd Diener auch mit diesem Teuffelischen
Werck verführt hat. Als diese beyde Partheyen sich miteinander verbunden / name D. Faustus ein spitzig Messer / sticht
jhme ein Ader in der lincken Hand auff / vnnd sagt man
warhafftig / daß in solcher Hand ein gegrabne vnnd blutige   15
Schrifft gesehen worden / O Homo fuge / id est / O Mensch
fleuhe vor jhme vnd thue recht / etc.

[6]

[21]   D. Faustus låst jhm das Blut herauß in einen
Tiegel / setzt es auff warme Kolen / vnd   20
schreibt / wie hernach folgen wirdt.

Jch Johannes Faustus D. bekenne mit meiner eygen Handt
offentlich / zu einer Bestettigung / vnnd in Krafft diß Brieffs /
Nach dem ich mir fürgenommen die Elementa zu speculie-
ren / vnd aber auß den Gaaben / so mir von oben herab be-   25
scheret / vnd gnedig mitgetheilt worden / solche Geschickligkeit in meinem Kopff nicht befinde / vnnd solches von den
Menschen nicht erlehrnen mag / So hab ich gegenwertigen
gesandtem Geist / der sich Mephostophiles nennet / ein Diener deß Hellischen Printzen in Orient / mich vntergeben /   30
auch denselbigen / mich solches zuberichten vnd zu lehren /
mir erwehlet / der sich auch gegen mir versprochen / in allem

vnderthenig vnnd [22] gehorsam zuseyn. Dagegen aber ich
mich hinwider gegen jhme verspriche vnd verlobe / daß so
24. Jahr / von Dato diß Brieffs an / herumb vnd fůrvber gelauffen / er mit mir nach seiner Art vnd weiß /
5 seines Gefallens / zuschalten / walten / regieren /   O HERR
fůhren / gut macht haben solle / mit allem / es sey   Gott
Leib / Seel / Fleisch / Blut vnd gut / vnd das in sein   behůt.
Ewigkeit. Hierauff absage ich allen denen / so da leben / allem
Himmlischen Heer / vnd allen Menschen / vnd das muß seyn.
10 Zu festem Vrkundt vnnd mehrer Bekråfftigung / hab ich disen Receß eigner Hand geschrieben / vnderschrieben / vnd
mit meinem hiefůr getrucktem eygen Blut / meines Sinns /
Kopffs / Gedancken vnnd Willen / verknůpfft / versiegelt vnd
bezeuget / etc.

15   Subscriptio /

       Johann Faustus / der Erfahrne der Elementen /
       vnd der Geistlichen Doctor.

           [7]

[23]   Wider D. Fausti Verstockung / ist dieser
        Verß vnd Reymen wol zusagen.

      Wer sein Lust setzt auff stoltz vnd Vbermuht /
      Vnnd darinnen sucht sein Freuwd vnd Muht /
      Vnd alles dem Teuffel nach thut /
      Der macht vber jhne ein eygen Ruht /
      Vnd kompt endtlich vmb Seel / Leib vnd Gut.

          Item:

      Wer allein das Zeitlich betracht /
      Vnd auff das Ewig hat kein acht /
      Ergibt sich dem Teuffel Tag vnd Nacht /
      Der hab auff seine Seel wol acht.

Item:

Wer sich das Feuwer muhtwillig låßt brennen /
Oder wil in einen Brunnen springen /
Dem geschicht recht / ob er schon nicht kan entrinnen.

[8]

[Welcherley gestalt der Teuffel
Fausto erscheinet.]

Der Teuffel [24] Jm dritten Gespråch erschiene dem Fausto sein
erscheint Geist vnd famulus gantz frôlich / vnd mit diesen
D. Fausto. gestibus vnd Geberden. Er gieng im Hauß vmb
wie ein feuriger Mann / daß von jm giengen lauter Fewerstra-
men oder Stralen / Darauff folgete ein Motter vnd Geplerr /
als wann die Múnch singen / vnnd wuste doch niemand / was
es fúr ein Gesang war. Dem D. Fausto gefiel das Gauckelspiel
wol / er wolte jhn auch noch nicht in sein Losament fordern /
biß er sehe / was endtlich darauß wolt werden / vnd was es fúr
ein Außgang gewinnen vnnd haben wúrde. Bald darnach
wurd ein Getúmmel gehôrt von Spiessen / Schwertern vnd
andern Jnstrumenten / daß jn dunckte / man wolte das Hauß
mit stúrmen einnemmen. Bald widerumb wurd ein Gejågt
gehôrt / von Hunden vnd Jågern / die Hund triben vnd hetz-
ten einen Hirschen / biß in D. Fausti Stuben / da ward er von
den Hunden nidergelegt.

Darauff erschiene in D. Fausti Stu[25]ben ein Lôwe vnd
Drach / die stritten mit einander / wiewol sich der Lôuw
tapffer wehrete / ward er dannoch vberwunden / vnd vom
Drachen verschlungen. D. Fausti Famulus sagt / daß er einem
Lindwurm gleich gesehen habe / am Bauch geel / weiß vnd
schegget / vnd die Flúgel vnnd Obertheil schwartz / der halbe
Schwantz / wie ein Schnecken Hauß / krumblecht / darvon
die Stuben erfúllet / etc.

Wider wurden gesehen hinein gehen ein schôner Pfaw /

sampt dem Weiblein / die zanckten mit einander / vnd bald
warden sie vertragen / Darauff sahe man einen zornigen Stier
hinein lauffen / dem D. Fausto zu / der nicht ein wenig
erschrack / aber wie er dem Fausto zurennt / fellet er vor jm
5 nider / vnnd verschwindt. Hierauff ward wider gesehen ein
grosser alter Aff / der bot D. Fausto die Handt / sprang auff
jn / liebet jn / vnd lieff die Stuben wider hinauß. Bald
geschichts / daß ein grosser Nebel in der Stuben wirdt / daß
D. Faustus vor dem Nebel nicht se[26]hen kundte / so bald
10 aber der Nebel vergienge / lagen vor jhme zween Säck / der ein
war Goldt / vnd der ander Silber. Letzlich / da erhub sich ein
lieblich Jnstrument von einer Orgel / dann die Positiff / dann
die Harpffen / Lauten / Geygen / Posaunen / Schwegel /
Krumbhörner / Zwerchpfeiffen vnd dergleichen (ein jeglichs
15 mit vier Stimmen) also daß D. Faustus nicht anderst gedachte / dann er wer im Himmel / da er doch bey dem Teuffel war.
Solches wehrete ein gantze Stund / daß also D. Faustus so
halßstarrig war / daß er jhme fürnam / es hette jne noch niemals gerewet. Vnd ist hie zusehen / wie der Teuffel so ein süß
20 Geplerr macht / damit D. Faustus in seinem fürnemmen nicht
möchte abgekehrt werden / sonder vil mehr / daß er sein
fürnemmen noch freudiger möchte ins Werck setzen / vnd
gedencken: Nun hab ich doch nie nichts böses noch abscheu-
liches gesehen / sondern mehr Lust vnnd Freuwde. Darauff
25 gienge Mephostophiles der Geist zu D. Fausto in die Stu-
[27]ben hinein / in Gestallt vnnd Form eines Münchs. D.
Faustus sprach zu jhme / du hast einen wunderbarlichen
Anfang gemacht / mit deinen Geberden vnd Enderungen /
welches mir ein grosse Freuwd gegeben / Wo du also darinn
30 wirst verharren / solt du dich alles guts zu mir versehen.
Antwort Mephostophiles / O das ist nichts / ich soll dir in
andern dienen / daß du kräfftigere vnd grössere Wirckunge
vnnd Weiß an mir sehen wirst / auch alles das du von mir
forderst / allein daß du mir die Promission vnnd Zusagung
35 deines Verschreibens leistest / Faustus reichte jme die Obligation dar / vnd sagte / da hast du den Brieff / Mephostophiles

name den Brieff an / vnnd wolte doch von D. Fausto haben /
daß er eine Copey darvon nemme / das thåt der Gottloß
Faustus.

[9]

[28]   Von Dienstbarkeit deß Geistes /
                    gegen D. Fausto.

Als D. Faustus solchen Grewel dem bôsen Geist mit seinem
eignen Blut vnd Handschrifft geleistet / ist gewißlich zuver-
muhten / daß auch Gott vnd alles Himmlisches Heer von
jhme gewiechen. Jn dem hat er nun sein Thun angerichtet / nit 1[0]
wie ein rechter Gottseliger Haußvatter / sonder wie der Teuffel / wie Christus der HERR von jhme sagt / der ein solche
Behausung vnd Tabernacul hat / wo er in einem Menschen
wohnet / Der Teuffel hat bey jhme einforiert / vnd gewohnet /
wie auch zwar nach dem Sprichwort D. Faustus den Teuffel 1[5]
zu Gast geladen hat.

D. Fausti   D. Faustus hat seines frommen Vettern Behau-
famulus.   sung jnnen / wie ers dann jme auch im Testament
                    vermacht hatte / bey jhme hett er tåglich ein jungen
Schůler [29] zum famulo / einen verwegnen Lecker / Christoph Wagner genannt / dem gefiele dieses Spiel auch wol / 2[0]
deßgleichen jne sein Herr tròstete / er wolte einen hoch-
erfahrnen vnd geschickten Mann auß jhme machen / vnnd wie
die Jugendt vorhin mehr zum bôsen / denn zum guten genei-
get / also war diesem auch. So hat D. Faustus / wie oben gesagt / niemands in seinem Hauß / als seinen famulum / vnd 2[5]
seinen bôsen Geist Mephostophilem / der jmmerdar in gestalt eines Mônchs vor jhme wandelte / den beschwur er in
sein Schreibstůblein / welches er jederzeit verschlossen hatte.

                    Sein Nahrung vnd Prouiandt hatt D. Faustus 3[0]
Der Teuffel   vberflůssig / wann er einen guten Wein wolte ha-
tregt   ben / bracht jme der Geist solchen auß den Kel-
D. Fausto   lern / wo er wolte / wie er sich dann selbst einmal
zu.

hören lassen / er thete seinem Herrn dem Churfürsten /
auch dem Hertzogen auß Båyrn / vnd dem Bischoffen von
Saltzburg / viel Leyds in den Kellern / So hatte er tåglich [30]
gekochte Speiß / dann er kundte ein solche zauberische
5 Kunst / daß so bald er das Fenster auffthete / vnd nennet einen
Vogel / den er gern wolt / der floge jhme zum Fenster hinein.
Deßgleichen brachte jhme sein Geist von allen vmbligenden
Herrschafften / von Fürsten oder Graffen Höfen / die beste
gekochte Speiß / alles gantz Fürstlich / Er vnd sein Jung gien-
10 gen stattlich gekleydet / welches Gewand darzu jhme sein
Geist zu Nachts / zu Nürmberg / Augspurg oder Franckfurt
einkauffen oder stehlen muste / dieweil die Krämer deß
Nachtes nicht pflegen im Kram zusitzen / So müssen sich
auch die Gerber vnnd Schuster also leiden.
15   Jn Summa / es war alles gestolne vnd entlehnete Wahr /
vnnd war also ein gar erbare / ja Gottlose Behausung vnd
Narung / Wie Christus der HERR durch Johannem / den
Teuffel auch einen Dieb vnd Mörder nennet / der er auch ist.
    Noch hat jme der Teuffel versprochen / [31] er wölle jme
20 Wochentlich 25. Kronen geben / thut das Jahr 1300. Kronen /
das ward sein Jars Bestallung.

[10]

D. Faustus wolte sich verheyrathen.

Doctor Faustus lebt also im Epicurischen Leben Tag vnd
25 Nacht / glaubet nit daß ein GOTT / Hell oder Teuffel were /
vermeinet Leib vnd Seele stürbe miteinander / vnnd stach jhn
seine Aphrodisia Tag vnd Nacht / daß er jhm fürname sich
Ehelich zuverheyraten vnd zu weiben. Fragte darauff den
Geist / welcher doch ein feind deß Ehelichen stands / so Gott
30 geordnet vnnd eingesetzt hat / ist / ob er sich verheyrathen
möchte? Antwortet jhme der böse Geist / was er auß jhme
selbs machen wölle? Jtem / ob er nicht an seine Zusage ge-

Der Teuffel
erleidet D.
Fausto den
Ehestandt.
denncke? Vnnd ob er dieselbige nicht halten wölle?
da [32] er verheissen / Gott vnd allen Menschen
feind zuseyn. Zu dem / so könnte er in keinen Ehestandt gerahten / dieweil er nicht zweyen Herrn /
als Gott vnd jhme / dem Teuffel / dienen könnte. Dann der
Ehestand ist ein Werck deß Höchsten / wir aber seind dem gar
zuwider / denn was den Ehebruch vnd Vnzucht betrifft / das
kompt vns allen zu gutem. Derohalben / Fauste / sehe dich
für / wirst du dich versprechen zuverehelichen / soltu gewißlich von vns zu kleinen Stücken zerrissen werden. Lieber
Fauste / bedencke selbsten / was vnruh / Widerwillen / Zorn
vnd Vneinigkeit auß dem Ehelichen standt folget? D. Faustus
gedacht jhme hin vnnd wider nach / wie aller Gottlosen Hertzen nichts guts gründen können / vnd der Teuffel dieselbigen
leytet vnd führet / Endtlich im nachdencken forderte er seinen Münch / da ohne das der München vnd Nonnen art ist /
sich nit zuverehelichen / sondern verbieten vielmehr dieselbige / Also auch D. Fausti Münch trieb jhn stetigs davon ab.
Darauff sagt [33] D. Faustus zu jhme: Nun wil ich mich Ver-
ehlichen / es folge drauß gleich was es wölle. Jn solchem
Fürhaben gehet ein Sturmwindt seinem Hauß zu / als wolte es
alles zu Grunde gehen / Es sprangen alle Thüren auff auß den
Angeln / in dem wirt sein Hauß voller Brunst / als ob es zu
lauter Aschen verbrennen wolte. D. Faustus gab das Fersengelt die Stiegen hinab / da erhaschet jn ein Mann / der wirfft jn
wider in die Stuben hineyn / daß er weder Hände noch Füsse
regen kundt / Vmb jhn gieng allenthalben das Feuwer auff /
als ob er Verbrennen wolte / Er schrey seinen Geist vmb
Hülff an / er wolte nach allem seinem Wunsch / Raht vnd That
leben. Da erschiene jhm der Teuffel Leibhafftig / doch so
grawsam vnd erschrecklich / daß er jn nicht ansehen kundt /
Jm antwort der Teuffel / sagende: Nun sage an / was Sinns
bistu noch? D. Faustus antwortet jhm kürtzlich / Er habe sein
Versprechen nicht geleystet / wie er sich gegen jhm verlobt /
vnnd habe solches so [34] weit nicht außgerechnet / bate vmb
Gnad vnnd Verzeihung. Der Satan sagt zu jhm mit kurtzen

Worten: Wolan so beharre hinfort darauff / Jch sage dirs /
Beharre darauff / vnd verschwande.

Nach diesem kame der Geist Mephostophiles zu   Teuffe-
jme / vnd sagte zu jhme: Wo du hinfůro in deiner   lische
Zusagung beharren wirst / sihe / so wil ich deinen   Bulschafft.
Wollust anders ersättigen / daß du in deinen Tagen nichts
anders wůnschen wirst / vnd ist dieses: So du nit kanst Keusch
leben / so wil ich dir alle Tag vnd Nacht ein Weib zu Bett
fůhren / welche du in dieser Statt / oder anderßwo ansich-
tig / vnd die du nach deinem Willen zur Vnkeuscheit begeren
wirst / Jn solcher Gestalt vnnd Form sol sie bey dir wohnen.

Dem D. Fausto gieng solchs also wol ein / daß sein Hertz
fůr frewden zitterte / vnd rewte jn / was er anfänglich hatt
fůrnemmen wöllen / Geriethe auch in eine solche Brunst vnd
Vnzucht / daß er Tag vnnd Nacht nach Gestalt der schönen
Weiber [35] trachtete / daß / so er heut mit dem Teuffel
Vnzucht triebe / Morgen einen andern im Sinn hatte.

[11]

Frag D. Fausti an seinen Geist
Mephostophilem.

Nach solchem / wie oben gemeldt / Doct. Faustus die
schändtliche vnd greuwliche Vnzucht mit dem Teuffel triebe /
vbergibt jhme sein Geist bald ein grosses Buch / von allerley
Zauberey vnnd Nigromantia / darinnen er sich auch neben
seiner Teuffelischen Ehe erlustigte / Diese Dardanias artes /
hat man hernacher bey seinem famulo / Christoff Wagner /
funden. Bald sticht jn der Fůrwitz / fordert seinen Geist
Mephostophilem / mit dem wolte er ein Gespräch halten / vnd
sagt zum Geist: Mein Diener / sage an / Was Geists bistu?
Jhme [36] antwort der Geist / vnd sprach: Mein Herr Fauste /
Jch bin ein Geist / vnnd ein fliegender Geist / vnter
dem Himmel regierendt. Wie ist aber dein Herr   Vom Fall
Lucifer zu Fall kommen? Der Geist sprach: Herr /   Lucifers.

Wie mein Herr / der Lucifer / ein schöner Engel / von GOtt
erschaffen / ein Geschöpff der Seligkeit gewest ist / so weiß
ich so viel von jhme / daß man solche Engel Hierarchias nennet / vnnd jrer waren drey: Seraphin / Cherubin / vnnd der
ThronEngel / der erst FürstenEngel / der regieret das Ampt
der Engel / der ander die erhalten vnd regieren oder schützen
die Menschen / der dritte / die wehren vnnd stewren vnserer
Teuffel Macht / vnd sind also FürstenEngel vnnd KrafftEngel
genennet / Man nennet sie auch Engel grosser Wunderwerck /
Verkünder grosser Ding / vnd Engel der Sorgfältigkeit
Menschlicher Wart. Also war auch Lucifer der schönen vnd
ErtzEngel einer vnter jnen / vnd Raphael genannt / die andern
zween Gabriel vnd Michael. Vnnd also [37] hast du kürtzlich
mein Bericht vernommen.

[12]

Ein Disputation von der Hell
vnnd jhrer Spelunck.

Dem Doct. Fausto / wie man zusagen pflegt / Traumete von
der Helle / vnd fragte darauff seinen bösen Geist / auch von
der Substantz / Ort vnnd Erschaffung der Hellen / wie es
darmit geschaffen seye. Der Geist gibt Bericht / So bald sein
Herr in Fall kam / vnd gleich zur selbigen Stunde war jhme die
Helle bereit / die da ist ein Finsternuß / allda der Lucifer mit
Ketten gebunden / vnnd also verstossen vnnd vbergeben ist /
daß er zum Gericht behalten werden solle / darinnen nichts
anders zu finden als Nebel / Feuwer / Schwefel / Bech / vnnd
ander Gestanck / So können wir Teuffel auch nit [38] wissen /
was gestalt vnd weiß die Helle erschaffen ist / noch wie sie von
Gott gegründet vnd erbauwet seye / denn sie hat weder End
noch Grund / Vnd diß ist mein kurtzer Bericht.

[13]

Ein ander Frag D. Fausti vom Regiment der Teuffel / vnnd jhrem Principat.

Der Geist muste Faustum auch berichten von der Teuffel
Wohnung / Regiment vnd Macht. Der Geist respondierte /
vnnd sprach: Mein Herr Fauste / die Hell vnd derselben
Refier ist vnser aller Wohnung vnd Behausung / die begreifft
so viel in sich / als die gantze Welt / vber der Hell vnd vber
der Welt / biß vnter den Himmel / hat es zehen Regiment
vnnd Königreich / welche sind die Obersten vnter vns / vnd
die Gewaltig[39]sten vnter sechs Regimenten / vnnd sind
nemlich die:

1 Lacus mortis.
2 Stagnum ignis.
3 Terra tenebrosa.
4 Tartarus.
5 Terra obliuionis.
6 Gehenna.
7 Herebus.
8 Barathrum.
9 Styx.
10 Acheron. Jn dem regieren die Teuffel / Phlegeton
genannt. Diese vier Regiment vnter jhnen sind Königliche
Regierung / als Lucifer in Orient / Beelzebub in Septentrione /
Belial in Meridie / Astaroth in Occidente / vnnd diese Regierung wirdt bleiben / biß in das Gericht Gottes. Also hastu die
Erzehlung von vnserm Regiment.

[14]

Doct. Faustus name jm widerumb ein Gespräch für / mit
seinem Geist zu halten / er solte jm sagen / Jn was gestalt sein
Herr im Himmel geziert gewest / vnd darinnen gewohnet.
Sein Geist bath jhn auff dißmal vmb drey Tag auffzug / Am
dritten Tage gab jm der Geist diese Antwort: Mein Herr
Lucifer / der jetzunder also genennt wirt / wegen der Verstossung auß dem hellen Liecht deß Himmels / der zuvor auch ein
Engel Gottes vnnd Cherubin war / der alle Werck vnd
Geschöpff Gottes im Himmel gesehen hat / Er war in solcher
Zierd / Gestalt / Pomp / Authoritet / Wirde vnd Wohnung /
daß er vber alle andere Geschöpff Gottes / vber Golt vnd
Edelgestein / vnnd von Gott also erleuchtet / daß er der Sonnen Glantz vnd [41] Stern vbertreffen thäte. Dann so baldt
jhn Gott Erschuff / setzte er jhn auff den Berg Gottes / vnd in
ein Ampt eines Fürstenthumbs / daß er vollkommen war in
allen seinen Wegen / Aber so bald er in Vbermut vnd Hoffart
stiege / vnd vber Orient sich erheben wolte / ward er von Gott
auß der Wohnung deß Himmels vertilget / vnd von seinem
Sitz gestossen in einen Fewrstein / der ewig nit erlischt /
sonder jmmerdar quellet / Er war geziert mit der Kronen
aller Himmlischen Pomp. Vnd dieweil er also wissentlich vnd
vermessentlich wider Gott gewesen ist / hat sich Gott auff
seinen Richterstuel gesetzt / vnd jn auch gleich zur Hellen /
darauß er in Ewigkeit nit mehr entrinnen mag / vervrtheilet
vnnd verdammet.

   D. Faustus / als er den Geist von disen dingen hatte gehört /
Speculiert er darauff mancherley Opiniones vnd Gründe /
gieng auch also darauff stillschweigendt vom Geist
in seine Kammer / leget sich auff sein Beth / hub an
bitterlich zu weinen vnd [42] seufftzen / vnd in
seinem Hertzen zu schreyen / Betrachtete auff diese erzehlung deß Geistes / wie der Teuffel vnd

D. Fausten
kommet
ein Reuw
an.

verstossene Engel / von GOtt so herrlich gezierdt war / vnd
wenn er nit so Trotzig vnd Hochmütig wider Gott gewesen /
wie er ein ewiges Himmlisches wesen vnnd wohnung gehabt
hette / vnd aber jetzunder von GOtt ewig verstossen seye /
vnd sprach: O weh mir jmmer wehe / also wirt es mir auch
gehen / denn ich bin gleich so wol ein Geschöpff Gottes /
vnnd mein vbermühtig Fleisch vnd Blut hat mich / an Leib
vnd Seel / in Verdammlicheit gebracht / Mich mit meiner
Vernunfft vnd Sinn gereitzt / daß ich als ein Geschöpff Gottes
von jme gewichen bin / vnd mich den Teuffel bereden lassen /
daß ich mich jhme mit Leib vnd Seele ergeben / vnd verkaufft
habe / Darumb kan ich keiner Gnade mehr hoffen / Sondern
werde wie der Lucifer in die ewige Verdampnuß vnd Wehe
verstossen / Ach wehe jmmer wehe / was zeihe ich mich
selbst? O daß ich nie geboren were worden? Diese [43] Klage
führte D. Faustus / Er wolte aber keinen Glauben noch Hoffnung schöpfen / daß er durch Buß möchte zur Gnade Gottes
gebracht werden. Denn wenn er gedacht hette: Nun streicht
mir der Teuffel jetzt eine solche Farbe an / daß ich darauff
muß in Himmel sehen / Nun so wil ich wider vmbkehren /
vnd Gott vmb Gnade vnd Verzeihung anruffen / Denn nimmer thun / ist ein grosse Buß / hette sich darauff in der Christlichen Gemein in die Kirchen verfügt / vnnd der heyligen
Lehre gefolget / dardurch also dem Teuffel einen widerstand
gethan / ob er jm schon den Leib hie hette lassen müssen / so
were dennoch die Seele noch erhalten worden / Aber er wardt
in allen seinen opinionibus vnnd Meynungen zweiffelhafftig /
vnglåubig vnd keiner Hoffnung.

[15]

[44]   D. Faustus disputirte ferners mit seinem Geist
        Mephostophile / von Gewalt deß Teuffels.

Doctor Faustus / nach dem jhme sein Vnmuht ein wenig
vergienge / fragte er seinen Geist Mephostophilem von Regierung / Raht / Gewalt / Angriff / Versuchungen vnd Tyranney
deß Teuffels / vnnd wie er solches anfänglich getrieben habe?
Darauff der Geist sagte: Diese Disputation vnd Frage / so ich
dir erklären solle / wirt dich / mein Herr Fauste / etwas zu
Vnmuht vnd Nachdencken treiben / zu dem soltu solchs von
mir nicht begert haben / denn es trifft vnser Heimligkeit an /
wiewol ich nicht hinüber kan / So soltu wissen / daß so bald
der verstossene Engel in Fall kam / ist er Gott vnnd allen
Menschen Feind worden / vnd sich / wie noch / vnterstanden
allerley Tyranney [45] am Menschen zu vben / wie dann noch
alle Tage Augenscheinlich zusehen / daß einer zu Todt fällt /
ein ander Erhenckt / Ertränckt / oder Ersticht sich selbs / der
Dritte wirt erstochen / Verzweiffelt vnd dergleichen. Wie
darneben auch zusehen ist / als der erste Mensch von Gott
vollkömmlich erschaffen ward / mißgönnet jhm solchs der
Teuffel / sätzte an jn / vnd bracht also Adam vnnd Euam mit
allen jhren Nachkommen in Sünde vnd Vngnade Gottes. Diß
sind / lieber Fauste / Angriff vnd Tyranney deß Sathans / Also
thäte er auch mit Cain / vnd brachte zuwegen / daß das Jsraeli-
tische Volck frembde Götter anbetete / denselben opfferte /
vnnd mit den Heydnischen Weibern Vnkeuscheit triebe. So
haben wir auch einen Geist / der den Saul getrieben hat / vnnd
in die Vnsinnigkeit gebracht vnnd gereitzt / daß er sich selbst
getödtet. Noch ist ein Geist Asmodeus genannt / der hat
sieben Mann in Vnkeuscheit getödtet / Deßgleichen der Geist
Thagon / welcher 30000. Men[46]schen in Vnfall brachte / daß
sie erschlagen / vnnd die Arche Gottes gefangen wurde / Wie
auch Belial / der dem Dauid sein Hertz reitzte / daß er sein
Volck begundte zu zehlen / darüber 60000. Menschen stur-

ben / So thåt auch vnser Geist einer dem Kŏnig Salomon ein
solchen Reitz / daß er die Abgŏtter anbettet / etc. Vnd sind
also vnser der Geister vnzehlich vil / die den Menschen beykommen / sie zu Sŭnden reitzen vnd bringen / Also theilen
5 wir vns noch in alle Welt auß / versuchen allerley List vnd
Schalckheit / werffen die Leuth abe vom Glauben / vnd reitzen sie zu Sŭnden / vnd stårcken vns auff das beste wir kŏnnen
vnd mŏgen / sind wider Jhesum / durcháchten jm die seinen /
biß in den Todt / Besitzen die Hertzen der Kŏnige vnnd
10 Fŭrsten der Welt / wider Jesu Lehr vnd Zuhŏrer. Vnd diß
kanstu / Herr Fauste / bey dir abnemmen. D. Faustus sprach
zu jm: So hastu mich auch Besessen? Lieber sage mir die
Warheit? Der Geist antwortet / Ja / warumb nicht? Denn so
bald wir dein Hertz besahen / [47] mit was Gedancken du
15 vmbgiengest / vnd wie du niemands sonsten zu deinem
solchen Fŭrnemmen vnnd Werck kŏndtest brauchen vnd
haben / dann den Teuffel / Sihe so machten wir deine Gedancken vnd Nachforschen noch frecher vnd kecker / auch so
begierlich / daß du Tag vnnd Nacht nicht Ruhe hettest / Son-
20 dern alle dein Tichten vnnd Trachten dahin stunde / wie du
die Zåuberey zu wegen bringen mŏchtest / Auch da du vns
Beschwurest / machten wir dich so Frech vnd Verwegen / daß
du dich ehe den Teuffel hettest hinfŭhren lassen / ehe du von
deinem Werck werest abgestanden. Hernach behertzigten
25 wir dich noch mehr / biß wir dir ins Hertz pflantzten / daß du
von deinem Fŭrnemmen nicht mochtest abstehen / wie du
einen Geist mŏchtest zu wegen bringen. Letzlich brachten
wir dich dahin / daß du dich mit Leib vnd Seel vns ergabest /
das kanstu alles / Herr Fauste / bey dir abnemmen. Es ist war /
30 sagt D. Faustus / nun kan ich jm nimmermehr thun / Auch
habe ich mich selbst gefangen / [48] hette ich Gottselige
Gedancken gehabt / vnd mich mit dem Gebett zu Gott gehalten / auch den Teuffel nicht so sehr bey mir einwurtzeln lassen / so were mir solchs Vbel an Leib vnnd Seel nicht begeg-
35 net / Ey was hab ich gethan? Antwort der Geist: Da sihe du
zu. Also gieng Doct. Faustus trawrig von jme.

[16]

Ein Disputation von der Hell / Gehenna genandt /
wie sie erschaffen vnd gestalt seye /
auch von der Pein darinnen.

Doctor Faustus hatte wol jmmerdar eine Rew im Hertzen /
vnd ein Bedencken / was er sich doch geziegen hette / daß er
sich seiner Seelen Seligkeit begeben / vnd dem Teuffel also
vmb das Zeitliche zu eigen verlobt hatt / Aber sein Rew war
Cains vnnd Jude Reuw vnd Buß / [49] dawol ein Rew im
Hertzen war / aber er verzagte an der Gnade Gottes / vnnd   1
war jm ein vnmöglich Ding / daß er wider zur Hulde GOttes
kůndte kommen. Gleich wie Cain / der also verzweiffelte /
Seine Sůnde weren grösser / denn daß sie jhme verziehen
möchten werden / Also auch mit Judas / etc. Dem D. Fausto
war auch also / er sahe wol gen Himmel / aber er kondte nichts   1
ersehen / Es Träumete jme / wie man pfleget zu sagen / vom
Teuffel oder von der Hellen / das ist / er gedachte was er
gethan hatte / vnd meynet jmmerdar durch offt vnd viel
disputieren / Fragen vnd Gespräch mit dem Geist / wölle er so
weit kommen / daß er einmal zur Besserung / Rew vnd Absti-   2
nentz gerahten möchte / Aber es war vergebens / denn der
Teuffel hatt jn zu hart gefangen. Hierauff nam D. Faustus jm
widerumb fůr / ein Gespräch vnd Colloquium (dann jme
abermals von der Hellen geträumet hatt) mit dem Geist zu
halten. Fragte derwegen den Geist / was die Helle sey? Zum   2
andern / wie die Helle [50] beschaffen vnd erschaffen seye?
Zum dritten / was fůr Wehe vnd Klagen der Verdampten in
der Helle seye? Zum vierdten vnnd letzten / ob der Verdampte wider zur Hulde Gottes kommen kőnne / vnd von
der Hellen erlőset möchte werden? Dem gab der Geist auff   3
keine Frage Antwort / vnd sprach: Herr Fauste / dein Fragen
vnd Disputation von der Hell vnd jrer Wirckung / mőchstu
wol vnterlassen / Lieber was machstu auß dir selbs? Vnd
wenn du gleich in Himmel steigen kőndtest / wolte ich

dich doch wider in die Helle hinunter stůrtzen / denn du bist
mein / vnnd gehôrest auch in diesen Stall. Darumb lieber
Fauste / laß anstehen / viel von der Helle zu fragen / frage ein
anders dafůr / Dann glaube mir darumb / da ich dirs erzehle /
5 wirdt es dich in solche Rew / Vnmuht / Nachdencken vnnd
Kůmmernuß bringen / daß du woltest / du hettest die Frage
vnterwegen gelassen / Jst derhalben noch meine Meynung /
du lassest es bleiben. Doctor Faustus sprach: So wil ichs wissen / oder wil [51] nicht leben / du must mirs sagen. Wolan sagt
10 der Geist / Jch sage dir / es bringt mir wenig Kum-
mer. Du fragest / was die Helle seye? Die Hell hat   Was die
mancherley Figur vnd Bedeutung / dann einmal   Helle seye.
wird die Helle genannt Hellig vnnd Důrstig /
dann der Mensch zu keiner Erquickung vnnd Labung kom-
15 men kan / Man sagt auch recht / daß die Helle ein Thal
genannt wirt / so nicht weit von Jerusalem ligt / Die Helle hat
ein solche Weite vnd Tieffe deß Thals / daß es Jerusalem / das
ist / dem Thron deß Himmels / darinnen die Einwohner deß
Himmlischen Jerusalems seyn vnd wohnen / weit entgegen
20 ligt / also daß die Verdampten im Wuste deß Thals jmmer
wohnen můssen / vnd die Hôhe der Statt Jerusalem nicht
erreichen kônnen. So wirdt die Helle auch ein Platz genannt /
der so weit ist / daß die Verdampten / so da wohnen můssen /
kein Ende daran ersehen môgen. So ist die Helle auch genannt
25 die brennende Hell / da alles angehen vnd brennen muß / was
dahin kompt / gleich wie ein Stein in [52] einem feuwrigen
Ofen / ob wol der Stein vom Feuwer glůendt wirdt / so verbrennt oder verzehrt er sich dennoch nicht / vnnd wirt nur
hårter davon. Also wird die Seel deß Verdampten jmmerdar
30 brennen / vnd sie doch das Fewer nit verzehren kônnen /
sondern nur mehr Pein fůhlen. So heißt die Hell auch ein
ewige Pein / die weder Anfang / Hoffnung noch Ende hat / Sie
heißt auch ein Finsternuß eines Thurns / da man weder die
Herrligkeit Gottes / als das Liecht / Sonn oder Mond sehen
35 kan / Wann dennoch allda nur ein Helle oder Liecht / wie bey
euch die finstere dicke Nacht / so hette man doch die hoff-

nung eines Scheins. Die Helle hat auch eine Klufft / Chasma
genannt / gleich eins Erdbidems / da er denn anstösset / gibet
er eine solche Klufft vnnd Dicke / das vnergründlich ist / da
schüttet sich das Erdreich von einander / vnd spüret man auß
solcher Tieffe der Klufften / als ob Winde darinnen wehren /
Also ist die Helle auch / da es ebenmässigen Außgang hat /
Jetzt weit / [53] dann eng / dann wider weit / vnd so fortan. Die
Hell wirdt auch genant Petra / ein Felß / vnnd der ist auch
etlicher massen gestalt / als ein Saxum / Scopulus / Rupes vnd
Cautes / also ist er. Dann die Helle also befestiget / daß sie   1
weder Erden noch Steine vmb sich hat / wie ein Felß / Sondern
wie Gott den Himmel befestiget / also hat er auch einen
Grundt der Hellen gesetzt / gantz hart / spitzig vnd rauch /
wie ein hoher Felß. Sie wirdt auch Carcer genannt / da der
Verdampte ewig Gefangen seyn muß. Weiter wirt sie genen-   1
net Damnatio / da die Seele in die Helle / als in ewige Gefängnuß / Verurtheilt vnnd Verdampt wirt. Dann die Vrtheil also /
wie an öffentlichem Gericht / vber die Vbelthäter vnnd Schül-
digen gesprochen wird. So heißt sie auch Pernicies vnd
Exitium / ein Verderbnuß / da die Seelen ein solchen Schaden   2
leyden / der sich in Ewigkeit erstreckt. Also auch Confutatio /
Damnatio / Condemnatio / vnd dergleichen / ein Verwerffung der Seelen / da sich der [54] Mensch in ein solche Klufft
vnnd Tieffe selbs hinab wirfft / gleich wie einer / der vff einem
Felsen oder Höhe gehet / vnnd zu Thal herab sihet / daß jme   2
schwindelt. Es gehet aber der Mensch / der Verzweiffelt ist /
nicht dahin / daß er die Gegend besehen möchte / doch je
höher er auffsteiget / vnnd begert sich herab zu stürtzen / je
tieffer herab er fallen muß / Also hat es mit den verdampten
Seelen auch eine Gestalt / die in die Helle geworffen werden /   3
je mehr einer sündiget dann der ander / je tieffer er hinunter
fallen muß. Endlich ist die Helle also beschaffen / daß es
vnmöglich / sie außzuspeculieren / vnd zubegreiffen / Wie
Gott seinen Zorn also gelegt habe / in ein solchen Orth / der
da ein Gebäuw vnnd Erschaffung für die Verdampten ist /   3
also daß sie viel Namen hat / Als ein Schandtwohnung / ein

Schlund / Rach / Tieffe vnnd vnderste der Helle / dann die
Seelen der Verdampten můssen nit allein in Wehe vnd Klag
deß ewigen Feuwers sitzen / sondern auch Schand / Spott vnd
Hőhn tra[55]gen gegen Gott vnd seinen Heyligen / da sie in
5 Wohnung deß Schlunds vnd Rachens seyn můssen. Dann
auch die Helle ein solcher Schlund ist / der nit zu såttigen /
sondern giennet jmmer noch mehr auff die Seelen / die nit
Verdampt / daß sie auch Verfůhret vnd Verdampt mőchten
werden. Also mustu es D. Fauste verstehen / dieweil du es je
10 hast haben wőllen. Vnnd mercke / daß die Helle ist ein Helle
deß Todes / ein Hitz des Feuwers / ein Finsternuß der Erden /
ein Vergessung alles Guten / der Enden nimmermehr von
GOtt gedacht / sie hat Marter vnd Wehe / vnd ewig vner-
leschlich Fewer / ein Wohnung aller Hellischen Drachen /
15 Wůrme vnd Vngeziffer / Ein Wohnung der verstossenen
Teuffel / Ein Stanck vom Wasser / Schwefel vnnd Pech / vnnd
aller hitzigen Metall. Vnd diß sey mein erster vnd anderer
Bericht.

Zum dritten / so bannest du mich / vnnd wilt von mir ha-
20 ben / dir einen Bericht zu thun / was fůr Wehe vnd Klage
die Ver[56]dampten in der Hell haben oder haben werden. Da
soltu etwan / mein Herr Fauste / die Schrifft ansehen / denn es
mir verborgen ist. Aber wie die Helle jåmmerlich anzusehen
vnd qualificiert / also ist auch darinnen ein vntrågliche Pein
25 vnd Marter / Darumb ich dir desselben bericht thun wil / Es
wirdt den Verdampten / wie ich oben mit allen Vmbstånden
erzehlet habe / also begegnen. Denn es ist war / wie ich dir
versprich: Die Helle / der Frawen Bauch / vnd die Erden
werden nimmer satt / Also wirdt kein Ende noch Auffhőren
30 nimmer da seyn / darauff werden sie Zittern vnnd Weheklagen vber jre Sůnde vnnd Boßheit / Auch vber den Verdampten vnnd Hellischen Grewel deß Stancks / verhindernuß vnd
Schwachheit / Schreyen vnd Weheklagen. Da wirt ruffen zu
GOtt seyn / mit Wehe / Zittern / Zagen / Gilffen / Schreyen /
35 mit Schmertzen vnnd Trůbsall / mit Heulen vnd Weinen /
Denn solten sie nit Wehe schreyen / Zittern vnd Zagen /

dieweil alle Creaturen vnnd Ge[57]schöpff Gottes wider sie
seyn werden / vnd sie ewige schmach / hergegen aber die
Heyligen ewige Ehr vnd Frewde tragen werden? Vnd es wirt
doch ein Wehe vnd Zittern viel grösser vnd schwerer seyn / als
das ander / vnd das daher / dieweil die Sünde vngleich / seyn   5
auch die Straffen vngleich. Die Verdampten werden auch klagen vber die vnleidenliche Kålte / vber das vnaußleschliche
Fewer / vber die vntrågliche Finsternuß / Gestanck / vber die
ewige Ruten / vber die Gesichter der Teuffel / vber die Verzweiffelung alles Guten. Sie werden Klagen mit weinenden   10
Augen / Knirschen der Zånen / Stanck der Nasen / Jåmmern
der Stimme / Erschreckung der Ohren / Zittern der Hånd vnd
Fůß. Sie werden fůr grossem Schmertzen jre Zungen fressen /
sie werden jhnen den Todt wůndschen / vnnd gerne Sterben
wöllen / Sie mögen aber nit / denn der Todt wirdt von jnen   15
fliehen / jhre Marter vnnd Pein wirt tåglich grösser vnnd
schwerer. Also / mein Herr Fauste / hastu hiemit die dritte
Fra[58]ge / die mit der Ersten vnnd Andern vberein stimmet.

Zum vierdten vnnd letzten / wiltu von mir auch eine Frage
haben / die zu GOtt stehet / Ob Gott die Verdampten wider   20
zu Gnaden auffnemme oder nicht? Aber dem sey nun wie jhm
wölle / so wil ich auff deine Frage bericht zu thun / zuuor die
Helle vnd jr Substantz ansehen / vnd wie sie von Gottes Zorn
erschaffen ist / was melden / vnd sehen / ob wir auch etliche
Fundamenta gründen kůndten. Wiewol lieber Herr Fauste /   25
solches deiner Promission vnd Gelůbdnuß stracks zu wider
seyn wirt / Sey dir doch hierauff dieser Bericht gethan. Du
fragest letzlich / ob die Verdampten wider zur Hulde vnnd
Gnade Gottes kommen können? Darauf antworte ich /
Neyn. Denn alle / die in der Helle sind / so Gott verstossen   30
hat / die můssen in Gottes Zorn vnnd Vngnade ewig brennen /
darinnen bleiben vnd verharren / da keine Hoffnung nimmermehr ist / Ja wenn sie zur Gnade Gottes kommen kůndten /
wie [59] wir Geister / die wir alle Stund hoffen vnd warten / so
wůrden sie sich freuwen / vnnd nach solcher Zeit seufftzen.   35
Aber so wenig die Teuffel in der Helle können jhren Vnfall

vnnd Verstossung verhoffen zur Gnade zu kommen / So
wenig kónnen die Verdampten auch / dann da ist nichts zu
hoffen / es wirt weder jr Bitten / Anruffen noch Seufftzen
erhórt werden / vnd wirdt jnen jr Gewissen auffwachen / vnd
5 jmmer vnter die Augen schlagen / Als ein Keyser / Kónig /
Fůrst / Graff oder sonsten Regenten / werden Klagen / wann
sie nur nit Tyrannisiert hetten / vnd hie im Leben nit allen
Mutwillen getrieben / so wolten sie zur Hulde Gottes kommen. Ein Reicher Mann / wenn er nur nicht Gegeitzet hette /
10 Ein Hochfertiger / wenn er nur nit Pracht getrieben / Ein
Ehebrecher vnnd Buler / wenn er nur nit Vnzucht / Ehebruch
vnd Vnkeuschheit geůbet / Ein Weinsåuffer / Fresser / Spieler / Gottslåsterer / Meyneydiger / Ein Dieb / Strassenråuber /
Mórder / vnd dergleichen / wird gedencken / [60] Wann ich
15 nur mein Bauch nicht tåglich mit Vppigkeit / Wollust vnnd
Vberfluß der Speiß vnd Tranck gefůllet / wenn ich nur nicht
Gespielet / Gott Gelåstert / ein Meyneydt gethan / Gestolen /
Geraubet / Gemordt / oder dergleichen Laster getrieben hette / so kóndte ich noch Gnade hoffen / Aber meine Sůnde sind
20 grósser / denn daß sie mir kóndten vergeben werden / darvmb
ich diese Hellische wol verdiente Straff vnd Marter leyden /
ewiglich Verdampt seyn muß / vnd kein Huld oder Gnade
bey Gott zu erlangen / zuhoffen habe.

    Darumb soltu / mein Herr Fauste wissen / daß die Verdamp-
25 ten auff kein Ziel oder Zeit zuhoffen haben / darinnen sie auß
dieser Quaal erlóßt werden móchten / Ja wann sie nur eine
solche Hoffnung haben kóndten / daß sie tåglich nur ein Tropffen Wasser auß dem Meer herauß schópffen / biß das Meer gar
trucken wůrde / Oder da⟨ß⟩ ein Sandhauff so groß were biß an
30 Himmel / vnd ein Vógelein alle Jahr nur ein Kórnlein einer
Bonen groß darvon hin[61]weg trůge / daß alsdann nach ver-
zehrung desselbigen / sie erlóßt werden móchten / so wůrden
sie sich dessen erfreuwen. Aber da ist keine Hoffnung / daß
Gott an sie gedencken / oder sich jrer Erbarmen werde /
35 Sondern sie werden in der Hellen liegen wie die Todtenbein /
der Todt vnnd jhr Gewissen wirdt sie nagen / jhr hart Zuver-

sicht vnnd Vertrauwen / so sie erst zu Gott haben / wirt nicht
erhȯrt / noch an sie gedacht werden. Ja wenn du dich schon in
der Helle kȯndtest verbergen / biß daß alle Berge zusammen
vber einen hauffen fielen / vnd von einem ort zum andern
versetzt wůrden / Ja biß alle Stein im Meer trucken wůrden /   5
So wenig ein Elephant oder Cameel durch ein Nadelȯhr
gehen kan / Vnnd alle Tropffen deß Regens gezehlt werden
mȯgen / so ist doch kein Hoffnung der Erlȯsung vorhanden.
Also kůrtzlich / mein Herr Fauste / hastu den vierdten vnnd
letzten Bericht / Vnnd solt wissen / fragstu mich ein ander mal   10
mehr von solchen Dingen / so soltu kein Gehȯr bey mir [62]
haben / denn ich bin dir solches zusagen nit schůldig / vnnd
laß mich nur mit solchen Fragen vnnd disputationibus weiter
zu frieden.

D. Faustus gieng abermals gantz Melancholisch vom Geist   15
hinweg / wardt gar Verwirret vnd Zweiffelhafftig / gedacht
jetzt da⟨-⟩ / dann dorthin / trachtete diesen dingen Tag vnnd
Nacht nach / Aber es hatte kein bestandt bey jme / Sondern
wie oben gemeldet / hat jhn der Teuffel zu hart Besessen /
Verstockt / Verblendt vnd Gefangen. Zu dem / wann er schon   20
allein war / vnd dem Wort GOttes nachdencken wolte /
schmůcket sich der Teuffel in gestalt einer schȯnen Frawen zu
jme / hålset jn / vnd trieb mit jm all Vnzucht / also daß er deß
Gȯttlichen Worts bald vergaß / vnd in Windt schluge / vnnd
in seinem bȯsen Fůrhaben fortfuhre.   25

[17]

Ein andere Frag / so Doct. Faustus
                    mit dem Geist gehabt.

Doct. Faustus berůffte seinen Geist wider / vnnd begerte von
jme ein Frage / die solt er jne auff dißmal geweren. Dem Geist   30
war solches gar zu wider / jedoch wolt er jhm dißmal gehorchen / vnnd wie er vorgesagt / so habe er jm diß gantz vnd gar

abgeschlagen / jetzt komme er widerumb / Jedoch wôlle er
jhn dißmal noch gewehren / vnd das zum letzten mahl. Nun
was begerstu von mir / sprach er zu Fausto? Jch wil / sagt
Faustus / dein Antwort vber eine Frage von dir anhôren / als
5 nemlich: Wann du an meiner statt / ein Mensch von Gott
erschaffen werest / was du thun woltest / daß du Gott vnnd
den Menschen gefällig wûrdest? Darûber lächelte der Geist /
vnd sagt / Mein Herr Fauste / Wann ich ein Mensch erschaffen
[64] were / wie du / wolte ich mich biegen gegen Gott / allweil
10 ich einen Menschlichen Athem hette / vnnd mich befleissen /
daß ich Gott nicht wider mich zu Zorn bewegte / seine Lehr /
Gesetz vnnd Gebott / so viel mir môglich / halten / jn alleine
Anruffen / Loben / Ehren vnnd Preisen / darmit ich Gott
gefällig vnd angeneme were / vnnd wûste / daß ich nach mei-
15 nem Absterben / die ewige Frewde / Glori vnd Herrligkeit
erlangte. D. Faustus sagt hierauff: So hab ich aber solchs nicht
gethan. Ja freylich / sagte der Geist / hastu es nit gethan /
Sondern deinen Schôpffer / der dich erschaffen / dir die
Sprach / Gesicht vnnd Gehôr gegeben hat / daß du seinen
20 Willen verstehen / vnnd der ewigen Seligkeit nachtrachten
soltest / den hastu verleugnet / die herrliche Gab deines Verstands mißbraucht / Gott vnd allen Menschen abgesaget /
darvmb du niemandt die Schuldt zu geben hast / als deinem
stoltzen vnd frechen Mutwillen / dardurch du also dein bestes
25 Kleinot vnnd Zierde der Zuflucht Gottes ver[65]loren / Ja diß
ist leyder war / sagt Doctor Faustus / woltestu aber / mein
Mephostophiles / daß du ein Mensch an meiner statt werest.
Ja / sagte der Geist seufftzendt / vnnd were hierinnen nicht
viel disputierens mit dir / Denn ob ich schon gegen GOTT
30 also gesündiget / wolte ich mich doch widerumb in seinen
Gnaden erholen. Dem antwort D. Faustus / So were es mit
mir auch noch früh gnug / wann ich mich besserte. Ja / sagte
der Geist / Wann du auch vor deinen groben Sünden zur
Gnade Gottes kommen kôndtest / aber es ist nun zu spat /
35 vnnd ruhet Gottes Zorn vber dir. Laß mich zu frieden / sagt
Doctor Faustus zum Geist. Antwort der Geist / So laß mich
forthin auch zu frieden mit deinem Fragen.

Folget nun der ander Theil
dieser Historien / von Fausti Abenthewren
vnd andern Fragen.

[18]

[D. Faustus ein Calendermacher vnd Astrologus]   5

Doct. Faustus / als er von Gottseligen Fragen vom Geist keine
Antwort mehr bekommen kondte / mußt ers auch ein gut
Werck seyn lassen / Fienge demnach an Calender zu machen /
ward also derselben zeit ein guter Astronomus
oder Astrologus / gelehrt vnd Erfahren / von sei-   10
nem Geist in der Sternkunst / vnd Practicken
schreiben / wie månniglichen wol bewust / daß
alles / was er geschrieben / vnter den Mathematicis
das Lob darvon gebracht. So stimpten auch seine
Practicken / die er Fůrsten vnnd grossen Her[67]ren dedicier-   15
te / vbereyn / Denn er richtette sich nach seines Geistes
Weissagungen vnnd Deutungen zukůnfftiger ding vnd Fåll /
welche sich auch also erzeigten. So lobte man auch seine
Calender vnd Allmanach vor andern / denn er setzte nichts in
Calender / es war jhm also / als wann er setzte Nebel / Windt /   20
Schnee / Feucht / Warm / Donner / Hagel / etc. hat sichs also
verloffen. Es waren seine Calender nit / als etlicher Vnerfahr-
nen Astrologen / so im Winter Kalt vnnd Gefroren / oder
Schnee / vnd im Sommer in den Hundstagen / Warm / Donner
oder Vngewitter setzen. Er machte auch in seinen Practicken   25
Zeit vnd Stunde / wann was Kůnfftiges geschehen solt / warnete ein jede Herrschafft besonder / als die jetzt mit Theuw-
rung / die ander mit Krieg / die dritte mit Sterben / vnnd also
forthan / solte angegriffen werden.

D. Faustus
ein Astro-
logus vnd
Calender-
macher.

[19]

[69]   Ein Frag oder Disputatio von der Kunst
              Astronomia oder Astrologia.

Als nun D. Faustus seine Practicam vnd Calender zwey Jahr
5   gerichtet / vnd gemacht hatte / fragt er seinen Geist / was es für
eine gelegenheit hab mit der Astronomia oder Astrologia /
wie die Mathematici zustellen pflegen? Dem antwortet der
Geist / vnnd sprach: Es hat ein solch Judicium / daß alle
Sternseher vnnd Himmelgucker nichts sonderliches gewiß
10 Practicieren können / Denn es sind verborgene Werck GOT-
tes / welche die Menschen nicht / wie wir Geister / die wir im
Lufft / vnter dem Himmel schweben / die Verhängnuß Gottes
sehen / vnd abnemmen / ergründen können. Dann wir seyn
alte vnnd erfahrne Geister in deß Himmels Lauff / Jch köndte
15 dir auch / Herr Fauste / Practica vnd Calender zu[69]schrei-
ben / oder von der Natiuitet zu erforschen / ein ewige Auff-
zeichnung thun / vnd also ein Jahr vmb das ander / wie du
gesehen hast / daß ich dir nie gelogen hab. Es ist wol war / daß
die vor alten Zeiten / so 5. oder 600. jar erlebt / solche Kunst
20 gründlich erfahren vnnd begriffen haben. Dann durch so viel
verloffene Jahr wirdt das grosse Jar erfüllet / daß sie solches
Erklären / vnnd Cometen mittheilen können / Aber alle Junge
vnd Vnerfahrne Astrologi machen jhre Practica nach gutem
Wohn vnd Gutdüncken.

25   [20]

              Vom Winter vnd Sommer.

Es gedauchte den Faustum seltzam seyn / daß Gott in dieser
Welt Winter vnd Sommer erschaffen / Nimpt jhme derhalben
für den Geist zu fragen / woher der Sommer vnnd Winter
30 jhren [70] Vrsprung haben? Antwort der Geist gar kurtz dar-

auff: Mein Herr Fauste / Kanst du solches als ein Physicus /
nicht selbsten sehen / vnnd abnemmen nach der Sonnen? So
soltu wissen / daß von dem Mond an / biß an das Gestirn /
alles Feuwrig ist / Dargegen ist die Erden kalt vnnd erfroren /
Dann je tieffer die Sonne scheinet / je heisser es ist / das ist der   5
Vrsprung deß Sommers / Stehet die Sonnen hoch / so ist es
Kalt / vnd bringet mit sich den Winter.

[21]

Von deß Himmels Lauff / Zierde
vnnd Vrsprung.   10

Doctor Faustus dorffte (wie vorgemeldt) den Geist von Göttlichen vnd Himmlischen dingen nicht mehr fragen / das thäte
jhm wehe / vnd gedacht jhm Tag vnd Nacht nach / damit er
von Gött[71]licher Creatur vnnd Erschaffung besser gelegenheit hette eine Farbe anzustreichen / vnnd mit glimpff herumb   15
zu kommen / Fragte er nicht mehr / wie zuvor / von der
Freuwde der Seelen / von den Engeln / vnnd von dem Wehe
der Hellen / Denn er wußte / daß er hinfüro von dem Geist
kein Audientz mehr würde erlangen / muste derhalben fingie-
ren was jhn gedauchte / das er erlangen möchte. Nimpt jm   20
derwegen für / den Geist zu fragen / vnter einem glimpff / als
ob es zu der Astronomia oder Astrologia den Physicis dienstlich seye / vnnd nötig zu wissen. Fragte den Geist hierauff /
wie folget / Nemlich / von deß Himmels Lauff / Zierd / vnnd
desselben Vrsprung / das solt er jhn berichten. Mein Herr   25
Fauste / sagt der Geist: Der GOtt / der dich erschaffen hat /
hat auch die Welt / vnnd alle Elementa vnter dem Himmel
erschaffen / Dann Gott machte anfänglich den Himmel auß
dem Mittel deß Wassers / vnd theilet die Wasser vom Wasser /
hieß das Firmament den Him[72]mel / So ist der Himmel   30
Kuglecht vnnd Scheiblecht / auch beweglich / der vom Wasser
geschaffen / zusammen gefüget / vnd also befestiget ist / wie

Cristall / vnnd sihet auch oben im Himmel wie ein Cristall /
darinnen ist gehefft das Gestirn / vnd durch solche růnde deß
Himmels / wird die Welt in vier Theil getheilet / als nemlich /
in den Auffgang / Nidergang / Mittag vnnd Mittnacht / vnnd
5 wirdt der Himmel so schnell vmbgeweltzt / daß die Welt
zerbreche / wo es die Planeten mit jhrem Gang nicht verhinderten. Der Himmel ist auch mit Feuwer erschaffen / daß / wo
die Wolcken nit mit der Kålte deß Wassers vmbgeben weren /
wůrde das Feuwer oder Hitze die vntern Element anzünden /
10 jnnerhalb deß Firmaments / da das Gestirn deß Himmels ist /
sind die sieben Planeten / als Saturnus / Jupiter / Mars / Sol /
Venus / Mercurius vnnd Luna. Vnnd bewegen sich alle Himmel / allein der Fewrige ruhet / Vnnd wirdt also die Welt in
vier Theil getheilet / als deß Feuwers / [73] Lufft / Erden vnnd
15 Wassers / also ist diese Sphaer vnnd Creatur formiert / nimpt
ein jeglicher Himmel sein Materi vnnd Eigenschafft darauß /
nemlich der Oberste Himmel ist Feuwrig / der Mittel vnd
Vnterst sind Liecht / als der Lufft / der ein Himmel ist schein-
lich / der Mittel vnnd Vnterst sind Lůfftig / Jn dem Obersten
20 ist die Wårme / vnnd das Liecht von nåhe wegen der Sonnen /
der Vnterst aber von Widerscheins wegen deß Glantzes / von
der Erden / vnd wo jn der schein deß Glantzes nicht erreichen
kan / ists Kalt vnnd Tunckel. Jn diesem tunckeln Lufft wohnen wir Geister vnnd Teuffel / vnnd sind in diesen
25 tunckeln Lufft verstossen. Jn diesem tunckeln				Helle.
Lufft / da wir wohnen / sind Vngestůmbigkeit /
Donner / Schlag / Hagel / Schnee vnnd der gleichen / da wir
dann die zeit deß Jahrs / vnd wie es Wittern sol / wissen
kónnen / Vnd hat also der Himmel zwólff Vmbkreiß / welche
30 die Erde vnnd das Wasser vmbringen / so alle mógen Himmel
genannt werden. Es [74] erzehlete jhm auch der Geist / wie ein
Planet nach dem andern regierte / vnnd wie viel gradus ein
jeglicher Planet vber den andern habe.

[22]

Ein Frage Doctor Fausti / wie Gott die Welt
erschaffen / vnd von der ersten Geburt deß
Menschen / darauff jme der Geist / seiner
art nach / ein gantz falsche Antwort gab.   5

Doctor Fausto / in seiner Trawrigkeit vnd Schwermut / ist
sein Geist erschienen / jhn getröstet / vnnd gefraget / was für
Beschwernuß vnnd Anliegen er hett. Doctor Faustus gab jme
keine Antwort / also daß der Geist hefftig an jhn setzte / vnnd
begeret jhm gründtlich sein Anligen zu erzehlen / wo mög-   10
lich / so wolte er jhme hierinnen behülfflich seyn. Doctor
Faustus antwortet: Jch habe dich als ei[75]nen Diener auffge-
nommen / vnnd dein Dienst kompt mich theuwer an / dennoch kan ich von dir nicht haben / daß du mir zu Willen
werdest / wie einem Diener geziemet. Der Geist sprach: Mein 15
Herr Fauste / du weißt / daß ich dir noch nie zu wider gewesen / Sondern ob ich dir wol offtermals auff deine Frage zu
antworten nicht schüldig war / bin ich dir doch jederzeit zu
willen worden. So sage nun / mein Herr Fauste / was dein
Begeren vnd Anliegen seye? Der Geist hette Doctor Fausto   20
das Hertz abgewonnen / da fragte D. Faustus / er solte jhme
Bericht thun / wie GOtt die Welt erschaffen hette /
vnd von der ersten Geburt deß Menschen. Der
Geist gab Doctor Fausto hierauff ein Gottlosen
vnd falschen Bericht / sagte / die Welt / mein Fau-   25
ste / ist vnerboren vnnd vnsterblich / So ist das
Menschliche Geschlecht von Ewigkeit hero gewest / vnd hat Anfangs kein Vrsprung gehabt / so
hat sich die Erden selbsten nehren müssen / vnnd das Meer sich
sich von der Erden zertheilet / [76] Sind also freundtlich mit   30
einander verglichen gewest / als wenn sie reden köndten. Das
Erdreich begerte vom Meer seine Herrschafft / als Ecker /
Wiesen / Wälde / vnd das Graß oder Laub / vnnd dargegen das
Wasser die Fisch / vnd was darinnen ist / Allein GOtt haben

Teuffel du
leugst /
Gottes
Wort lert
anders
hievon.

sie zugeben / den Menschen vnnd den Himmel zu erschaffen /
also daß sie letzlich Gott vnderthånig seyn mũssen. Auß dieser Herrschafft entsprungen vier Herrschafften / der Lufft /
das Feuwer / Wasser vnd Erdreich / Anders vnnd kũrtzer kan
5 ich dich nicht berichten. Doctor Faustus speculierte dem
nach / vnnd wolte jhme nicht in Kopff / Sondern wie er Genesis am Ersten Capitel gelesen / daß es Moyses anders erzehlet /
also daß er Doct. Faustus nicht viel darwider sagte.

[23]

10 [77]   Doct. Fausto wurden alle Hellische Geister in
jhrer Gestalt fũrgestellet / darunter sieben
Fũrnembste mit Namen genennet.

Doct. Fausti Fũrst vnd rechter Meister kame zu D. Fausto /
wolte jhn visitieren. Doct. Faustus erschrack nit ein wenig
15 vor seiner Grewlicheit. Denn vnangesehen / daß es im Sommer war / so gienge jedoch ein solcher kalter Lufft vom Teuffel / daß Doctor Faustus vermeinte / er mũßte erfrieren. Der
Teuffel / so sich Belial nannte / sprach: Doct. Fauste / vmb
Mitternacht / als du erwachste / habe ich deine Gedancken
20 gesehen / vnd seind diese / daß du gern etliche der fũrnembsten Hellischen Geister sehen mõchtest / so bin ich mit meinen fũrnembsten Råhten vnnd Dienern erschienen / daß du
sie auff dein begeren besichtigen soltest. D. Faustus antwor-
[78]tet / Wolan / wo sind sie nun? Daraussen / sagt Belial.
25   Belial aber erschien Doctor Fausto in gestalt eines zotteten
vnd gantz kolschwartzen Båren / alleine daß seine Ohren vber
sich stunden / vnd waren die Oren vnd Rũssel gantz brennend
Roht / mit hohen schneeweissen Zånen / vnd einem langen
schwantz / drey Elen lang vngefehrlich / am Halß hatte er
30 drey fliegender Flũgel. Also kam zu D. Fausto ein Geist nach
dem andern / in die Stuben / da sie nicht alle sitzen kundten.
Der Belial aber zeigte Doctor Fausto einen nach dem andern /

wer sie weren / vnd wie sie genennet wůrden. Es giengen aber
erstlich hineyn sieben fůrnemme Geister / als Lucifer / Doctor Fausti rechter Herr / dem er sich verschrieben / in gestalt
eines Manns hoch / vnnd war Hårig vnd Zottig / in einer Farb
wie die roten Eychhörnlein seind / den Schwantz gantz vber-   5
sich habend / wie die Eychhörnlein. Darnach der Beelzebub /
der hatt ein Leibfarbs Haar / vnnd einen Ochsenkopff / mit
[79] zweyen erschrecklichen Ohren / auch gantz Zottig vnnd
Hårig / mit zweyen grossen Flůgeln / vnd so scharpff / wie die
Disteln im Felde / halb Grůn vnnd Gelb / allein daß vber den   10
Flůgeln Fewerstromen herauß flogen / hatt einen Kůh-
schwantz. Asteroth / dieser kam hineyn in Gestalt eines
Wurmbs / vnd gienge auffm schwantz auffrecht hineyn / hatte
keinen Fuß / der schwantz hatt ein Farb wie die Blindschlei-
chen / der Bauch war gar dick / oben hatt er zween kurtzer   15
Fůß / gar gålb / vnd der Bauch ein wenig weiß vnnd gålblicht /
der Růcke gantz Kestenbraun / eines Fingerslang spitzige Sta-
chel vnd Borsten daran / wie ein Jgel. Darnach kam Satanas /
gantz weiß vnd graw / zottig / vnd hatte ein Eselskopff / vnd
doch der schwantz wie ein Katzenschwantz / vnnd Klauwen   20
einer Elen lang. Anubis / dieser hatte ein Hundskopff /
schwartz vnd weiß / im schwartzen weisse Tåpfflen / vnd
weissen schwartze / Sonsten hatt er Fůß vnnd hangende
Ohren / wie ein Hund / er war vier Elen lang.
[80] Nach diesem Dythicanus / war auch bey einer Elen lang /   25
sonsten gestalt wie ein Vogel vnd Rephun / allein der Halß
war Grůn vnnd Schattiert. Der letzte war Drachus / mit vier
kurtzen Fůssen / Gelb vnd Grůn / der Leib oben Braun / wie
blaw Fewr / vnd der Schwantz rötlich. Die siben mit dem
Belial / deren Redelfůhrer der achte / waren also mit gemeld-   30
ten Farben gekleidet. Die andern erschienen auch gleicher
Gestalt / wie die vnuernůnfftige Thier / als wie die Schwein /
Råhe / Hirschen / Beeren / Wölffe / Affen / Biber / Böffel /
Böck / Geissen / Eber / Esel / etc. vnd dergleichen. Solcher
Farb vnnd Gestalt erschienen sie jme / also daß etliche auß der   35
Stuben musten hinauß gehen. Doct. Faustus verwunderte

sich sehr ob dem / vnd fragte die siben Vmbstehende / warumb sie nit anderer Gestalt erschienen weren? Sie antworten
jm / vnd sprachen: daß sie sich in der Helle anders nicht
veråndern kônnten. Darumb seyen sie Hellische Thier vnnd
5 Wûrm / wiewol sie grewlicher vnd scheuß[81]licher seyen /
dann da / Jedoch kôndten sie beydes Menschen Gestalt vnd
Geberd an sich nemmen / wie sie wôllen. D. Faustus sagte
hierauff / Es were gnug / wann sie siben da weren / vnd bate /
den andern Vrlaub zu geben / das geschahe. Darauff begerte
10 Faustus / sie solten jm ein Prob sehen lassen / deß ward er
gewehret / Vnd also veråndert sich einer nach dem andern /
wie sie zuvor gethan haben / in aller Thier gestalt / auch wie
die grossen Vôgel / Schlangen vnd kriechende Thier / vier⟨-⟩
vnd zweyfûssige. Das gefiel D. Fausto wol / vnnd fragte /
15 ob ers auch kônnte / sie sagten Ja / vnd wurffen jm ein Zauber-
bûchlin dar / er solte seine Prob auch thun / das thåt er. Nun
kundte D. Faustus nit fûrûber / zuvor als sie wolten Vrlaub
nemmen / sie zu fragen / wer dann das Vnziffer
erschaffen hett? Sie sagten / nach dem Fall deß   Wer das
20 Menschen sey auch erwachsen das Vnziffer / damit   Vnziffer er-
es den Menschen Plagen vnd Schaden thun soll. So   schaffen?
kônnen wir vns eben so wol zu mancherley Vnzifer verwan-
deln / als zu andern Thieren. [82] D. Faustus lacht / vnd begert
solchs zusehen / das geschach. Als sie nun vor jm verschwun-
25 den / da erschiene in deß D. Fausti Gemach oder Stuben
allerley Vnzifer / als Omeissen / Egel / Kûhfliegen / Grillen /
Heuwschrecken / etc. Also / daß sein gantzes Hauß voller
Vnzifer ward / Sonderlich war er vber diß erzûrnt / verdrossen vnd vnwillig / daß vnter anderm Vnzifer jhn auch etlichs
30 plagte / als die Omeissen beseichten jhn / die Bienen stachen
jhn / die Mûcken fuhren jm vnter das Angesicht / die Flôhe
bissen jn / die Jmmen die flogen vmb jhn / das er zu wehren
hatt / die Låuß vexierten jn auff dem Kopff vnd Hembd / die
Spinnen fuhren auff jn herab / die Raupen krochen auff jn / die
35 Wespen stachen jn. Jn summa / er wardt allenthalben genug
mit Vnzifer geplagt / als daß er recht sagte / Jch glaube daß jr

alle junge Teuffel seyt. Derhalben D. Faustus in der Stuben
nicht bleiben konnte. Als bald er auß der Stuben gienge / da
hette er keine Plage noch Vnzifer mehr an jm / vnd verschwanden auch stracks drauff zugleich mit einander.

[24]   5

[83]   Wie Doct. Faustus in die Hell gefahren.

Doct. Faustus war auff das achte Jar kommen / vnd erstrecket
sich also sein Ziel von Tag zu Tag / war auch die zeit deß
meisten theils mit Forschen / Lernen / Fragen vnd Disputiern
vmbgangen. Vnter dem träumete oder grauwete jm aber vor   10
der Helle. Er fordert also seinen Diener / den Geist Mephostophilem / er solte jm seinen Herrn Belial oder Lucifer fordern vnd kommen lassen. Sie schickten jm aber einen Teuffel /
der nannte sich Beelzebub vnter dem Himmel / der fragte D.
Faustum / was sein begeren oder anliegen were? Ob er nicht   15
vermöchte / daß jhn ein Geist in die Hell hineyn führete vnd
wider herauß / daß er der Hellen Qualitet / Fundament vnd
Eygenschafft / auch Substantz möchte sehen / vnd abnemmen. Ja / antwortet jm Beelzebub / vmb Mitternacht wil ich
[84] kommen / vnnd dich holen. Als nun in der Nacht / vnd   20
stick Finster war / erschiene jm Beelzebub / hatt auff seinem
Rücken einen Beinen Sessel / vnnd rings herumb gantz zuge-
schlossen / darauff saß D. Faustus / vnd fuhr also davon. Nu
höret / wie jn der Teuffel verblendet / vnnd ein Affenspiel
macht / daß er nit anders gemeinet / denn er seye in der Helle   25
gewest. Er führet jhn in die Lufft / darob D. Faustus ent-
schlieff / als wann er in einem warmen Wasser oder Bad sesse.
Bald darnach kompt er auff einen hohen Berg / einer grossen
Jnsel hoch / darauß Schwebel / Pech vnd Fewrstralen schlugen / vnnd mit solcher Vngestümb vnd Prasseln / daß D.   30
Faustus darob erwachte. Der Teuffelische Wurmb schwang
in solche Klufft hineyn mit D. Fausto. Faustus aber / wie

hefftig es brannte / so empfunde er kein Hitze
noch Brunst / sondern nur ein Lůfftlin / wie im
Meyen oder Frühling / er hôrte auch darauff allerley Jnstrumenta / deren Klang gantz lieblich war /
5 vnd konnte doch / so hell das Fe[85]wer war / kein
Jnstrument sehen / oder wie es geschaffen. So
dorffte er auch nit fragen / wie es damit eine Gestalt hette /
denn jme solches zuvor ernstlich verbotten war / daß er nit
fragen noch reden soll. Jn dem schwungen sich zu diesem
10 Teuffelischen Wurmb vnd Beelzebub noch andere drey / auch
solcher gestalt. Als D. Faustus noch besser in die Klufft hinab
kame / vnd die drey benannte dem Beelzebub vorflogen /
begegenete D. Fausto in dem ein grosser fliegender Hirsch /
mit grossen Hôrnern vnd Zincken / der wolte Doct. Faustum
15 in die Klufft hinab stůrtzen / darob er sehr erschracke. Aber
die drey vorfliegende Wůrme vertrieben den Hirsch. Als nun
D. Faustus besser in die Spelunck hinab kam / da sahe er vmb
sich herumb seyn nichts / dann lauter Vnzieffer vnd Schlangen schweben. Die Schlangen aber waren vnsåglich groß. Jhm
20 kamen darauff fliegende Båren zu hůlff / die rangen vnd
kåmpfften mit den Schlangen / vnd siegten ob / also daß er
sicher vnd besser hindurch kame / vnd wie [86] er nu weiter
hinab kompt / sahe er ein grossen geflůgelten Stier auß einem
alten Thor oder Loch herauß gehen / vnd lieff also gantz
25 zornig vnd brůllend auff D. Faustum zu / vnd stieß so starck
an seinen Stuel / daß sich der Stuel zugleich mit dem Wurm
vnnd Fausto vmbgewendet. D. Faust fiel vom Stuel in die
Klufft jmmer je tieffer hinunter / mit grossem Zetter vnd
Wehgeschrey / dann er gedachte / nun ist es mit mir auß /
30 weil er auch seinen Geist nicht mehr sehen konnte. Doch er-
wůscht jn letzlich widerumb im hinunter fallen ein alter
runtzlechter Affe / der erhielt vnd errettet jn. Jn dem vber-
zoge die Hellen ein dicker finster Nebel / daß er ein weil gar
nichts sehen kondte / auff das thåte sich eine Wolcken auff /
35 darauß zween grosser Drachen stiegen / vnd zogen einen
Wagen nach jhnen / darauff der alte Aff D. Faustum setzte.

Da folget etwan ein viertel Stundt lang ein dicke Finsternuß /
also daß D. Faustus weder den Wagen / noch die Drachen
sehen oder begreiffen kondte / vnd fuhr doch jmmer fort
hin[87]vnter. Aber so bald solcher dicker / stinckender vnd
finsterer Nebel verschwandt / sahe er sein Rossz vnd Wagen　　5
widerumb. Aber in der Lufft herab schossen auff D. Faustum
so viel Straal vnd Blitzen / daß der Keckest / wil geschweigen
D. Faustus / erschrecken vnd zittern müssen / Jn dem kompt
D. Faustus auff ein groß vnd vngestümb Wasser / mit dem
sencken sich die Drachen hinvnter / Er empfand aber kein　　10
Wasser / sondern grosse Hitz vnnd Wärme / Vnd schlugen
also die Stromen vnnd Wällen auff Doct. Faustum zu / daß er
Rossz vnd Wagen verlohr / vnd fiel jmmer tieffer vnd tieffer in
die Grauwsamkeit deß Wassers hinein / biß er endlich im
fallen ein Klufft / die hoch vnd spitzig war / erlangte. Darauff　　15
saß er / als wann er halb todt were / sahe vmb sich / kundte
aber niemand sehen noch hören. Er sahe jmmer in die Klufft
hinein / darob ein Lüfftlin sich erzeigte / vmb jn sahe er
Wasser. D. Faustus gedachte / nu wie mustu jm thun / dieweil
du von den Hellischen geistern verlassen bist / entwed’ du　　20
must [88] dich in die Klufft oder in das Wasser stürtzen / oder
hieoben verderben. Jn dem erzürnet er sich darob / vnnd
sprang also in einer rasenden vnsinnigen Forcht in das fewrige
Loch hineyn / vnd sprach: Nun jhr Geister / so nemmet mein
wolverdientes Opffer an / so meine Seel verursachet hat. Jn　　25
dem er sich also vberzwergs hinein gestürtzet hat / wirt so ein
erschrecklich Klopffen vnd Getümmel gehört / davon sich
der Berg vnd Felsen erschüttet / vnnd so sehr / daß er vermeynt / es seyen lautter grosse Geschütz abgangen. Als
er nun auff den Grund kam / sahe er im Fewr viel stattlicher　　30
Leut / Keyser / Könige / Fürsten vnnd Herrn. Jtem / viel
tausent geharnischte Kriegßleut / Am Fewer flosse ein küles
Wasser / darvon etliche trancken / vnd sich erlabeten vnd
Badeten / etliche lieffen vor Kühle in das Feuwer / sich zu
wärmen. D. Faustus trat in das Feuwer / vnd wolte ein Seel　　35
der Verdampten ergreiffen / vnd als er vermeynte er hett sie in

der Hand / verschwande sie jm widerumb. Er kondte aber vor
Hitze nicht [89] långer bleiben / vnd als er sich vmbsahe /
sihe so kompt sein Drach oder Beelzebub mit seinem Sessel
wider / vnd saß er drauff / fuhr also wider in die Hőhe. Dann
5 Doct. Faustus kondte vor dem Donner / Vngestůmb / Nebel /
Schwefel / Rauch / Fewer / Frost vnd Hitz in die långe nicht
verharren / sonderlich da er gesehen hatt das Zettergeschrey /
Wehe / Grißgrammen / Jammer vnd Pein / etc. D. Faustus /
der nu eine gute Zeit nicht anheimbs gewesen / auch sein
10 Famulus nicht anders gemeinet / vnd abnemmen kőnnen /
weil er die Hell hat begert zusehen / er werde mehr gesehen
haben dann jm lieb sey / vnd ewig aussen bleiben. Jn solchem
Wohn kommt in der Nacht D. Faustus widerumb zu Hauß /
Weil er nu seithero auff dem Sessel geschlaffen / wirfft jhn der
15 Geist also schlaffendt in sein Bett hineyn. Als aber der Tag
herbey kam / vnd D. Faustus erwachte / das Liecht deß Tages
sahe / ward jm nit anders / als wann er ein zeitlang in einem
finstern Thurn gesessen were. Dann er seythero nichts von
[90] der Hellen gesehen hatt / als die Fewerstromen / vnd was
20 das Feuwer von sich geben hatt. D. Faustus im Bett ligend /
gedachte der Hellen also nach / Einmal nam er jm gewißlich
fůr / er were drinnen gewest / vnd es gesehen / das ander mal
zweiffelt er darab / der Teuffel hette jhm nur ein Geplerr vnnd
Gauckelwerck fůr die Augen gemacht / wie auch war ist /
25 Dann er hatte die Hell noch nicht recht gesehen / er wůrde
sonsten nicht darein begert haben.

   Diese Historiam vnd Geschicht / was er in der Helle vnd
Verblendung gesehen / hat er / Doct. Faustus / selbs auffgeschrieben / vnd ist nach seinem Todt solch schreiben in einem
30 Zettel / seiner eigenen Handtschrifft / vnnd in einem Buch
verschlossen liegendt / hinder jm gefunden worden.

[25]

[91] Wie Doct. Faustus in das Gestirn hinauff gefahren.

Diese Geschicht hat man auch bey jm funden / so mit seiner
eygen Handt concipiert vnd auffgezeichnet worden / welches
er seinem guten Gesellen einem Ionae Victori / Medico zu
Leiptzig / zugeschrieben / welches schreibens Jnnhalt war /
wie folgt:

　　Jnsonders lieber Herr vnd Bruder / Jch weiß mich noch /
deßgleichen jr auch / zu erjnnern vnsers Schulgangs von
Jugent auff / da wir zu Wittenberg mit einander Studierten /
vnnd jhr euch anfänglich der Medicinae / Astronomiae /
Astrologiae / Geometriae beflissen / wie jhr dann auch ein
guter Physicus seydt / Jch aber euch vngleich war / vnd wie jhr
wol wißt / Theologiam studierte / so bin ich euch doch in
dieser Kunst noch gleich worden / demnach jr mich etlicher
sachen vmb Bericht [92] rahts gefragt. Dieweil ich nun / wie
auß ewerm schreiben zur Dancksagung vernommen / nie
nichts hab geweigert / noch zu berichten versagt / bin ich
dessen noch vrbietig / sollet mich auch allzeit also finden vnd
heimsuchen / Ewers Ruhms vnd Lobs / so jr mir zumeßt vnd
gebt / thu ich mich gleichsfalls bedancken / nemlich daß mein
Calender vnd Practicken so weit in das Lob kommen / daß nit
geringe Priuat Personen / oder gemeine Bürgerschafft /
sondern Fürsten / Graffen vnd Herrn meiner Practica nach-
fragen / dieweil alles / was ich gesetzt vnd geschrieben / also
warhafftig sol vberein stimmen. Jn ewerm schreiben meldet
jhr auch bittweiß von meiner Himmelfart vnter das Gestirn /
so jr / wie jr mir zuschreibt erfaren / euch zuberichten / ob
jm also seye oder nicht / vnd euch solchs gantz vnmöglich
dünckt / so es doch einmal geschehen ist. Jhr auch dabey
setzet / es müsse etwan durch den Teuffel oder Zäuberey geschehen seyn. Ja wett Fritz: Es sey jhm aber wie jhm wölle /
ist es endlich geschehen / vnd solcher gestalt / wie ich [93] euch
auff ewer bitt nachfolgends berichte.

Als ich einmal nit schlaffen kondte / vnd daneben an meine
Calender vnd Practica gedachte / wie doch das Firmament am
Himel qualificiert vnd beschaffen were / daß der Mensch
oder die Physici solches hierunten abnemmen könnten / ob
sie gleich solchs nicht sichtbarlich / sonder nach gutdüncken /
vnd den Büchern oder den opinionibus / disponiern vnd erforschen köndten. Sihe / so hört ich ein vngestümb brausen
vnd Wind meinem Hauß zugehen / der mein Laden vnd Kam-
merthür alles auffschlug / darob ich nit ein wenig erschrack.
Jn dem höret ich eine brüllende Stimm / die sagt:
Wolauff / deins Hertzen Lust / Sinn vnd Begierlig-   Nota.
keit wirstu sehen. Darauff sagt ich: Wann diß zusehen ist / so ich erst gedacht / vnd dißmal mein gröste
begierde ist / so wil ich mit. Er antwort wider / so schawe zum
Laden herauß / so wirstu die Fuhr sehen. Das thät ich / vnd
sahe ein Wagen mit zweyen Drachen herab fliegen / der war
Hellischer Flammenweiß zu sehen. Als aber der Mond dasselbige mal [94] am Himmel schiene / besahe ich auch meine
Rossz vnd Wagen. Diese Würme waren an Flügeln braun vnd
schwartz / mit weiß gesprengleten tüpfflen / der Rück auch
also / der Bauch / kopff vnd halß grünlecht / gelb vnd weiß
gesprengt. Die Stimm schrey wider / so sitz auff vnd wandere.
Jch sagt / Jch wil dir folgen / doch daß ich alle Vmbstände
fragen dörffe. Ja / antwort die Stimm / es sey dir dißmal
erläubt. Darauff stiege ich auff den Kammerladen / sprang
auff meine Kutschen / vnd fuhr davon. Die fliegende Drachen
führten mich empor / der Wagen hatt auch 4. Räder / vnd
rauschten / als wenn ich auff dem Lande führe / doch gaben
die Räder im vmbher lauffen jmmer Fewrstromen / vnd je
höher ich kame / je finsterer die Welt war / vnnd gedauchte
mich nicht anders / als wenn ich vom hellen Sonnentag in ein
finsters Loch führe. Sahe also vom Himmel herab in die Welt.
Jn solchem fahren rauschte mein Geist vnnd Diener daher /
vnnd sitzt zu mir auff den Wagen. Jch sagte zu jm: Mein
Mepho[95]stophiles / wo muß ich nu hinauß? Das laß dich
nicht jrren / sprach er / vnnd fuhre also noch höher hinauff.

Nu wil ich euch erzehlen / was ich gesehen hab / Dann am
Dinstag fuhr ich auß / vnnd kam am Dinstag wider zu Hauß /
das waren acht Tag / darinnen thåt ich nie kein Schlaff / war
auch kein Schlaff in mir / vnnd fuhr gantz vnsichtbar. Als es
nu am Morgens frůh am Tag vnnd hell wardt / sagt ich zu
meinem Geist Mephostophili: Lieber / wie weit seyn wir
schon gefahren / das kanstu wissen? Dann ich wol an der Welt
abnemmen kan / daß ich diese Nacht zimlich gefahren hab /
auch so lang ich aussen war / keinen Durst noch Hunger
gehabt. Mephostophiles sagt: Mein Fauste / glaub mir / daß
du bißhero schon 47. Meilen in die Hőhe gefahren bist. Darnach sahe ich am Tag herab auff die Welt / da sahe ich viel
Kőnigreich / Fůrstenthumb vnnd Wasser / also daß ich die
gantze Welt / Asiam / Aphricam vnnd Europam / gnugsam
sehen kondte. Vnnd in solcher Hőhe sagt ich zu meinem
Die[96]ner / So weise vnd zeige mir nu an / wie diß vnd das
Land vnd Reich genennet werde. Das thåt er / vnnd sprach:
Sihe / diß auff der lincken Hand ist das Vngerlandt. Jtem / diß
ist Preussen / dort schlimbs ist Sicilia / Polen / Dennmarck /
Jtalia / Teutschland. Aber Morgen wirstu sehen Asiam /
Aphricam / Jtem / Persiam vnd Tartarey / Jndiam / Arabiam.
Vnd weil der Wind hinder sich schlågt / so sehen wir jetzund
Pommern / Reussen vnd Preussen / deßgleichen Polen /
Teutschlandt / Vngern vnd Osterreich. Am dritten Tag sahe
ich in die grosse vnnd kleine Tůrckey / Persiam / Jndiam vnd
Aphricam / Vor mir sahe ich Constantinopel / vnd im Persi-
schen vnnd Constantinopolitanischen Meer sahe ich viel
Schiff vnd Kriegßheer hin vnnd wider schweben vnd fahren. /
Es war mir aber Constantinopel anzusehen / als wenn kaum
drey Håuser da weren / vnd die Menschen als einer Spannen
lang. Jch fuhr im Julio auß / war gar Warm / warff auch mein
Gesicht jetzt hier / jetzt [97] dorthin / gegen Auffgang / Mittag / Nidergang vnd Mittnacht / da es dann an einem ort Reg-
nete / an dem andern Donnerte / hie schlug der Hagel / am
andern Ort war es schőn / sahe auch endtlich alle ding / die
gemeiniglich in der Welt sich zutrugen. Als ich nun 8. Tage in

der Höhe war / sahe ich hinauff von ferrne / daß der Himmel
so schnell fuhr vnd wåltzte / als wenn er in tausend Stücken
zerspringen / oder die Welt zerbrechen wolte. So war der
Himmel so hell / daß ich nit weiters hinauff sehen konnte /
vnd so hitzig / wann mein Diener keine Lufft gemacht hette /
daß ich verbrennen müssen. Das Gewülcke / so wir vnten in
der Welt gesehen / ist so fest vnd dick / wie eine Mawer vnnd
Felsen / klar wie ein Cristall / vnd der Regen / so darvon
kompt / biß er auff die Erden fället / so klar / daß man sich
darinnen ersehen kan. So bewegt sich das Gewülck am Himmel so kräfftig / daß es jmmer laufft / von Osten biß gen
Westen / nimmt das Gestirn / Sonn vnd Mond mit sich. Daher
(wie wir sehen) kompt / daß [98] sie vom Auffgang zum
Nidergang laufft / vnnd gedauchte mich / die Sonne bey vns
were kaum eines Faßbodems groß / Sie war aber grösser dann
die gantze Welt / dann ich kondte kein End daran sehen. So
muß der Mond zu Nacht / wenn die Sonne vntergehet / das
Liecht darvon empfangen / darumb scheint er zu Nacht so
hell / wie es auch am Himmel hell ist / Vnnd also zu Nacht der
Tag am Himmel / vnnd auff Erden finster vnd Nacht ist. Jch
sahe also mehr dann ich begerte. Der Stern einer war grösser
dann die halbe Welt / Ein Planet so groß als die Welt / vnd wo
der Lufft war / da waren die Geister vnter dem Himmel. Jm
herab fahren sahe ich auff die Welt / die war wie der Dotter im
Ey / vnd gedauchte mich die Welt were nicht einer Spannen
lang / vnd das Wasser war zwey mal breiter anzusehen. Also
am 8. Tag zu Nachts kam ich wider zu hauß / vnd schlieff drey
Tag nach einander / richtet hernach alle meine Calender vnd
Practica darnach. Diß hab ich euch / auff ewer begeren / nicht
[99] wöllen verhalten / vnnd besehet also euwer Büchere / ob
meinem Gesicht nach diesem nicht also seye. Vnd seyt von
mir freundlich gegrüsset.

Doctor Faustus der Gestirnseher.

[26]

D. Fausti dritte Fahrt in etliche Kõnigreich vnnd Fũrstenthumb / auch fũrnembste Lãnder vnd Stãtte.

Doct. Faustus nimpt jm im 16. jar ein Reyß oder Pilgramfahrt
fũr / vnd befihlt also seinem Geist Mephostophili / daß er jn /
wohin er begerte / leyte vnd fũhre. Derhalben sich Mephostophiles zu einem Pferde verkehret vnnd verãnderte / doch hatt
er flũgel wie ein Dromedari / vnd fuhr also / wohin jn D.
Faustus hin lãndete. Faustus durchreisete vnd durchwandelte
manch Fũrstenthumb / als das Landt [100] Pannoniam / Osterreich / Germaniam / Behem / Schlesien / Sachssen / Meissen /
Dũringen / Franckenlandt / Schwabenlandt / Beyerlandt / Lit-
tauw / Liefflandt / Preussen / Moscowiterlandt / Frießland /
Hollandt / Westphalen / Seelandt / Brabandt / Flandern /
Franckreich / Hispaniam / Portugall / Welschland / Polen /
Vngern / vnnd dann wider in Dũringen / war 25. Tag aussen /
darinnen er nit viel sehen kondte / darzu er Lust hette. Derhalben name er ein Widerfuhr / vnd ritte auff seinem Pferde auß / kam gen Trier / dann jm diese
Statt erstlich einfiel zusehen / weil sie so altfrãn-
ckisch anzusehen war / da er nichts sonderlichs gesehen /
dann einen Pallast / wunderbarlichs Wercks / welcher auß
gebacken Ziegeln gemacht / vnd so fest / daß sie keinen feind
zu fũrchten haben. Darnach sahe er die Kirchen / darinnen
Simeon vnd der Bischoff Popo begraben war / welche auß
vnglaublichen grossen steinen mit Eysen zusammen gefũget /
gemacht ist. Darnach wendet er sich gen Pariß in
Franckreich / vnd gefielen [101] jm die Studia vnnd
hohe Schul gar wol. Was nu dem Fausto fũr Stãtt
vnd Landschafften in Sinn fielen / da durchwan-
dert er. Als vnter andern auch Meyntz / da der
Mayn in Rhein fleußt / er saumpt sich aber da nicht
lang / vnd kam in Campanien / in die Statt Neapo-

Trier.

Pariß.

Meyntz.

Neapolis.

lis / darinnen er vnsåglich viel Klôster vnd Kirchen gesehen /
vnd so grosse hohe vnd herrliche gezierte Håuser / daß er
sich darob verwundert / Vnnd darinnen ist ein
herrlich Castell oder Burg / so new gebawet / wel-   Castell.
ches fûr allen anderen Gebåwen in Jtalia den preiß
hat / der hôhe / dicke vnd weite halb / mit mancherley Zierd
der Thûrn / Gemåuwer / Pallåst vnnd Schlaffkammern. Dabey ein Berg ligt / Vesuuius genannt / der voller Weingårten /
Oelbåum vnd etlicher andern fruchtbaren Båume / vnd solchen Wein / den man den Griechischen Wein nen-
net / so herrlich vnd gut. Bald fållt jm Venedig ein /   Venedig.
verwundert sich / daß es gerings herumb im Meer
lag / da er dann alle Kauffmanschafft vnd Notturfft zur
Menschlichen [102] Vnterhaltung gesehen / dahin zu schiffen
sahe / vnd wundert jn / daß in einer solchen Statt / da schier
gar nichts wåchßt / dennoch ein Vberfluß ist / Er sahe auch ab
die weite Håuser vnd hohen Thûrn vnd Zierde der Gottshåuser vnd Gebåw mitten in dem Wasser gegrûndet vnd auffgerichtet. Weiters kompt er in Welschlandt gen
Padua / die Schul da zu besichtigen. Diese Statt ist   Padua.
mit einer dreyfåchtigen Mawer befåstiget / mit
mancherley Gråben / vnnd vmblauffenden Wassern / darinnen ist eine Burg vnd Veste / vnd jr Gebåw ist mancherley /
da es auch hat eine schône Thumbkirch / ein Rahthauß /
welches so schône ist / daß keines in der Welt diesem zuver-
gleichen seyn sol. Ein Kirche S. Anthonij genannt / ist allda /
daß jres gleichen in gantz Jtalia nit gefunden wirt.
Fûrters kam er gen Rom / welche ligt bey einem   Rom.
Fluß Tyberis genannt / so mitten durch die Statt
fleußt / vnd jenseyt der rechten Seyten / begreifft die
Statt sieben Berg vmb sich / hat eilff Pforten vnd Thor / Vaticanum / ein [103] Berg / darauff S. Peters Mûnster oder Thumb
ist. Dabey ligt deß Bapsts pallast / welcher herrlich mit einem
schônen Lustgarten vmbfangen / dabey die Kirchen Lateranensis / darinnen allerley Heylthumbs / vnd die Apostoli-
sche Kirch genannt wirt / welche auch gewiß eine kôstliche

vnnd berühmbte Kirchen in der Welt ist. Deßgleichen sahe er
viel Heydnische verworffene Tempel. Jtem / viel Seulen /
Steigbogen / etc. welches alles zu erzehlen zu lang were / also
daß D. Faustus sein Lust vnnd kurtzweil dran sahe. Er kam
auch vnsichtbar für deß Bapsts Pallast / da sahe er viel Diener
vnd Hoffschrantzen / vnd was Richten vnd Kosten man dem
Bapst aufftruge / vnd so vberflüssig / daß D. Faustus darnach
zu seinem Geist sagte: Pfuy / warumb hat mich der Teuffel
nicht auch zu einem Bapst gemacht. Doct. Faustus sahe auch
darinnen alle seines gleichen / als vbermut / stoltz / Hochmut /
Vermessenheit / fressen / sauffen / Hurerey / Ehebruch / vnnd
alles Gottloses Wesen deß Bapsts vnd seines [104] Geschmeiß /
also / daß er hernach weiters sagte: Jch meynt / ich were ein
Schwein oder Saw deß Teuffels / aber er muß mich länger
ziehen. Diese Schwein zu Rom sind gemästet / vnd alle zeitig
zu Braten vnd zu Kochen. Vnd dieweil er viel von Rom
gehört / ist er mit seiner Zauberey drey tag vnnd Nacht /
vnsichtbar / in deß Bapsts Pallast blieben / vnnd hat der gute
Herr Faustus seythero nicht viel Guts gessen / noch getruncken. Stunde also vor dem Bapst vnsichtbar einmal / wann der
Bapst essen wolt / so macht er ein Creutz vor sich / so offt es
dann geschahe / bließ D. Faustus jhm in das Angesicht. Einmal lachte D. Faustus / daß mans im gantzen Saal hörete /
dann weynete er / als wenn es jm ernst were / vnd wusten die
Auffwarter nit was das were. Der Bapst beredet das Gesinde /
es were ein verdampte Seele / vnd bete vmb Ablaß / Darauff
jhr auch der Bapst Busse aufferlegte. Doct. Faustus lachte
darob / vnd gefiel jm solche Verblendung wol. Als aber die
letzte Richten vnd kosten [105] auff deß Bapsts Tisch kamen /
vnd jn / D. Faustum / hungert / hub er / Faustus / seine Hand
auff / als bald flogen jm Richten vnd Kosten / mit sampt der
Schüssel in die hand / vnd verschwand also damit / sampt
seinem Geist / auff einen Berg zu Rom / Capitolium genannt /
asse also mit Lust. Er schickte auch seinen Geist wider dahin /
der must jm nur den besten Wein von deß Bapsts Tisch bringen / sambt den silbern Bechern vnd Kanten. Da nun der

Bapst solchs alles gesehen / was jm geraubt worden / hat er in
derselbigen Nacht mit allen Glocken zusammen leuten lassen. Auch Meß vnd fůrbit fůr die verstorbene Seel lassen
halten / vnd auff solchen Zorn deß Bapsts / den Faustum /
oder verstorbenen Seel in das Fegfeuwer condemniert vnd
verdampt. D. Faustus aber hette ein gut fegen mit deß Bapstes
Kosten vnd Tranck. Solchs Silbergeschirr hat man nach seinem Abschiedt hinder jhm gefunden. Als es nun mit Mittnacht ward / vnd Faustus sich von solcher speiß gesättigt hatt /
ist er mit seinem Geist [106] widerumb in die Hőhe
auffgeflogen / vnd gen Meyland in Jtaliam kom-   Meylandt.
men / welches jn ein gesunde Wohnung dauchte /
dann es ist da kein anzeigung der hitze / auch sind da frische
Wasser / vnd 7. gar schőne See / auch hat er da viel ander
schőne Flůß vnd Wasser gezehlet vnd abgenommen. Es sind
auch darinnen schőne feste wol erbauwete Tempel vnnd
Kőnigliche Hăuser / doch altfrănckisch. Jhme gefiele auch die
hohe Burg oder das Schloß mit jren Vesten / der
kőstliche Spital zu vnser Frawen. Florentz besich-   Florentz.
tiget er auch / er wunderte sich dieses Bisthumbs /
der kůnstlichen Zierde von den schőnen Schwibbogen vnd
Gewelben / deß schőnen gezierten Baumgarten zu S. Maria.
Der Kirchen / so allda im Schloß ligt / mit schőnen kőstlichen
Vmbgăngen bekleidet / auch einen gantz auffgerichten Mar-
melsteinen Thurn / das Thor / dadurch man gehet / mit Glo-
cken⟨-⟩ oder Ertzspeiß gemacht / darinnen die Historien deß
alten vnd newen Testaments gegraben / die Gegend darumb
trăgt guten Wein / auch [107] kůnstliche Leut vnd
Handtierung darinnen. Jtem / Leon in Franck-   Leon.
reich / zwischen zweyen Bergen ligend / vnd zwey-
en Flůssen vmbfangen / dabey ein Tempel trefflicher wůrdig-
keit / daneben auch ein herrliche Seul / mit schőnen gehawen
Bildern. Von Leon wendt er sich gen Cőlln am
Reinstrom gelegen / darinn ist ein Stifft / das hohe   Cőlln.
Stifft genannt / da die 3. Kőnig / so den Stern Christi gesucht / begraben ligen. Als D. Faustus solchs sahe /

sagt er: O jr gute Månner / wie seyt jhr so jrr gereiset / da jr solt in Palestinam gen Bethlehem in Judea ziehen / vnd seyt hieher kommen / oder seyt villeicht nach ewerm todt ins Meer geworffen / in Reinstrom geflôst / vnd zu Côlln auffgefangen / vnd allda begraben worden. Alda ist auch der Teufel zu S. Vrsula mit den 11000. Jungfrawen. Sonderlich gefiel jm da die schônheit der Weiber. Nit weit davon ligt

Ach.   die Statt Ach / ein stuel deß Keysers / in dieser Statt ist ein gantz Marmelsteiner Tempel / so der groß Keyser Carolus sol gebawt haben / vnd geordnet / daß alle 1 seine Nachkommen die [108] Kron darinnen empfangen sollen. Von Côlln vnd Ach lendt er sich wider ins Welsche Land gen Genff / die Statt zu besichtigen / welche ist ein Statt in Saphoy / ligt in der gegend deß Schweitzerlands / ein schône vnd grosse Gewerbstatt / hat gute fruchtbare Weinwachß / 1 vnd wont ein Bischoff da. Er kam auch gen Straßburg / vnd hat D. Faustus erfaren / warumb es Straßburg genant wirt / nemlich / von vile der Wege / Eingäng vnd Strassen / davon sie den Namen bekommen / hat allda ein Bisthumb.

Basel.   Von Straßburg kame er gen Basel in Schweitz / da 2 der Rhein schier mitten durch die Statt rinnet / vnd wie er von seim Geist berichtet / sol diese Statt den Namen von einem Basilißken / so allda gewont / haben. Die Mawr ist mit Zigelsteinen gemacht / vnd mit tieffen Grâben gezieret. Es ist auch ein weit fruchtbar Land / da man noch viel alte 2 Gebâuwe sihet / da ist auch eine hohe Schul / vnnd gefiel jhm kein schône Kirch darinnen / denn das Carthâuser

Costnitz.   Hauß. Von dannen kam er gen Costnitz / da ist ein schône [109] Brücken von der Statt Pforten vber den Rein gemacht. Diser See / sagt der Geist zu Fausto / ist 3 20000. schritt lang / vnd 15000. schritt breit / dise Statt hat von dem Constantino den Namen empfangen.

Vlm.   Von Costnitz gen Vlm / der Namen Vlma ist vom Feldgewächß entsprungen / dahin die Donaw fleußt / aber durch die Statt geht ein fluß / die Blaw genant / 3 hat ein schôns Münster / vnd Pfarrkirchen zu S. Maria / hat

Anno 1377. angefangen ein zierlich / kőstlich vnd kűnstlich
Gebåw / dergleichen kaum gesehen wirt / darinnen sind
52. Altår / vnd 52. Pfrűnden / so ist auch ein kűnstlich vnd
kőstlich Sacrament Hauß darinnen. Als nu D. Faustus von
Vlm wider vmbkeren / vnd weiter wolt / sagte sein Geist zu
jm: Mein Herr / sehet die Statt an / wie jr wőllet / sie hat drey
Graffschafften mit barem Gelt an sich bracht / vnd mit allen
jren Priuilegien vnd Freyheiten erkaufft. Von Vlm auß / als er
mit seinem Geist in die Hőhe kam / sahe er von ferrnen viel
Landschafften vnd Ståtte / darunter auch eine [110] grosse
Statt / vnd dabey ein grosses vnnd festes Schloß /
dahin låndt er sich / vnd war Wűrtzburg / die Bi-   Wirtzburg.
schoffliche Hauptstatt in Francken / daneben der
Fluß Mayn her fleust / da wåchßt guter starcker wolschmac-
kender Wein / vnd sonsten von Getreyde auch Fruchtbar. Jn
diser Statt hat es vil Orden / als BettelOrden / Benedictiner /
Stephaner / Carthåuser / Johanser vnnd Teutschen Orden.
Jtem / es hat allda drey Carthåuserische Kirchen / on die
Bischoffliche Thumbkirchen / 4. BettelOrden / 5. Frawen-
Klőster / vnd 2. Spital zu S. Maria / die dann am Thor ein
wunderbarlich Gebåw hat. D. Faustus / als er die Statt vberall
besichtiget / ist er zu Nachts in deß Bischoffs Schloß auch
kommen / das allenthalben besehen / vnd allerley Prouiant
darinnen gefunden. Als er nu die Felsen besichtiget / sahe er
ein Capellen darinnen gehawen / vnnd als er allerley Wein
versuchte / ist er widerumb davon gefahren. Vnd
gen Nűrenberg kommen / da sagt jhm der Geist   Nűrnberg.
vnterwegen: Fauste / wisse / daß Nűrnberg der
[111] name von Claudio Tyberio Nerone entspringt / vnd
von Nero Nűrnberg genannt worden. Darinnen sind
2. Pfarrkirchen / S. Seboldt / der da begraben ligt / vnd
S. Lorentz Kirchen / darinnen hangt deß Keysers Zeichen /
als der Mantel / Schwerdt / Scepter / Apfel vnd Kron / deß
grossen Keysers Caroli. Es hat auch drinnen ein schőnen
vbergűlten Brunnen / der schőn Brunn genannt / so auff dem
Marckt steht / darinnen ist oder sol seyn der Sper / so

Longinus Christo in die Seyten gestochen / vnd ein stück
vom H. Creutz. Diese Statt hat 528. Gassen / 116. Schöpff-
brunnen / 4. grosser vnd 2. kleiner Schlagvhrn / 6. grosser
Thor / vnd 2. kleiner Thörlin / 11. steinern Brücken /
12. berge / 10. geordnete Mårckt / 13. gemeiner Badstuben /
10. Kirchen darinn man predigt. Jn der Statt hat es 68. Mül-
råder / so das Wasser treibt / 132. Hauptmannschafft /
2. grosse Ringmawrn vnd tieffe Gråben / 380. Thürne /
4. Pasteyen / 10. Apotecken / 68. Wåchter / 24. Schützen
oder Verråhter / 9. Stattknecht / 10. Doctores in Jure / vnd
[112] 14. in Medicina. Von Nürnberg gen Augs-
Augspurg.   purg / da er morgens früe / als der tag erst anbrach / hinkame / fraget er seinen Diener: Wo
Augspurg jren namen her habe. Er sprach: Augspurg die
Statt hat etliche namen gehabt / dann sie erstlich / als sie
erbawen / Vindelica genannt worden / darnach Zizaria /
dann Eysenburg / vnd endlich von Augusto Octauiano /
dem Keyser / Augusta genannt worden. Vnd dieweil sie
D. Faustus zuvor auch gesehen / ist er fürüber gefahren / vnd
sich gelendt gen Regenspurg. Dieweil D. Faustus auch
fürüber wolte reysen / sagt der Geist zu jhm: Mein Herr
Fauste / dieser Statt hat man 7. namen geben / als
Regens-   nemlich Regenspurg / den namen / so sie noch
purg.   hat / sonst Tyberia / Quadrata / Hyaspolis / Reginopolis / Imbripolis / vnd Ratisbona / das
ist / Tyberius Augusti Sone. Zum 2. die vierecket Statt. Zum
3. von wegen der groben Sprach / der nachgehenden Nach-
barschafft. Zum 4. Germanos / Teutschen. Zum 5. Königs-
burg. Zum 6. Regenspurg. Zum 7. von Flössen vnd [113]
schiffen daselbsten. Dise Statt ist fest / starck vnd wol
erbawt / bey jr läufft die Donaw / in welche bey 60. flüß
kommen / schier alle schiffreich. Da ist Anno 1115. ein
künstliche / berümbte / gewälbte Brück auffgerichtet
worden / wie auch ein Kirch / die zu rühmen ist / zu
S. Remigien / ein künstlich werck. D. Faustus ist aber bald
wider fortgeruckt / vnd sich nit lang da geseumbt / allein hat

er einen Diebstall gethan / vnd einem Wirt zum hohen
Busche den keller besucht / darnach sich gewend / vnd
kommen gen München ins Beyerland / ein recht
Fürstlich Land. Die Statt ist new anzusehen / mit   München.
schönen weiten Gassen / vnd wolgezierdten Häu-   Saltzburg.
sern. Von München auß gen Saltzburg / ein Bischoffliche Statt im Beyerland ligend / welche auch anfangs
etliche namen gehabt. Dise Gegend hat Weyer / ebene Bühel /
See / Berge / darvon sie Weydvögel vnd Wildprät
bekommen. Von Saltzburg gen Wien in Oster-   Wien.
reich. Dann er sahe die Statt von ferrne / vnd wie jn
der Geist bericht / sol nit bald ein älter Stat gefunden werden /
vnd vom Flauio dem Land[114]vogt also genennt seyn. Diese
Statt hat einen grossen weiten graben / mit einem Vorschutt /
hat auch im vmbkreiß der Maurn 300. schrit vnd wol befestigt / die Häuser sind gemeiniglich all gemalt / vnd neben
der Keyserlichen wonung ein hohe schul vffgericht. Dise
Statt hat zur Oberkeit nur 18. Personen. Jtem / man braucht
zum weinlesen 1200. Pferdt / so hat diese Statt auch weite
vngegründte keller / die gassen mit harten steinen / die Häuser mit lüstigen gemachen vnd stuben / weit an stallun-
gen / vnd sonst mit allerley gezierden. Von Wien reiset er in
die höhe / vnd sihet von der höhe herab ein Statt /
die doch ferrn lag / das war Prag / die Hauptstatt in   Prag.
Behem / diese Statt ist groß / vnd in drey Theil
getheilt / nemlich alt Prag / new Prag vnd klein Prage / klein
Prag aber begreifft in sich die lincke seyten / vnd der Berg / da
der königliche Hoff ist / auch S. Veit / die Bischoffliche
Tumbkirchen. Alt Prag ligt auff der ebne / mit grossen
gewaltigen Gråben geziert / Auß dieser Statt kompt man zur
kleinen Statt Prag vber ein Brücken / dise Brück hat
24. schwib[115]bogen. So ist die new Statt von der alten Statt
mit eim tieffen graben abgesöndert / auch rings vmb mit
Mawren verwart / daselbst ist das Collegium der hohen
Schule / die Statt ist mit einem Wall vmbfangen. D. Faustus
reiset auff Mitternacht zu / vnd sihet wider ein andere Statt /

Cracaw.   vnd da er sich von einer ebne herab ließ / war es
             Crackaw / die Hauptstatt in Polen / eine schön vnd
gelehrte schul allda. Dise Statt ist die Königliche Wonung in
Polen / vnd hat von Craco dem Polnischen Hertzogen den
Namen empfangen. Dise Statt ist mit hohen Thürnen / auch
mit Schütt vnnd Gråben vmbfangen / derselbigen Gråben
sind etliche mit Fischwassern vmbgeben. Sie hat 7. Pforten /
vnd viel schöner grosser Gottshåuser. Dise gegend hat grosse
måchtige hohe Felsen vnd Berge / drauff sich D. Faustus
herunter gelassen / deren einer so hoch ist / daß man meynet /
er halte den Himmel auff / allda D. Faustus auch in die Statt
hat sehen können / hat also D. Faustus in dieser Statt nit
einkehret / sonder vnsichtbar vmb die Statt herumb [116]
gefahren. Von diesem Bühel / darob D. Faustus etliche
Tag geruhet / begibt er sich wider in die höhe / gen Orient
zu / vnd reiset für vil Königreich / Stått vnd Landschafften / wandelte also auch auff dem Meer etliche Tage / da
             er nichts dann Himmel vnd Wasser sahe / vnd ka-
Constanti-   me in Thraciam oder Griechenlandt / gen Con-
nopel.   stantinopel / die jetzundt der Türck Teucros nen-
             net / allda der Türckische Keyser Hoff helt / vnd
Soliman-   vollbracht daselbst viel Abenthewr / wie hernach
nus ist An- etlich erzelt werden / so er dem Türckischen
no 1519.
ins   Keyser Solimanno zugefügt. Constantinopel hat
Regiment   jren Namen von dem grossen Keyser Constanti-
kommen.   no. Diese Statt ist mit weiten Zinnen / Thürnen
             vnd Gebåwen auffgericht vnd geziert / daß mans
wol new Rom mag nennen / vnd fleußt neben an beyden orten
das Meer. Dise Statt hatt 11. Pforten / 3. Königliche Håuser
oder wonungen. D. Faustus besahe etliche tage deß Türckischen Keysers macht / gewalt / Pracht vnd Hofhaltung / vnd
auff einen Abend / als der Türckische Keyser vber der Tafel
saß vnd asse / macht jm D. [117] Faustus ein Affenspiel vnd
Abenthewr / denn in deß Türckischen Keysers Saal herumb
giengen grosse Fewerstromen / daß ein jeglicher zulieff zu
leschen / in dem hub es an zu Donnern vnd Blitzen. Er

verzaubert auch den Türckischen Keyser so sehr / daß er
weder auffstehen oder man jn von dannen tragen kondt. Jn
dem wurde der Saal so hell / als wann die Sonnen darinnen
wohnete / Vnd D. Fausti Geist tratt in gestalt / zierd vnd
geschmuck eins Bapsts für den Keyser / vnd spricht: Gegrüsset seystu Keyser / der je so gewürdiget / daß ich den Mahomet vor dir erscheine. Mit solchen kurtzen Worten verschwandt er. Der Keyser fiel nach dieser Bezauberung auff
die Knie nider / rüfft also seinen Mahomet an / lobt vnd preißt
jn / daß er jn so gewürdiget / vnd vor jm erschienen were.
Morgen am andern Tage fuhr D. Faustus in deß Keysers
schloß ein / darinnen er seine Weiber vnd Hurn hat / vnd
niemand daselbst jnnen wandeln darff / als verschnittene
Knaben / so dem Frawenzimmer auffwarten. Dieses Schloß
verzauberte er [118] mit einem solchen dicken Nebel /
daß man nichts sehen kundte. D. Faustus / wie auch vor sein
Geist / namen solche gestalt vnd wesen an / vnd gab sich vor
den Mahomet auß / wonet also 6. tag in diesem Schloß / so
war der Nebel so lang da / als lang er da wonete. Wie auch der
Türck dißmal sein volck vermanet / diese Zeit mit viel
Ceremonien zubegehen. D. Faustus der assz / tranck / war
gutes muts / hatt seinen Wollust / vnd nach dem er solchs
vollbracht / fuhre er im Ornat vnd Zierde eines Bapsts in die
Höhe / daß jhn männiglich sehen kondte. Als nun D. Faustus
widerumb hinweg / vnd der Nebel vergangen war / hat sich
der Türck in das Schloß verfüget / seine Weiber gefordert /
vnnd gefragt / wer allda gewesen were / daß das schloß so lang
mit einem Nebel vmbgeben gewest / Sie berichten jn / es were
der Gott Mahomet gewest / vnd wie er zu Nacht die vnd die
gefordert / sie beschlaffen / vnnd gesaget: Es würde auß seinem Samen ein groß Volck vnd streitbare Helden entspringen. Der Türck nam solchs für ein groß Geschenck an / daß
[119] er jm seine Weiber beschlaffen / fraget auch hierauff die
Weiber / ob er auch eine gute Prob / als er sie beschlaffen /
bewiesen? Ob es Menschlicher weise were zugangen? Ja antworten sie / es were also zugangen / er hett sie geliebet /
gehälset und were mit dem Werck wol gestaffiert / sie wolten

solches alle Tage annemmen / Zu deme / so were er nackendt
bey jnen geschlaffen / vnd in gestalt eines Mannsbilds / allein
sein Sprach hetten sie nit verstehen können. Die Priester
beredten den Türcken / er solte es nit glauben / daß es der
Mahomet were / sonder ein gespänst. Die Weiber aber sagten:
Es seye ein gespänst oder nit / er hette sich freundtlich zu jnen
gehalten / vnd zu Nacht einmal oder sechs / vnd je mehr sein
Prob meisterlich bewiesen / vnd were in summa wol gestaffiert / etc. Solchs machte dem Türckischen Keyser viel nach-
denckens / daß er in grossem zweiffel stunde. D. Faustus
wendet sich gegen Mitternacht zu in die grosse
Alkair.   Hauptstatt Alkair / die vormals Chayrum oder
Memphis genannt worden / darinnen der Egypti-
sche Soldan sein Schloß oder [120] Hoffhaltung hat. Da theilet
sich der Fluß Nilus in Egypten / ist der gröste Fluß in der
gantzen Welt / vnd so die Sonne im Krebs geht / so begeußt
vnd befeuchtigt er das gantze Land Egypten. Darnach wendet
er sich wider gegen Auffgang vnnd Mitternacht
Ofen.   werts gen Ofen / vnnd Sabatz in Vngern. Ofen
Sabatz.   diese Statt ist vnd war die Königliche Hauptstatt in
Vngern / diß ist ein fruchtbar Land / allda hat es
Wasser / wann man Eysen darein senckt / so wirdt es zu
Kupffer. Es hat gruben allda von Goldt / Silber vnd allerley
Metall. Die Statt nennen die Vngern Start / welchs auff
Teutsch Ofen genannt / ein grosse Veste / vnd mit einem
trefflichen schönen Schloß gezieret. Von dannen wandte er
sich gen Magdeburg vnd Lübeck in Sachssen.
Magden-   Magdenburg ein Bischofflicher Stuel / in dieser
burg.   Statt ist der 6. Krüg einer auß Cana in Galilea /
Lübeck.   darinnen Christus Wein auß wasser machte. Lübeck ist auch ein Bischofflicher Stul in Sachsen /
etc. Von Lübeck kam er in Düringen gen Erfurt /
Erdfurt.   da ein hohe Schul ist. Von Er[121]furt lendet er
sich widerumb auff Wittemberg zu / vnd kam also
da er anderhalb jar aussen war / wider heim / vnd hatt also
viel Landschafften gesehen / so nit alle zubeschreiben sind.

[27]

Vom Paradeiß.

Doctor Faustus / als er in Egypten war / allda er die statt
Alkair besichtiget / vnnd in der hôhe vber viel Kônigreich vnd
Lânder reisete / als Engelland / Hispaniam / Franckreich /
Schweden / Polen / Dennemarck / Jndiam / Aphricam / Persiam / etc. Jst er auch in Morenland kommen / vnd neben
jmmerdar auff hohe Berg / Felsen vnd Jnsulen sich gelendt
vnd geruhet / ist sonderlich auch in dieser fůrnemmen Jnsel Britannia gewest / darinn viel was-   Britannia.
serflůß / warme brůnnen / menge der Metall seyn /
auch der stein Gotts / vnd viel andere / so D. Faustus mit sich
herauß gebracht. Orchades sind Jnsel deß grossen Meers /
jnnerhalb Britannien gelegen / vnd sind deren 23. in der Zal /
deren 10. sind wůst / vnd 13. wonhafft. Caucasus
zwischen Jndia vnd [122] Scythia / ist die hôchste   Berg
Jnsel mit seiner hôhe vnd gipffel. Darob D. Fau-   Caucasus.
stus vil Landschafft vnd weite deß Meers vbersehen / allda sind so vil Pfefferbâume / wie bey vns
die Wachholder Stauden. Creta die Jnsel in Grie-   JnselCreta.
chenlandt / ligt mitten im Gandischen Meer / den
Venedigern zustândig / da man Maluasier machet. Diese Jnsel
ist voller Geissen / vnnd mangelt der Hirschen. Sie gebiert
kein schâdlich Thier / weder Schlangen / Wôlff noch Fůchß /
allein grosse gifftige Spinnen werden allda gefunden. Diese
vnd viel andere Jnseln mehr / so jhme der Geist Mephostophiles all erzehlte / vnd gewiesen / hat er außgespehet vnd besehen. Vnd damit ich ad propositum komme / ist diß die vrsach
gewest / daß D. Faustus sich auff solche Hôhen gethan / nit
allein daß er von dannen etliche Theils deß Meers / vnnd die
vmbligende Kônigreich vnd Landschafften vbersehen / etc.
Sondern vermeynet / dieweil etliche hohe Jnsulen mit jhren
Gipffeln so hoch seyen / wôlle er auch endlich das Paradeiß
sehen kônnen / dann er hatt seinen Geist [123] nit darumb

angesprochen / noch ansprechen dörffen / vnd sonderlich in
der Jnsel Caucasus / welche mit jren Gipffeln vnd Höhe alle
andere Jnseln vbertrifft / vermeinte / es solt jm nit fehlen das
Paradeiß zusehen. Auff diesem Gipffel der Jnsel Caucasi /
sihet er gar das Land Jndiam vnd Scythiam / vnd gegen Auffgang / sahe er von ferrne von der höhe hinauff / biß zu der
Mitnächtigen Linien ein Helle / gleich wie ein hellescheinende
Sonne / ein Fewerstromen als ein Fewr auffgehen / von der
Erden biß an den Himmel vmbgeschrencket auff der Erden /
gleich einer kleinen Jnsel hoch / er sahe auch in dem Thal vnd
auff dem Lande vier grosser wasser springen / eins gegen
Jndien zu / das ander gegen Egypten / das dritte gegen Arme-
nien / vnd das 4. auch dahin. Jn solchem / so er gesehen / hett
er gern sein Fundament vnd Vrsprung gewist / derhalben jhm
fürname / den Geist drumb zu fragen / das thät er doch mit
erschrockenem hertzen / vnd fragt also seinen Geist was es
were? der Geist gab jm gute antwort / vnd sagt: Es were das
Paradeiß / so da lege [124] gegen Auffgang der Sonnen / ein
Gart / den GOtt gepflantzet hette / mit aller Lustbarkeit / vnd
diese feuwrige Strömen were die Mawr / so Gott dahin gelegt / den Garten zuuerwahren vnd vmbzuschrencken / Dort
aber (sagte er weiter) sihestu ein vberhelles Liecht / das ist das
feuwrige Schwerdt / mit welchem der Engel disen Garten
verwart / vnd hast noch so weit dahin / als du jmmer je gewest
bist / du hast es in der Höhe besser sehen können / aber nit
war genommen / etc. Dieses Wasser / so sich in 4. theil zertheilet / sind die Wasser / so auß dem Brunnen der mitten im Paradeiß steht / entspringen / als mit namen Ganges oder Phison / Gihon oder Nilus / Tygris vnd Euphrates / vnd sihest
jetzt / daß er vnter der Wag vnd Widder ligt / reicht biß an
Himmel / vnd auff diese fewrige Mawren ist der Engel Cherubin mit dem flammenden Schwert / solches alles zuuerwaren
geordnet / Aber weder du / ich / noch kein Mensch kan dazu
kommen.

[28]

[125]   Von einem Cometen.

Zu Eißleben ist ein Comet gesehen worden / der wunder groß
war. Da fragten etliche seine gute Freundt D. Faustum / wie
5   das zugieng. Antwort er jnen / vnd sagt: Es geschicht offt /
daß sich der Mond am Himmel verwandelt / vnd die Sonne
vnterhalb der Erden ist. Wann dann der Mond nahe hinzu
kompt / ist die Sonne so kråfftig vnd starcke / daß sie dem
Mond seinen schein nimpt / daß er aller roht wirt / wann nu
10   der Mond widervmb in die höhe steigt / verwandelt er sich in
mancherley Farben / vnd springt ein Prodigium vom höchsten drauß / wirt alsdenn ein Comet / vnd seyn der figur vnd
bedeutung / so Gott verhångt / mancherley. Einmal bringet es
Auffruhr / krieg oder sterben im Reich / als Pestilentz /
15   Gehentod / vnd ander seuchten. Jtem / wassergůß / wolcken-
brüch / brunst / thewrung vnd dergleichen. Durch solche
Zusammenfügungen vnd verwandelungen deß Monds vnd
der Sonnen wirt ein Monstrum [126] als ein Comet / da denn
die bösen Geister / so die verhångnuß Gottes wissen / mit jren
20   Jnstrumenten gerůst sind / diser Stern ist gleich wie ein
Hurenkind vnter den andern / da der Vatter ist / wie oben
gemeldt / Sol & Luna.

[29]

Von den Sternen.

25   Ein fürnemmer Doctor N. V. W. zu Halberstatt / lude D.
Faustum zu Gast / vnd ehe das essen zugerůst war / sahe er ein
weil zum fenster hinauß an Himmel / der dann dazumal als im
Herbst voller Sterne war. Vnd dieser Doctor war ein Medi-
cus / darneben ein guter Astrologus / der vrsachen er / vnd daß
30   er von D. Fausto etliche verwandlung der Planeten vnd Stern
erkündigen möchte / D. Faustum sonderlichen beruffen hatt /

leynete sich derhalben zu D. Fausto vnter das Fenster vmb die
helle deß Himmels / vnd vile der Stern von jm zuerkündigen /
vnd als er sahe / wie sie sich butzten vnd herab fielen / fragt er
D. Faustum / wie es ein [127] Condition vnd gelegenheit damit
habe. D. Faustus antwortet: Mein Herr vnd lieber bruder / jr
wist zuvor / daß der kleinest stern am Himmel / so vns hierun-
den kaum wie vnsere grosse Wachßliechter geduncket / grösser ist als ein Fürstenthumb. So ist es gewiß / wie ichs auch
gesehen hab / daß die weite vnd breite deß Himmels / grösser
ist / dann 12. Erdboden / wie dann am Himmel kein Erden
zusehen ist / so ist mancher Stern grösser / denn diß Land /
einer so groß als die Statt / jenseyt ist einer so groß / als das
gezircke deß Röm. Reichs / diser so groß als die Türckey / vnd
die Planeten / da ist einer so groß als die gantze Welt.

[30]

Ein Frage von gelegenheit der Geister /
so die Menschen plagen.

Das ist war / saget dieser D. mein Herr Fauste / Wie hat es
aber ein Gestalt vmb die Geister / dieweil man spricht / daß sie
nit allein zu tag / sonder auch zu Nacht [128] die Menschen
plagen. Antwort D. Faustus: Die Geister / dieweil sie der
Sonnen nicht vnterworffen seyn / so wohnen vnd wandelen sie
vnter dem Gewülcke / vnnd je heller die Sonne scheint / je
höher die Geister jre wonung haben / vnd suchen / denn das
Liecht vnd der schein der Sonnen / ist jhnen von Gott verbotten / vnd nit gegönnt noch zugeeignet / aber zu Nacht / da es
gestickt finster ist / wonen sie vnter vns Menschen / dann die
helle der Sonnen / ob sie schon nit scheint / macht den ersten
Himmel so hell wie der tag / daß also in der dicke der Nacht /
ob die Stern schon nit scheinen / dennoch wir Menschen den
himmel ersehen können. Daher denn folgt / daß die Geister /
dieweil sie den anblick der Sonnen / welcher in die höhe

vffgestiegen / nit erdulden noch leiden kőnnen / sie sich nahe
zu vns auff die Erden thun bey vns menschen wonen / dieselbigen mit schweren trăumen / schreyen vnd erscheinen grausamer vnd erschrecklicher gestalt ăngstigen / dann wan jr
5 finster vnd one Liecht hinauß geht / so fállt euch vil schrecken
zu / so habt jr bey nacht auch viel phantaseyen / welchs bey
[129] dem Tag nicht geschiehet. Zu dem / so erschrickt einer
im Schlaff / meynendt / es seye ein Geist bey jhm / er greiffe
nach jm / gehe im Hause / oder im Schlaff vmb / vnd ander
10 dergleichen. Dieses alles begegnet vns darumb / dieweil vns
die Geister deß Nachts nahe seind / vnd vns mit allerley
Bethőrung vnnd Verblendung ăngstigen vnd plagen.

[31]

Ein ander Frag / von den Sternen /
15   so auff die Erden fallen.

Umb der Stern Wirckung so sie erleuchtet / vnd herab fallen
auff die Erden / ist es nichts newes / sondern begibt sich alle
Nacht. Wann es nun also Funcken oder flammen gibt / seind
es Zeichen / so von den Sternen fallen / oder wie wirs butzen
20 nennen / die seind zeh / schwartz vnd halb grůnlicht. Aber
daß ein Stern fallen solt / ist allein der Menschen gedůn-
[130]cken / vnd sihet man offt ein grossen Fewrstrom bey
Nacht herab fallen / das seind nicht / wie wir vermeynen /
fallende Stern. Dann ob wol ein Butzen viel grősser ist als der
25 ander / vervrsacht solches / daß auch die Stern ein ander
vngleich seyn. Vnd fállt kein Stern / one Gottes sondere verhengnuß / vom Himmel / es wőlle dann Gott Landt vnd Leut
straffen / alsdann bringen solche Stern das Gewőlck deß Himmels mit sich / dardurch folget groß Gewásser / oder Brunst /
30 vnd verderbung Land vnd Leut.

[32]

Vom Donner.

Jm Augstmonat war zu Wittenberg Abendts ein grosses Wetter entstanden / daß es kisselte vnd sehr Wetterleuchtet / vnd Doctor Faustus ob dem Marckt bey andern Medicis stunde / 5
die von jhm Vrsach vnd Gelegenheit dieses Wetters zu wissen begerten. Denen gab er Antwort: Jst jm nicht also / je zu zeiten / [131] wann ein Wetter einfallen wil / so wirt es zuvor windig / Aber letzlich wenn es ein weil gewittert hat / erheben sich grosse Platzregen. Solches kompt daher / wann die vier 10
Wind deß Himmels zusammen stossen / wirdt das Gewölck dardurch zusammen getrieben / oder bringt das Gewölck zu erst daher / vnd mischet also an einem ort / einen Regen oder schwartz Gewölck / wie denn da auch zu sehen / daß vber die Statt so ein schwartz Gewölck gehet. Darnach wenn das 15
Gewitter sich erhebt / mischen sich die Geister darvnter / vnd fechten mit den vier orten deß Himmels / also daß der Himmel die Stöß erweckt / vnd das nennen wir Donnern oder boldern. Wann dann der Wind so groß ist / wil der Donner nirgend fort / stehet an / oder aber es treibet geschwind fort / 20
darnach merckt an welchem End sich der Wind erwecket / der treibet das Gewitter / also daß offt von dem Mittag ein Gewitter daher kompt / je im Auffgang / Nidergang vnnd Mitternacht.

Folgt der dritt vnnd letzte Theil
von D. Fausti Abenthewer / was er mit
seiner Nigromantia an Potentaten Höfen
gethan vnd gewircket.
Letzlich auch von seinem jåmmerlichen
erschrecklichen End vnnd Abschiedt.

[33]

Ein Historia von D. Fausto
vnd Keyser Carolo Quinto.

Keyser Carolus der Fůnfft dieses Namens / war mit seiner
Hoffhaltung gen Jnßbruck kommen / dahin sich D. Faustus
auch verfůget / vnnd [133] von vielen Freyherrn vnd Adelspersonen / denen sein Kunst vnd Geschicklichkeit wol bewust /
sonderlich diesen so er mit Artzney vnnd Recepten von vielen
namhafften Schmertzen vnd Kranckheiten geholffen / gen
Hof zum Essen geladen vnd beruffen / gaben jhm das Geleydt
dahin / Welchen Keyser Carolus ersehen / vnnd Achtung auff
jn gegeben / wer er seye? Da ward jm angezeigt / es were D.
Faustus. Darauff der Keyser schwige / biß nach Essens zeit /
diß war im Sommer nach Philippi vnd Jacobi. Darnach forderte der Keyser den Faustum in sein Gemach / hielte jm fůr /
wie jhm bewust / daß er ein erfahrner der schwartzen Kunst
were / vnnd einen Warsager Geist hette / were derhalben sein
begern / daß er jn ein Prob sehen lassen wolt / es solte jhm
nichts widerfahren / das verhiesse er bey seiner Keyserlichen
Kron. Darauff D. Faustus jrer Key. May. vnterthånigst zu
willfahren sich anbotte / Nun so höre mich / sagt der Keyser /
daß ich auff ein zeit in meinem Låger in Gedan[134]cken
gestanden / wie vor mir meine Voreltern vnd Vorfahren in so
hohen Grad vnd Authoritet gestiegen gewesen / dann ich vnd
meine Nachkommene noch entspringen möchten / vnd son-

derlich daß in aller Monarchey der großmåchtige Keyser
Alexander Magnus / ein Lucern vnd Zierd aller Keyser / wie
auß den Chronicken zubefinden / grosse Reichthumb / viel
Kônigreich vnd Herrschafften vnter sich gebracht / welches
mir vnd meinen Nachkommen wider zu wegen zu bringen   5
schwer fallen wirdt. Demnach ist mein gnediges begern /
mir sein Alexanders / vnd seiner Gemåhlin Form / Gestalt /
Gang / Geberde / wie sie im Leben gewesen / fûrzustellen /
damit ich spûren môge / daß du ein erfahrner Meister in deiner Kunst seyest. Allergnådigster Herr / sagte Faustus / Ewr   10
Keys. May. begern / mit fûrstellung der Person Alexandri
Magni vnd seines Gemahls / in Form vnd Gestalt / wie sie in
jhren Lebzeiten gewesen / vnterthånigste Folg zu thun / wil
ich / so viel ich von mei[135]nem Geist vermag / dieselbige
sichtbarlich erscheinen lassen / doch sollen Ew. May. wissen /   15
daß jre sterbliche Leiber nicht von den Todten aufferstehen /
oder gegenwertig seyn kônnen / welches dann vnmûglich ist.
Aber die vhralte Geister / welche Alexandrum vnd sein
Gemåhlin gesehen / die kônnen solche Form vnnd Gestalt an
sich nemen / vnd sich darein verwandelen / durch dieselbige   20
wil ich jr May. Alexandrum warhafftig sehen lassen. Darauff
Faustus auß deß Keysers Gemach gieng / sich mit seinem
Geist zu besprechen / nach diesem gieng er wider zum Keyser
hinein / zeigt jm an / wie er jm hierinnen willfahren wolte /
jedoch mit dem geding / daß jr Key. May. jhn nichts fragen /   25
noch reden wolten / welches jhm der Keyser zusagte. D.
Faustus thete die Thûr auff / Bald gieng Keyser Alexander
hinein / in aller Form vnnd Gestalt / wie er im Leben gesehen /
Nemlich / ein wolgesetztes dickes Månnlein / rohten oder
gleichfalben vnd dicken Barts / roht Backen / vnd eines stren-   30
gen [136] Angesichts / als ob er Basiliscken Augen hett. Er trat
hinein in einem gantzen vollkommen Harnisch / zum Keyser
Carolo / vnd neigt sich mit einer tieffen Reuerentz. Der Keyser wolt auch vffstehn / vnd jn empfangen / aber D. Faustus
wolte jm solches nit gestatten. Bald darauff / nach dem sich   35
Alexander wider neiget / vnd zu der Thûr hinauß gieng / gehet

gleich sein Gemahl gegen jm herein / die thet dem Keyser
auch Reuerentz / sie gieng in einem gantzen blawen Sammat /
mit gülden Stücken vnd Perlen gezieret / sie war auch vberauß
schön vnnd rohtbacket / wie Milch vnnd Blut / lenglicht / vnd
5   eines runden Angesichts. Jn dem gedachte der Keyser / nun
hab ich zwo Personen gesehen / die ich lang begert habe / vnd
kan nicht wol fehlen / der Geist wirdt sich in solche gestalt
verwandelt haben / vnd mich nit betriegen / gleich wie das
Weib den Propheten Samueln erweckt hatt. Vnd damit der
10 Keyser solchs desto gewisser erfahren möchte / gedachte er
bey jm / Nun hab ich offt gehört / daß sie [137] hinden im
Nacken ein grosse Wartzen gehabt / vnd gieng hinzu zu besehen / ob solche auch an diesem Bild zu finden / vnd fandt also
die Wartzen / denn sie jhm / wie ein stock still hielte / vnd
15 hernacher widerumb verschwandt / hiemit ward dem Keyser
sein Begeren erfüllt.

[34]

D. Faustus zauberte einem Ritter ein
Hirsch Gewicht auff sein Kopff.

20 Als Doct. Faustus dem Keyser sein Begeren / wie gemeldt /
erfüllet / hat er sich Abendts / nach dem man gen Hof zu Tisch
geblasen / auff eine Zinne gelegt / das Hofgesind / auß⟨-⟩ vnd
eingehen zu sehen. Da sihet nun Faustus hinüber in der Ritter
Losament / einen schlaffend vnter dem Fenster
25 liegen (denn es denselben Tag gar heiß war) die   Erat Baro
Person aber so entschlaffen / hab ich mit Namen   ab
nicht nennen wöllen / denn es ein Ritter vnd ge-   Hardeck.
[138]borner Freyherr war / ob nun wol diese Abenthewer jm
zum spott gereicht / so halff doch der Geist Mephostophiles
30 seinem Herrn fleissig / vnd treuwlich darzu / vnd zauberte
jhm also schlaffend / vnter dem Fenster ligend / ein Hirschgewicht vff den Kopff. Als er nu erwachte / vnd den Kopff

unter dem Fenster neigende / empfandt er die Schalckheit /
wem war aber banger dann dem guten Herrn. Dann die Fenster waren verschlossen / vnd kondte er mit seinem Hirschgewicht weder hindersich / noch für sich / welches der Keyser
warname / darüber lacht / vnd jm wol gefallen liesse / biß 5
endtlich D. Faustus jhm die Zauberey widerumb aufflösete.

[35]

[139] Wie sich gemeldter Ritter an D. Fausto wider
rechen wolte / jhme aber mißlunge.

Doctor Faustus name seinen Abschiedt wider von Hofe / da 10
jhme beneben der Keyserlichen / vnnd anderer mehr Schan-
ckungen / aller guter Willen bewiesen worden / als er nuhn
auff anderhalb Meyl wegs gereiset / nimpt er siben Pferdt / in
einem Wald haltend / gewahr / die auff jn streiffeten / Es war
aber der Ritter / dem die Abentheuwr mit dem Hirschgewicht 15
zu Hof widerfahren war / diese erkannten D. Faustum / darumb eyleten sie mit Spohrenstreichen / vnnd auffgezogenen
Hanen auff jhn zu / Doctor Faustus nimpt solches wahr / thut
sich in ein Höltzlein hinein / vnnd rennet baldt widerumb auff
sie herauß / alsbaldt nemmen sie acht / daß das gantze Höltz- 20
lein voller Geharrnischten Reuter war / [140] auff sie dar renn-
ten / derhalben das Fersen Gelt geben müßten / wurden aber
nichts desto weniger auffgehalten vnd vmbringet / derhalben
sie D. Faustum vnnd gnad batten / D. Faustus ließ sie loß
vnnd verzauberte sie / daß sie alle Geißhörner an der Stirnen 25
hatten / ein Monat lang / die Gäul aber mit Kühhörnern / das
war jhr Straff / vnd wurd also deß Ritters mächtig / mit den
verzauberten Reutern.

[36]

D. Faustus frist einem Bawern ein fuder Håw / sampt dem Wagen vnd Pferden.

Er kam einmal gen Gotha in ein Ståttlein / da er zu thun hatte /
5 als nun die zeit im Junio war / vnd man allenthalben das Håw
einführte / ist er mit etlichen seinen Bekandten spatzieren
gangen / am Abend wol bezecht. Als nun D. Faustus / vnd die
jm Gesellschafft gelei[141]stet / für das Thor kamen / vmb den
Graben spatzierten / begegnet jm ein Wagen mit Håw. D.
10 Faustus aber gieng in den Fahrweg / daß jn also der Bauwer
nothhalben ansprechen muste / er solte jm entweichen / vnnd
sich neben dem Fuhrweg enthalten. D. Faustus / der bezecht
war / antwort jm: Nun wil ich sehen / ob ich dir oder du mir
weichen müssest. Hörstu Bruder / hastu nicht gehört / daß
15 einem vollen Mann / ein HåuwWagen außweichen sol. Der
Bawer ward darüber erzürnet / gab dem Fausto viel trôtziger
wort. Dem D. Faustus widervmb antwortet: Wie Bawer /
woltestu mich erst darzu bochen? mach nicht viel Vmb-
stendt / oder ich friß dir den Wagen / das Håw / vnd die Pferd.
20 Der Bauwer sagt darauff / Ey / so friß mein Dreck auch. D.
Faustus verblendet jn hierauff nicht anderst / denn daß der
Bauwer meynete / er hette ein Maul so groß als ein Zuber /
vnnd fraß vnnd verschlang am ersten die Pferdt / darnach das
Håw vnd den Wagen. Der Bawer er[142]schracke / vnd war jm
25 angst / eylet bald zum Bürgermeister / berichtet jn mit der
warheit / wie alles ergangen were. Der Bürgermeister gieng
mit jme / låchelte / dieses Geschicht zubesehen. Als sie nun
für das Thor kamen / fanden sie deß Bauren Roß vnd Wagen
im Geschirr stehen / wie zuvor / vnd hatt jhn Faustus nur
30 geblendet.

[37]

Von dreyen fürnemmen Graffen / so D. Faustus /
auff jhr begeren / gen München / auff deß Beyerfürsten
Sohns Hochzeit / dieselbige zubesehen /
in Lüfften hinführete.   5

Drey fürnemer Grafen / so aber allhie nicht zunennen seind /
vnd dazumal zu Wittenberg studierten / die kamen auff ein
zeit zusammen / redten mit einander von herrlichem Pracht /
so auff der Hochzeit zu München / mit deß Beyerfürsten
Sohn seyn würde / vnd wünschten also / daß sie nur ein halbe   10
Stund allda seyn möchten. Vnder solchem Gesprech [143] fiel
dem einen Herrn ein / vnd sprach zu den andern Grafen:
Meine Vettern / so jhr mir wolt folgen / wil ich euch ein guten
rath geben / daß wir die Hochzeit sehen können / vnd dann zu
nacht wider allhie zu Wittenberg seyn. Vnd ist diß mein für-   15
schlag / daß wir zu D. Fausto schicken / jme vnser fürhaben
eröffnen / ein Verehrung thun / vnd ansprechen / daß er vns
hierinnen verhülfflich seyn wolte / er wirdt vns das gewiß nit
abschlagen. Dieser meinung wurden sie einig / schickten nach
Fausto / hielten jhm solches für / theten jm ein Schanckung / 20
vnd hielten jm ein stattlich Pancket / darmit er wolzufriden
war / vnd hierinnen zu dienen zusagte. Als nun die zeit vorhanden war / daß deß Fürsten auß Båyern Sone Hochzeit
halten solte / berüffte D. Faustus dise Grafen in sein Hauß /
befahl jnen / sie solten sich vff das schönest kleyden / mit   25
allem Ornat / so sie hetten / Nimpt hernach einen breiten
Mantel / breitet jne in seinen Garten / den er neben seinem
Hauß hatte / vnd setzte die Grafen darauff / vnnd er mitten
hinein / [144] befilcht jnen höchlich / daß keiner / so lang sie
aussen seyn würden / kein Wort reden solt / vnd ob sie schon   30
in deß Hertzogen auß Båyern Pallast seyn würden / vnd
jemand mit jnen reden / oder sie was fragen wolte / sie niemandt kein Antwort geben solten / dem allen verhiessen sie
zu gehorsamen. Auff solch versprechen setzte sich D. Fau-

stus nider / hebt seine coniurationes an / bald kompt ein
grosser Wind / der bewegt den Mantel empor / führte sie also
in Lüfften dahin / daß sie zu rechter zeit gen München in deß
Båyer Fürsten Hof kamen. Sie fuhren aber vnsichtbar / daß
5 jrer niemandts warname / biß sie kamen ins Båyerfürsten Hof
vnd Pallast / vnd das der Marschalck warname / zeigt ers dem
Fürsten in Båyern an / wie alle Fürsten / Graffen vnd Herrn
schon zu Tisch gesetzt weren / draussen aber stünden noch
drey Herrn mit einem Diener / die erst kommen waren / sie zu
10 empfahen / das thete nun der alt Fürst / sprach jnen zu / sie
aber wolten nichts reden / das geschach am [145] Abend / als
man zu nacht essen wolt. Dann sie sonsten / durch deß Fausti
Kunst den gantzen Tag solchem Pracht der Hochzeit vnsichtbar / vnd ohne alle Hindernuß zugesehen hatten. Als nun /
15 wie gemeldt / jnen D. Faustus ernstlich verbotten / den Tag
mit niemandt zureden / auch so bald er sprechen würde /
wolauff / sie alle zugleich an den Mantel greiffen solten /
würden sie augenblicklich widerumb darvon wischen. Wie
nun der Hertzog von Beyern mit jhnen redet / vnd sie jme
20 kein Antwort gaben / reichet man jhnen doch vnter dessen das
Handwasser / vnnd dieweil da der eine Grafe wider das
Gebott D. Fausti thun wil / hebt D. Faustus anzuschreyen /
Wolauff / bald wischen die zwen Grafen vnd D. Faustus / so
sich an den Mantel gehalten / darvon / der dritt aber / so sich
25 versäumet / wurde auffgefangen / vnd in ein Gefängnuß
geworffen. Die andern zween Graffen kamen also vmb Mitternacht widervmb gen Wittemberg / die sich vbel gehuben /
wegen jhres andern [146] Vettern / darauff sie D. Faustus
vertröstete / jhne auff Morgen frühe zuerledigen. Nun war
30 der gefangene Graf höchlich erschrocken vnnd betrübt / daß
er also verlassen seyn solte / vnd darzu in verhafftung
geschlossen / vnnd mit Hütern verwahrt / da wurde er be-
fragt / was das für ein Gesicht gewest / vnnd wer die andern
drey weren / so verschwunden seyen. Der Grafe gedacht /
35 verrahte ich sie / so wirdt es einen bösen Außgang gewinnen.
Gabe derohalben niemandt kein Antwort / also / daß man

diesen Tag nichts auß jme bringen kondte / vnd ward jm
letzlich der Bescheid / daß man jn Morgen peinlich fragen /
vnd wol zu Red bringen wölle. Der Graff gedachte / vielleicht
mich D. Faustus heut noch nit erledigt / vnd ich Morgen
gepeinigt vnd gestreckt werden solte / muß ich nothalben mit   5
der Sprach herauß / Getröstet sich doch jmmerdar / seine
Gesellen würden bey D. Fausto starck vmb sein Erledigung
anhalten / wie auch geschahe. Dann ehe der Tag anbrach / war
[147] D. Faustus schon bey jhme / verzauberte die Wächter
dermassen / daß sie in einen harten Schlaff fielen. Darnach   10
thete er mit seiner Kunst Thür vnnd Schlösser auff / brachte
also den Grafen zeitlich gen Wittenberg / da dann dem
D. Fausto ein stattliche Verehrung presentiert wurde.

[38]

Wie D. Faustus Gelt von einem Jůden entlehnet /   15
vnd demselbigen seinen Fuß zu Pfand geben / den
er jhm selbsten / in deß Juden beyseyn / abgesåget.

Man spricht / Ein Vnhold vnnd Zauberer werden ein Jahr
nicht vmb drey Heller reicher / das widerfuhr dem Doctori
Fausto auch / die Verheissung war groß mit seinem Geist /   20
aber viel erlogen ding / wie dann der Teuffel ein Lůgen Geist
ist / Wurffe Doctori Fausto fůr die Geschicklichkeit / darmit
er durch jhnen begabet seye / Darmit solte [148] er sich selbsten zu Reichthumb schicken / dann jhme dardurch kein Gelt
zerrinnen würde / so seyen auch seine Jar noch nicht auß /   25
sondern die Versprechung mit jhme erstrecke sich erst auff
vier Jahr nach dem Außgang seiner Verheissung / da er mit
Gelt vnd Gut kein Mangel haben würde. Jtem / er habe auch
essen vnd trincken zubekommen mit seiner Kunst / auß allen
Potentaten Höfen / wie obgemeldt / dessen muste jhme D.   30
Faustus dißmal recht geben / vnd sich jhme nicht widerset-
zen / gedachte jhme derohalben selbsten nach / wie erfahren

er were. Nach solcher Disputation vnd Erklårung deß Geistes / ist er mit guten Gesellen zu pancketieren gangen. Als er
nun nicht bey Gelt war / ist er vervrsacht worden / bey den
Juden Gelt auffzubringen / dem setzte er auch nach / name
5 bey einem Juden sechtzig Thaler auff einen Monat lang / Als
nun die zeit verlauffen / vnd der Jud seines Gelts / sampt dem
Interesse / gewertig war / D. Faustus aber nicht im Sinn hatte /
dem [149] Juden was zubezahlen / kompt der Jud auff solche
Zeit zu jhme ins Hauß / thut sein anforderung. D. Faustus
10 spricht zu jhme: Jud / ich hab kein Gelt / vnnd weiß auch
keins auffzubringen / Darmit du aber der Bezahlung versi-
chert seyest / so wil ich mir ein Gliedt / es seye ein Arm oder
Schenckel abschneyden / vnd dir zum Vnderpfandt lassen /
doch mit dem außtrücklichen Geding / so ferrn ich zu Gelt
15 komme / vnnd dich widerumb bezahlen wůrde / daß du mir
mein Glied widerumb zustellen wőllest. Der Jud / so ohne das
ein Christen feind war / gedachte bey sich selbsten / das můste
ein verwegener Mann seyn / der seine Glieder fůr Gelt zu
Pfand setzen wolt / war derohalben mit dem Pfand zufrieden.
20 D. Faustus nimpt ein Sågen / vnd schneidet seinen Fuß damit
abe / gibt jn dem Juden (Es war aber lauter Verblendung) mit
der Condition / so baldt er zu Gelt kåme / jhn zubezahlen /
daß er jhm sein Schenckel wider zustellen solte / Er wolte
jm denselben wol wider ansetzen. Der [150] Jud war mit die-
25 sem Contract wol zufrieden / zeucht mit dem Schenckel darvon. Als er nun darob verdrossen vnd můd war / darneben
gedacht / was hilfft mich ein Schelmen Bein / trage ich es
heym / so wirdt es stinckend / so ist es auch mißlich wider
anzuheylen / vnd ist dieses ein schwer Pfandt / daß er sich
30 nicht hőher verbinden hette kőnnen / dann mit seinem eygen
Glied / es wirt mir doch nichts mehr darfůr. Mit solchen vnd
andern Gedancken (wie dieser Jud hernach selbst bekennt
hat) gehet er vber einen Steg / vnd wirfft den Fuß hinein.
Dieses wuste nun D. Faustus gar wol / schickte derohalben
35 D. Faustus vber drey Tag nach dem Juden / er wolte jn bezahlen. Der Jud kompt / D. Faustus fragt wa er das Pfandt habe /

er solle jhms widerumb zustellen / so wölle er jhn bezalen.
Der Jud sagte / dieweils niemand nichts genützt / hette ers
hinweg geworffen. D. Faustus aber wolte kurtzumb sein
Pfand vnd Schenckel widerumb haben / oder der Jud solte jme
seinen Willen dar[151]vmb machen / Wolte der Jud seiner loß   5
werden / muste er jhme noch 60 Thaler darzu geben / vnnd
hatte doch D. Faustus seinen Schenckel noch.

[39]

D. Faustus betreugt einen Roßtäuscher.

Gleicher weiß thete er einem Roßteuscher auff einem Jahr-   10
marckt / dann er richtet jhme selbsten ein schön herrlich Pferd
zu / mit demselben ritte er auff einen Jahrmarckt / Pfeiffering
genannt / vnnd hatt viel Kauffer darumben / letzlich wirdt ers
vmb 40. Fl. loß / vnd sagte dem Roßtäuscher zuvor / er solte
jhn vber kein Träncke reiten. Der Roßtäuscher wolte sehen /   15
was er doch mit meynete / ritte in ein Schwemme / da verschwand das Pferd / vnd saß er auff einem Bündel Stro / daß er
schier ertruncken were. Der Kauffer wuste noch wol wo sein
verkauffer zur Herberg lage / gieng zornig dahin / fand D.
Faustum [152] auff einem Betth ligen / schlaffend vnnd   20
schnarchend / der Roßtäuscher name jhne beym Fuß / wolt jn
herab ziehen / da gieng jhme der Fuß aussem Arß / vnnd fiel
der Roßtäuscher mit in die Stuben nider. Da fienge Doctor
Faustus an Mordio zuschreyen / dem Roßtäuscher war angst /
gab die Flucht / vnd machte sich auß dem Staub / vermeinte   25
nicht anderst / als hette er jhme den Fuß auß dem Arß gerissen / also kam D. Faustus wider zu Gelt.

[40]

D. Faustus frist ein Fuder Håuw.

Doctor Faustus kam in ein Statt / Zwickaw genannt / da jhme
vil Magistri Gesellschafft leisteten. Als er nun mit jhnen nach
5 dem Nachtessen spatzieren gieng / begegnete jme ein Baur /
der fuhrte ein grossen Wagen voll Grummats / den sprach er
an / was er nemmen wolte / [153] vnd jhne genug essen lassen /
Wurden also einig miteinander / vmb ein Creutzer oder
Lôwenpfenning / dann der Bauwer vermeynet / er triebe nuhr
10 sein Gespôtt mit jhme. D. Faustus hub an so geitzig zu essen /
daß alle Vmbstehende sein lachen musten / verblendete also
den Bauwern / daß jhm bang wurde / dann er es schon auff
den halben theil hinweg gefressen hatte. Wolte der Bauwer
zufrieden seyn / daß jhme das halbe theil vollendt bliebe /
15 muste er dem Fausto seinen Willen machen / als nun der
Bauwer an sein Ohrt kame / hatt er sein Hew widerumb wie
vor.

[41]

Von einem Hader zwischen 12. Studenten.

20 Zu Wittenberg / vor seinem Hauß / erhub sich ein Hader mit
7. Studenten / wider 5. das gedauchte D. Faustum vngleich
seyn / hebt an / vnd verblendet allen jhre Gesichter / daß
keiner den andern [154] mehr sehen kundt / schlugen also im
Zorn blinder weiß ein ander / daß die so zusahen / ein groß
25 Gelâchter ab diesem seltzamen Scharmützel hetten / vnd
muste man sie alle zu Hauß führen / so bald jeder in sein Hauß
kame / ward er wider sehend.

[42]

Ein Abentheuwr mit vollen Bauwern.

Doctor Faustus zechete in einem Wirtshauß / darinnen viel
Tisch voller Bauren sassen / die deß Weins zu viel zu sich
genommen hatten / derhalben mit singen vnd schreyen / ein   5
solch getůmmel anhuben / daß keiner sein eigen Wort dar-
vor hören kundte. D. Faustus sagt zu dem / der jhn beruffen
hatte / habt acht / ich wil jnen das bald wehren. Als nu die
Bauwern jmmer je mehr grösser Geschrey vnd Gesäng machten / verzauberte er sie / daß allen Bauwren das Maul auff das   10
aller weitest offen stunde / vnd es keiner mehr zubringen
kundte. Da ward es [155] baldt gar still / sahe ein Bawr den andern an / wusten nicht wie jnen geschehen war / So baldt aber
ein Bawr für die Stuben hinauß kame / hatte er sein Sprach
widervmb / also daß jhrs bleibens nicht länger allda war.   15

[43]

D. Faustus verkauffte 5. Säw / eine vmb 6. Fl.

Doctor Faustus fångt wider ein Wucher an / růset jhme
5. gemester Schwein zu / die verkaufft er eine vmb 6. Fl. doch
mit dem Pact / daß der Såw treiber vber kein Wasser mit jnen   20
schwemmen solte. D. Faustus zog widerumb heim / Als sich
nu die Såw im Kath vmbwaltzten oder besudelten / treib sie
der Såwtreiber in ein Schwemme / da verschwanden sie / vnnd
schwammen lauter Strohwisch empor. Der Kauffer muste
also mit schaden dahin gehen / dann er wuste nit wie das   25
zugangen war / oder wer jme die Schwein zukauffen gegeben
hette.

[44]

[156]   Was D. Faustus für Abendthewer an deß
          Fürsten zu Anhalt Hof getriben.

Doct. Faustus kame auff ein Zeit zu dem Grafen von Anhalt /
so jetzundt Fürsten seind / der jme allen gnedigen Willen
erwiese / das geschach im Jenner. Am Tisch name er wahr /
daß die Gräfin groß schwanger war / Als man nuhn das
Nachtessen auffgehaben hett / vnd Specerey aufftruge / Sagt
D. Faustus zu der Gräfin: Gnedige Frauw / ich hab alle zeit
gehört / daß die schwangere Weibsbilder zu mancherley dingen Lust vnd Begierdt haben / Jch bitt E. Gn. wöllen mir
nicht verhalten / warzu sie lust zu essen hette. Sie antwortet
jhme: Herr Doctor / ich wils euch warlich nicht verhalten /
was ich jetzunder wünschen möchte. Nemlich / daß es im
HerbstZeit were / wolte ich frische Trauben vnd Obs mir
genug essen. D. Faustus sagt darauff: gnedige Fraw / das [157]
ist mir leichtlich zuwegen zubringen / vnd in einer halben
Stund soll E. G. Lust gebüst werden / Name alsbaldt zwo
silberne Schüssel / setzte die fürs Fenster hinauß. Als nun die
zeit vorhanden war / grieffe er fürs Fenster hinauß / vnd langt
die Schüssel widerumb herein / darinnen waren rote vnd
weisse Trauben / deßgleichen in der andern Schüssel Oepffel
vnd Birn / doch frembder vnd weiter Lands art hero / setzte
die der Gräfin für / vnd sagt / jr Gn. wöllen sich darob nicht
entsetzen zu essen / dann sie auß frembder Lands art weit
herokommen / der Enden der Sommer sich enden wil. Also
aß die Gräfin von allem Obs vnd Trauben mit Lust vnd grosser Verwunderung. Der Fürst von Anhalt kunnte nicht fürvber zufragen / wie es ein gestallt vnnd gelegenheit mit den
Trauben vnd Obs gehabt. D. Faustus antwortet: Gnediger
Herr / E. Gn. sollen wissen / daß das Jahr in zween Circkel
der Welt getheilt ist / daß / wann es bey vns jetzt Winter / in
Orient vnnd Occident Sommer [158] ist / dann der Himmel
rund / vnd jetzunder die Sonne am höchsten gestigen ist / daß

wir der zeit die kurtzen Tag vnd den Winter bey vns haben /
Jn Orient vnd Occident aber / als in Saba India / vnnd recht
Morgenland / da steigt die Sonne nider / vnnd haben sie
daselbsten den Sommer / vnd im Jahr zweymal Frücht vnd
Obs / Jtem / es ist bey vns nacht / bey jhnen hebt der Tag an.   5
Dann die Sonne hat sich vnder die Erden gethan / vnd ist
dessen ein Gleichnuß / das Meer ist vnd läufft höher dann die
Welt stehet / wann es nun dem Höchsten nit gehorsam were /
künnte es die Welt in einem Augenblick verderben / vnd steigt
jetzunder die Sonne bey jnen auff / vnd gehet bey vns nider.   10
Auff solchen Bericht / Gnediger Herr / hab ich meinen Geist
dahin gesandt / der ein fliegender vnd geschwinder Geist ist /
sich in einem Augenblick / wie er wil / verändern kan / der hat
diese Trauben vnd Obs erobert. Solchem hörte der Fürst mit
grosser Verwunderung zu.   15

[44a]

[159] Von einer andern Abenthewer / so auch diesem
    Grafen zu gefallen durch D. Faustum geschehen / da
    er ein ansehenlich Schloß auff ein Höhe gezaubert.

Ehe D. Faustus vrlaub name / bate er den Grafen / er wolte   20
mit jme für das Thor hinauß gehen / da er jhne ein Castell oder
Schloß wolt sehen lassen / so er diese Nacht auff sein Gut vnd
Herrschafft gebawet. Dessen sich der Grafe sehr verwunderte / gehet also mit D. Fausto / sampt seiner Gemählin vnnd
dem Frawenzimmer hinauß für das Thor / da er auff einem   25
Berg / der Rohmbühel genannt / nit weit von der Statt gelegen / ein wolerbawtes Hauß vnd Castell sahe / das D. Faustus
gezaubert hatte / bate derohalben den Grafen vnd sein
Gemählin / daß sie sich vollend dahin verfügen / vnd bey jme
zu Morgen essen wolten / welches jme der Graf nicht   30
abschlug. Diß Schloß war [160] mit Zauberey also formiert /
daß rings herumb ein tieffer Wassergraben gienge / darinnen

allerley Visch zusehen waren / vnd mancherley Wasservögel /
als Schwanen / Enten / Reyger vnd dergleichen / welches alles
lustig anzusehen. Jn diesen graben stunden fünff Steinern
Thürn / vnd zwey Thor / auch ein weitter Hof / darinn allerley Thier gezaubert waren / sonderlich die / so in Teutschland
nicht viel zusehen / Als Affen / Bern / Büffel / Gembsen vnd
dergleichen frembder Thier. Sonsten waren wolbekannte
Thier auch darbey / Als Hirschen / wilde Schwein / Reh / auch
allerley Vögel / so man je erdencken mag / die von einem
Baum zum andern hüpfften vnd flogen. Nach solchem allem
setzte er seine Gäste zu Tisch / reichete jnen ein herrlich vnd
Königlich mal / mit Essen vnd allerley Geträncke / so man
erdencken mögen / Setzt jedes mal neun Trachten zugleich
auff / das muste sein famulus / der Wagner / thun / der es vom
Geist vnsichtbar empfienge / von allerley Kosten / von [161]
Wild / Vögeln / Vischen vnnd anderm. Von heymischen Thie-
ren (wie es dann D. Faustus alles erzehlete) setzte er auff / von
Ochsen / Büffeln / Böcken / Rindern / Kälbern / Hämeln /
Lämmern / Schafen / Schweinen / etc. Von wilden Thiern gab
er zu essen / Gembsen / Hasen / Hirschen / Reh / Wild / etc.
Von Vischen gab er Aäl / Barben / Bersing / Bickling / Bol-
chen / Aschen / Forell / Hecht / Karpffen / Krebs / Moschel /
Neunaugen / Platteissen / Salmen / Schleyen vnd derglei-
chen. Von Vögeln ließ er aufftragen / Capaunen / Dauch-
Enten / Wildenten / Tauben / Phasanen / Auhrhanen / Jndia-
nisch Göckel / vnd sonst Hüner / Rebhüner / Haselhüner /
Lerchen / Crambetsvögel / Pfawen / Reiger / Schwanen /
Straussen / Trappen / Wachteln / etc. Von Weinen waren da /
Niderländer / Burgunder / Brabänder / Coblentzer / Crabati-
scher / Elsässer / Engelländer / Frantzösische / Rheinische /
Spanische / Holänder / Lützelburger / Vngerischer / Osterrei-
cher / Windische / Wirtzburger oder Fran[162]cken Wein /
Rheinfall vnd Maluasier / in summa von allerley Wein / daß
bey hundert Kanten da herumb stunden. Solch herrlich
Mahlzeit nam der Grafe mit Gnaden an / zog nach dem essen
wider gen Hof / vnd dauchte sie nit / daß sie etwas gessen oder

getruncken solten haben / so ôd waren sie. Als sie nu wider
gen Hof kamen / da giengen auß gemeldts Doct. Fausti
Schloß grausame Bůchsenschůß / vnd branne das Fewer im
Sloß in alle hôhe / biß es gantz verschwande / das sie alles wol
sehen kundten / Da kam D. Faustus wider zum Grafen / der
jn hernach mit etlich hundert Thalern verehrt / vnd widerumb
fortziehen liesse.

[45]

Wie D. Faustus mit seiner Bursch in deß Bischoffen von Saltzburg Keller gefaren.

Nach dem D. Faustus widerumb vom Grafen Abschied / vnd
gen Wittenberg kame / ruckete die Faßnacht herbey. D. Faustus war der Bacchus / be[163]ruffte zu jhm etliche Studenten /
vnd nach dem sie von jm D. Fausto wol gespeiset worden /
vnd sie den Bacchum gern vollend celebrieren wolten / vber-
redet sie D. Faustus / sie solten mit jm in einen Keller fahren /
vnd allda die herrliche Trůncke / so er jnen reichen vnd geben
wůrde / versuchen / dessen sie sich leichtlich bereden liessen /
darauff D. Faustus in seinem Garten ein Leiter name / vnd
jeglichen auff ein Sprossen setzte / vnd mit jnen daruon fuhre /
daß sie noch dieselbige Nacht in deß Bischoffs von Saltzburg
Keller kamen / da sie allerley Wein kosteten / vnd nur den
besten trancken / Wie dann dieser Bischoff ein herrlichen
Weinwachß hat. Als sie nu samptlich guts muths im Keller
waren / vnd D. Faustus ein Fewrstein mit sich gnommen hette / damit sie alle Fesser sehen kônnten / kame deß Bischoffs
Keller vngefehr daher / der sie fůr dieb / so eingebrochen
hetten / außschreyen thet. Das verdroß D. Faustum / mante
sein Gesellen auffzusein / nam den Keller beym Har / fuhr mit
jhm daruon / vnd als sie zu einer [164] grossen hohen Tannen
kamen / setzte er den Keller / so in grossen ängsten vnd
schrecken war / darauff / vnd kam also D. Faustus mit seiner

Bursch wider zu Hauß / da sie erst das Valete miteinander
hielten mit dem Wein / so er / D. Faustus / in grosse Fläschen
gefüllet hatte in deß Bischoffs Keller. Der Kellner aber / so
sich die gantze nacht auff dem Baum halten müssen / daß er
nicht herab fiel / vnd schier erfroren war / als er sahe / daß es
war Tag worden / die Tannen aber so hoch / daß es jme
vnmüglich herab zusteigen / dieweil er keinen Ast hatte /
weder oben noch vnden / Ruffte er etlichen Baurn zu / so
fürvber fuhren / zeiget jnen an / wie es jhme ergangen were /
vnd bate / daß sie jme herunder helffen wolten / Die Baurn
verwunderten sich / zeigten es zu Saltzburg am Hof an / da
war ein groß zulauffen / vnnd er mit grosser Mühe vnd Arbeit
mit Stricken herab gebracht. Noch konnte der Keller nicht
wissen / wer die gewesen / so er im Keller funden / noch der /
so jhn auff den Baum geführet hatte.

[46]

[165]   Von der andern Faßnacht am Dinstage.

Diese siben Studenten / darunter vier Magistri waren in Theologia / Iurisprudentia vnd Medicina studierend / als sie die
Herren Faßnacht celebriert hatten in D. Fausti Behausung /
waren sie am Dinstag der Faßnacht wider beruffen (dann sie
wolbekannte vnnd angeneme liebe Gäst deß Fausti waren)
zum Nachtessen / vnnd als sie erstlich mit Hünern / visch vnd
Bratens / doch schmal gnug tractiert worden / tröstete D.
Faustus seine Gast solcher gestalt: Liebe Herrn / jhr sehet hie
meine geringe Tractation / damit solt jr für gut nemen / es wirt
zum Schlaff Trunck besser werden. Nun wisset jr / daß in
vieler Potentaten Höfen die Faßnacht mit köstlichen Speisen
vnd Geträncken gehalten wirdt / dessen solt jhr auch theilhafftig werden / vnd ist diß die Vrsach / daß ich euch mit so
geringer Speiß vnd tranck [166] tractiere / vnd jr kaum den
Hunger gebüsset / daß ich drey Fläschen / eine fünff / die

ander acht / vnd widerumb eine acht Maß haltend / vor zwo
stunden in meinen Garten gesetzt habe / vnd meinem Geist
befohlen / einen Vngerischen / Jtalianischen vnd Hispani-
schen Wein zuholen. Deßgleichen hab ich fünffzehen Schüssel nacheinander auch in meinen Garten gesetzt / die allbereit
mit allerley Speiß versehen seind / die ich widerumb warm
machen muß / vnnd solt mir glauben / daß es keine Verblendung seye / da jhr meynet jhr esset / vnd seye doch nicht
natürlich. Als er nuhn seine Rede zum Ende geführet /
befilcht er seinem famulo / dem Wagner / ein newen Tisch   1
zubereiten / das thete er / vnd truge hernach fünffmal Speiß
auff / alle mal drey Trachten auff einmal / die waren von
allerley Wildbret / Bachens vnd dergleichen. Zum Tischwein
brachte er Welschwein / Ehrwein / Vngerischen vnd Hispani-
schen / vnnd als sie nun alle Voll vnd Doll waren / jedoch noch   1
viel [167] Speiß vberbliebe / fiengen sie letzlich an zusingen
vnnd zuspringen / vnnd giengen erst gegen Tag zu Hauß /
Morgens aber wurden sie auff die rechte Faßnacht beruffen.

[47]

Am Aschermitwochen der rechten Faßnacht.   2

Am Aschermittwochen der rechten Faßnacht / kamen die
Studenten als beruffen Gäste / widerumb in D. Fausti Hauß /
da er jnen ein herrlich Mahl gab / vnd sie tapffer sangen /
sprangen / vnd alle Kurtzweil trieben. Als nu die hohe Gläser
vnd Becher herumb giengen / hebt D. Faustus sein Gauckel-   2
spiel an / also daß sie in der Stuben allerley Seitenspiel hörten /
vnd doch nit wissen kundten / wo her es kame. Dann so bald
ein Jnstrument auffhörete / kam ein anders / da ein Orgel /
dort ein Positiff / Lauten / Geigen / Cythern / Harpffen /
Krumbhörner / Posaunen / Schwegel / [168] Zwerchpfeiffen /   3
in Summa allerley Instrumenta waren vorhanden / in dem
huben die Gläser vnd Becher anzuhüpffen. Darnach name D.

Faustus einen Hafen oder zehen / stellete die mitten in die
Stuben / die huben alle an zutantzen / vnd an einander zustossen / daß sie sich alle zertrůmmerten / vnd vndereinander
zerschmetterten / welches ein groß Gelåchter am Tisch gabe.
Bald hebt er ein ander kurtzweil an. Dann er ließ einen Gô-
cker im Hof fangen / den stellt er auff den Tisch. Als er jm nun
zutrincken gab / hube er natůrlich an zupfeiffen. Darnach
hub er ein ander Kurtzweil an / setzte ein Jnstrument auff den
Tisch / da kam ein alter Aff in die Stuben / der machte viel
schôner Tåntze darauff. Als er nun solche Kurtzweil triebe /
biß in die Nacht hinein / bat er die Studenten / sie wolten bey
jhme bleiben / vnd mit jhme zu Nacht essen / er wolte jhnen
ein essen Vôgel geben / hernach mit jhnen in der Mummerey
gehen / welches sie jhme auch leichtlich bewilligten. Da [169]
name D. Faustus ein stangen / reckte die fůr das Fenster
hinauß / alsbald kamen allerley Vôgel daher geflogen / vnd
welche auff die stangen sassen / die musten bleiben / da er nun
ein guten theil der Vôgel gefangen hette / halffen die Studenten jme dieselbigen wůrgen vnd ropffen. Das waren Lerchen /
Krambatsvôgel / vnd vier Wildenten / als sie nun abermals
tappfer gezecht / seind sie miteinander in die Mummerey gangen. D. Faustus befahle / daß ein jeder ein weiß Hembd anzie-
hen solte / vnd jn alsdann machen lassen. Solches geschah. Als
nun die Studenten einander ansahen / gedåuchte einen jeglichen / er hette keinen Kopf / giengen also in etliche Håuser /
darob die Leut sehr erschracken. Als nun die Herrn / bey
welchen sie das Kůchlein geholet / zu Tisch gesetzt / da hatten
sie jren schein widerumb / vnd kennete man sie darauff alsbald. Baldt darnach verenderten sie sich widerumb / vnd hatten natůrliche Eselskôpff vnd Oren / das triben sie biß in die
mitternacht hinein / vnd zogen alsdann ein jeder [170] wider in
sein Hauß / machten auff diesen Tag ein end an der Faßnacht /
vnd giengen schlaffen.

[48]

Von der vierten Faßnacht am Donnerstag.

Die letzten Bacchanalia waren am Donnerstag / daran ein
grosser Schne war gefallen. D. Faustus war zu den studiosis
beruffen / die jhme ein stattliche Malzeit hielten / da er sein
Abenthewr wider anfieng / vnd zauberte 13. Affen in die
stuben / die gauckelten so wunderbarlich / daß dergleichen
nie gesehen worden / dann sie sprangen auff einander / wie
man sonst die Affen abricht / so namen sie auch ein ander
in die füß / tantzten einen gantzen Reyen vmb den Tisch herumb / darnach zum Fenster hinauß vnd verschwanden. Sie
satzten dem Fausto ein gebraten Kalbskopff für / als jhn nun
der Studenten einer erlegen wolt / fieng der Kalbskopff an
Menschlich zuschreyen / Mordio / helffio / O weh / was [171]
zeuhest du mich / daß sie darob erschracken / vnd dann wider
anfiengen zu lachen / verzehrten also den Kalbskopff / vnd
gieng D. Faustus noch zeitlich am Tage zu Hauß / mit versprechung wider zu erscheinen. Bald růstete er jm mit Zauberey ein Schlitten zu / der hatt ein gestalt wie ein Drach / auff
dem Haupt saß er D. Faustus / vnd mitten jnnen die Studenten. So waren 4. verzauberte Affen auff dem schwantz die
gauckelten auff einander gantz lustig / der ein bließ auff der
Schalmeyen / vnd lieff der Schlitten von jm selbsten / wohin
sie wolten / das werete biß in die Mittnacht hinein / mit solchem Klappern / daß keiner den andern hŏren kundte / vnd
gedauchte die Studenten / sie hetten im Lufft gewandelt.

[49]

Am weissen Sonntag von der
bezauberten Helena.

Am weissen Sonntag kamen offtgemeldte Studenten vnversehens wider in D. Fausti behausung zum Nachtessen / [172]
brachten jhr Essen vnd Tranck mit sich / welche angeneme
Gåst waren. Als nu der Wein eingienge / wurde am Tisch von
schönen Weibsbildern geredt / da einer vnder jnen anfieng /
daß er kein Weibsbildt lieber sehen wolte / dann die schöne
Helenam auß Graecia / derowegen die schöne Statt Troia zu
grund gangen were / Sie måste schön gewest seyn / dieweil sie
jrem Mann geraubet worden / vnd entgegen solche Empö-
rung entstanden were. D. Faustus antwurt / dieweil jhr dann
so begirig seidt / die schöne gestalt der Königin Helenae /
Menelai Haußfraw / oder Tochter Tyndari vnd Laedae / Castoris vnd Pollucis Schwester (welche die schönste in Graecia
gewesen seyn solle) zusehen / wil ich euch dieselbige fůrstellen / damit jhr Persönlich jren Geist in form vnd gestalt /
wie sie im Leben gewesen / sehen sollet / dergleichen ich auch
Keyser Carolo Quinto auff sein begeren / mit fůrstellung
Keysers Alexandri Magni vnd seiner Gemåhlin / willfahrt
habe. Darauff verbote D. Faustus / daß keiner [173] nichts
reden solte / noch vom Tisch auffstehen / oder sie zuempfahen anmassen / vnd gehet zur Stuben hinauß. Als er wider
hinein gehet / folgete jm die Königin Helena auff dem Fuß
nach / so wunder schön / daß die Studenten nit wusten / ob sie
bey jhnen selbsten weren oder nit / so verwirrt vnd innbrůn-
stig waren sie. Diese Helena erschiene in einem köstlichen
schwartzen Purpurkleid / jr Haar hatt sie herab hangen / das
schön / herrlich als Goldfarb schiene / auch so lang / daß es jr
biß in die Kniebiegen hinab gienge / mit schönen Koll-
schwartzen Augen / ein lieblich Angesicht / mit einem runden
Köpfflein / jre Lefftzen rot wie Kirschen / mit einem kleinen
Måndlein / einen Halß wie ein weisser Schwan / rote Båcklin

wie ein Rößlin / ein vberauß schön gleissend Angesicht / ein
långlichte auffgerichte gerade Person. Jn summa / es war an jr
kein vntådlin zufinden / sie sahe sich allenthalben in der Stuben vmb / mit gar frechem vnd bůbischem Gesicht / daß die
Studenten gegen jr in Liebe ent[174]zůndet waren / weil sie es
aber fůr einen Geist achteten / vergienge jhnen solche Brunst
leichtlich / vnd gienge also Helena mit D. Fausto widerumb
zur Stuben hinauß. Als die Studenten solches alles gesehen /
baten sie D. Faustum / er solte jhnen so viel zugefallen thun /
vnnd Morgen widerumb fůrstellen / so wolten sie einen Mah-
ler mit sich bringen / der solte sie abconterfeyten / Welches
jhnen aber D. Faustus abschlug / vnd sagte / daß er jhren Geist
nicht allezeit erwecken kŏnnte. Er wolte jhnen aber ein Con-
terfey darvon zu kommen lassen / welches sie die Studenten
abreissen mŏchten lassen / welches dann auch geschahe / vnd
die Maler hernacher weit hin vnd wider schickten / dann es
war ein sehr herrlich gestalt eins Weibsbilds. Wer aber solches
Gemåld dem Fausto abgerissen / hat man nicht erfahren kŏnnen. Die Studenten aber / als sie zu Betth kommen / haben sie
vor der Gestalt vnd Form / so sie sichtbarlich gesehen / nicht
schlaffen kŏnnen / hierauß dann zusehen ist / [175] daß der
Teuffel offt die Menschen in Lieb entzůndet vnd verblendt /
daß man ins Huren Leben geråth / vnd hernacher nit leichtlich
widerumb herauß zubringen ist.

[50]

Von einer Gesticulation / da einem Bawrn 4. Råder vom Wagen in die Lufft hingesprungen.

Doct. Faustus ward gen Braunschweig in die Statt / zu einem
Marschalck / der die Schwindsucht hatte / jhme zu helffen /
beruffen vnd erfordert. Nun hatt aber D. Faustus disen
gebrauch / daß er nimmer weder ritte / noch fuhre / sondern
war zugehen gericht / wohin er beruffen wurde. Als er nun

nahe zu der Statt kame / vnd die Statt vor jhm sahe / begegnet
jm ein Bawr mit vier Pferden / vnd einem leeren Wagen.
Disen Bawrn sprach D. Faustus gůtlich an / daß er jn auffsit-
zen lassen / vnd vollends biß zu dem Statt Thor fůhren wolte /
welches jm aber der Dől[176]pel wegerte vnd abschluge /
sagende / Er wůrde one das genug herauß zufůhren haben. D.
Fausto ward solch begeren nicht Ernst gewest / sondern hatte
den Bauren nur probieren wōllen / ob auch ein Gůtigkeit bey
jhme zufinden were. Aber solche Vntrew / deren viel bey den
Bauren ist / bezahlte D. Faustus wider mit gleicher Můntze /
vnd sprach zu jhme: Du Dōlpel vnnd nichtswerdiger Vnflat /
dieweil du solche Vntrew mir beweisest / dergleichen du
gewiß auch andern thun / vnd schon gethan haben wirst / soll
dir darfůr gelohnet werden / vnd solt deine vier Råder / bey
jeglichem Thor eins finden. Drauff sprangen die Råder in die
Lufft hinweg / daß sich ein jeglichs Rad bey einem sondern
Thor hat finden lassen / doch sonsten one jemands wahrnem-
men. Es fielen auch deß Bauwren Pferd darnider / als ob sie
sich nicht mehr regten / Darob der Bauwer sehr erschracke /
masse jhme solches fůr ein sondere Straff GOTtes zu / der
Vndanckbarkeit halb / auch gantz bekům[177]mert vnnd weynet / bate er den Faustum mit auffgereckten Hånden / vnd neigung der Knie vnnd Bein / vmb Verzeihung / vnd bekannte /
daß er solcher Straff wol wirdig were / Es solte jhm auff ein
andermal ein erjnnerung seyn / solcher Vndanckbarkeit nit
mehr zugebrauchen / Darvber Faustum die Demuth erbar-
mete / jm antwortete: Er solts keinem andern mehr thun /
dann kein schåndtlicher ding were / als Vntrew vnd Vndanckbarkeit / darzu der stoltz so mit vnderlåufft. So solt er nu hie
Erdtrich nemmen / vnd auff die Gåul werffen / darvon wůrden sie sich widerumb auffrichten / vnnd zur fristung kommen / welches auch geschahe. Darnach sagt er dem Bawrn /
dein vntrew kan nit gar vngestrafft abgehen / sondern muß
mit gleicher Maß bezahlt werden / dieweil es dich ein so
grosse Můh gedaucht hat / einen nur auff ein låhren Wagen
zusetzen / So sihe deine vier Råder seind vor der Statt bey vier

Thoren / da du sie finden wirst. Der Bawr gienge hin vnd
fands / wie D. Fau[178]stus jme gesagt hatte / mit grosser
Mühe / Arbeit vnnd Versaumung seines Geschäffts / das er
verrichten solte / also traff Vntrew jhren eygen Herrn.

[51]

Von 4. Zauberern / so einander die Köpff
abgehawen / vnd widerumb auffgesetzt hatten /
darbey auch D. Faustus das sein thet.

Doctor Faustus kam in der Fasten gen Franckfurt in die Meß /
den berichtete sein Geist Mephostophiles / wie in einem
Wirtshauß bey der Judengassen vier Zauberer weren / die
einander die Köpff abhieben / vnd zum Barbierer schickten /
sie zu barbieren / da viel Leut zu sahen. Das verdroß den
Faustum / vermeynnendt / er were allein deß Teuffels Han im
Korb / gienge dahin / solches auch zubesehen / Da sie / die
Zauberer schon bey sammen waren / die Köpffe abzuhawen /
bey jhnen war der Barbierer / der solte sie bu[179]tzen vnd
zwagen. Auff dem Tisch aber hatten sie ein GlaßHafen / mit
distilliertem Wasser / Da einer vnder jhnen der fürnembste
Zauberer war / der war jhr Nachrichter / der zauberte dem
ersten ein Lilien in den Hafen / die grünete daher / vnd nannte
sie Wurtzel deß Lebens / darauff richtet er den ersten / ließ
den Kopff barbieren / vnd satzte jhme hernach denselben
wider auff / alsbald verschwande die Lilien / vnnd hatte er
seinen Kopff wider gantz / das thet er auch dem andern vnnd
dritten gleicher gestalt / so jhre Lilien im Wasser hatten /
darauff die Köpffe barbiert vnnd jhnen wider auffgesetzet
wurden / Als es nun am öbersten Zauberer vnnd Nachrichter
war / vnnd seine Lilien im Wasser auch daher blühete / vnnd
grünete / wurde jhm der Kopff abgeschmissen / vnnd da es an
dem war daß man jhn zwagete vnnd barbierte in Fausti
Gegenwertigkeit / den solche Büberey in die Augen stach vnd

verdroß / [180] den Hochmuth deß Principal Zauberers / wie
er so frech mit Gottslåstern vnd lachendem Mund jm ließ den
Kopff herab hawen. Da geht D. Faustus zum Tisch / da der
Hafen vnnd Lilien stunden / nimbt ein Messer / hawet auff die
Blumen dar / vnd schlitzet den Blumenstengel voneinander /
dessen niemandt gewahr worden / Als nun die Zauberer den
Schaden sahen / ward jre Kunst zu nicht / vnd kundten jrem
Gesellen den Kopff nicht mehr ansetzen. Muste also der bőß
Mensch in Sůnden sterben vnd verderben / wie dann der
Teuffel allen seinen Dienern letztlich solchen Lohn gibt / vnd
sie also abfertigt / Der Zauberer aber keiner wuste / wie es mit
dem geschlitzten Stengel wer zugangen / meyneten auch nit /
daß es D. Faustus gethan hette.

[52]

[181] Von einem alten Mann / so D. Faustum von seinem
Gottlosen Leben abgemahnt vnd bekehren wőllen /
auch was Vndanck er darůber empfangen.

Ein Christlicher frommer Gottesfőrchtiger Artzt / vnd Lieb-
haber der H. Schrifft / auch ein Nachbawr deß D. Fausti / Als
er sahe / daß viel Studenten jren Auß⟨-⟩ vnd Eingang / als ein
schlůpffwinckel / darinnen der Teuffel mit seinem Anhang /
vnd nit Gott mit seinen lieben Engeln wohneten / bey dem
Fausto hetten / Name er jme fůr / D. Faustum von seim
Teuffelischen Gottlosen wesen vnd fůrnemmen abzumah-
nen / Beruffte jn derwegen auß einem Christlichen Eyfer in
seine Behausung. Faustus erschiene jm / vnder dieser Mahlzeit redte der Alte Faustum also an: Mein lieber Herr vnd
Nachbawr / Jch habe zu euch ein freundtliche Christliche
Bitt / jhr wőllet mein eyferig [182] fůrtragen nicht in argem
vnnd vngutem auff⟨-⟩ vnnd annemmen / Darneben auch die
geringe Malzeit nicht verachten / sondern gutwillig / wie es
der liebe Gott bescheret / damit fůr gut nemmen. D. Faustus

bahte darauff / er solte jm sein fůrhaben erklåren / er wolte jm
gefålligen Gehorsam leysten. Da fienge der Patron an / Mein
lieber Herr vnnd Nachbauwer / jhr wisset euwer Fůrnemmen / daß jhr Gott vnd allen Heyligen abgesagt / vnd euch
dem Teuffel ergeben habt / damit jhr in den grȯ̈ßten zorn vnd
Vngnad Gottes gefallen / vnd auß einem Christen ein rechter
Ketzer vnd Teuffel worden seyt / Ach / was zeiht jhr ewer
Seel? Es ist vmb den Leib allein nit zu thun / sondern auch
vmb die Seel / so ruhet jr in der ewigen Pein vnd Vngnad
Gottes / wolan mein Herr / es ist noch nichts versaumpt /
wenn jr allein wider vmbkehret / bey Gott vmb Gnad vnd
verzeihung ansuchet / wie jr sehet das Exempel in der Apostelgeschicht am 8. Cap. von Simone in Samaria / der auch viel
[183] Volcks verfůhret hette / denn man hat jn sonderlich fůr
ein Gott gehalten / vnd jn die Krafft Gottes / oder Simon Deus
sanctus genennt / diser war aber hernach auch bekehret / als er
die Predigt S. Philippi gehȯ̈rt / ließ er sich tåuffen / glåubt an
vnsern HErrn Jesum Christum / vnd hielt sich hernacher vil
bey Philippo / diß wirt in der Apostelgeschicht sonderlich
gerůmbt / also mein Herr / laßt euch mein Predigt auch gefallen / vnd ein hertzliche Christliche Erjnnerung seyn. Nun ist
die Buß / Gnad vnd verzeihung zusuchen / dessen jhr viel
schȯ̈ner Exempel habt / als an dem Schåcher / Jtem / an
S. Petro / Mattheo vnd Magdalena / ja zu allen Sůndern
spricht Christus der HErr: Kompt her zu mir alle die jr mů̈h-
selig vnd beladen seyt / ich wil euch erquicken. Vnd im Propheten Ezechiel: Jch beger nicht den todt deß Sůnders / sonder daß er sich bekehr vnd lebe / denn sein Hand ist nit
verkůrtzt / daß er nit mehr helffen kȯ̈nnte. Solchen fůrtrag
bitte ich / mein Herr / laßt euch zu Hertzen gehen / vnd bittet
Gott vmb Verzeihung [184] vmb Christi willen / stehet darneben von ewerm bȯ̈sen fůrnemmen ab / dann die Zauberey
ist wider die Gebott Gottes / seitenmal ers beydes im Alten
vnd Newen Testament schwerlich verbeut / da er spricht:
Man solle sie nicht leben lassen / man solle sich zu jhnen nicht
halten / noch Gemeinschafft mit jhnen haben / Dann es seye

ein Grewel vor Gott. Also nennt S. Paulus den Bar Jehu oder
Elimas den Zauberer ein Kind deß Teuffels / ein Feind aller
Gerechtigkeit / vnd daß sie auch keinen theil an dem Reich
Gottes haben sollen. Der Faustus hörte jm fleissig zu / vnd
sagte daß jhm die Lehr wolgefiele / vnd bedanckt sich dessen
gegen dem Alten seines wolmeinens halber / vnd gelobte solchem / so viel jhm müglich were / nachzukommen / damit
name er seinen Abschied. Als er nun zum Hauß kame / gedacht er diser Lehr vnd vermahnung fleissig nach / vnd betrachtete / was er doch sich vnd sein Seel geziehen / daß er
sich dem leidigen Teuffel also ergeben hette / Er wolte Buß
thun / vnnd sein [185] versprechen dem Teuffel wider auff-
sagen. Jn solchen Gedancken erscheinet jm sein
Geist / tappet nach jm / als ob er jhme den Kopff   Der Teuffel
herumb drehen wolte / vnd warff jm für / was jhn   feyrt nicht.
dahin bewogen hette / daß er sich dem Teuffel ergeben / nemlich sein frecher Mutwillen. Zu dem habe er sich
versprochen / Gott vnd allen Menschen feind zuseyn / diesem
versprechen komme er nu nit nach / wölle dem alten Lauren
folgen / einen Menschen vnd Gott zu huld nemmen / da es
schon zuspat / vnd er deß Teuffels seye / der jhn zuholen gut
macht habe / Wie er dann jetzunder befelch / vnd deßhalben
allda seye / daß er jme den garauß machen soll / oder aber / er
solle sich alsbald nider setzen / vnd sich widerumb von
newem verschreiben mit seinem Blut / vnd versprechen / daß
er sich keinen Menschen mehr wöll abmanen vnd verführen
lassen / vnd dessen soll er sich nun baldt erkleren / ob er es
thun wölle oder nicht. Wo nit / wölle er jn zu stücken zerreis-
sen. D. Faustus gantz erschrocken / bewilligt jm widerumb
auffs [186] newe / setzt sich nider / vnd schreibt mit seinem
Blut / wie folgt / welches schreiben denn / nach seinem Todt /
hinder jm gefunden worden.

[53]

Doct. Fausti zweyte Verschreibung / so er
seinem Geist vbergeben hat.

Jch D. Faustus bekenne mit meiner eygen Handt vnd Blut / daß ich diß mein erst Jnstrument vnnd Verschreibung biß in die 17. jar / steiff vnd fest gehalten habe / Gott vnd allen Menschen feindt gewest / hiemit setz ich hindan Leib vnd Seel / vnd vbergib diß dem måchtigen Gott Lucifero / daß so auch das 7. jar nach Dato diß verloffen ist / er mit mir zu schalten vnd zu walten habe. Neben dem so verspricht er mir mein Leben zukůrtzen oder zulångern / es sey im Tod oder in der Hell / auch mich keiner Pein theilhafftig zumachen. Hierauff versprich ich mich wider / daß ich keinen Menschen mehr / es seye [187] mit vermahnen / lehren / abrichten / vnterweisen vnd dråuwungen / es sey im Wort Gottes / weltlichen oder Geistlichen Sachen / vnd sonderlich keinem Geistlichen Lehrer gehorchen / noch seiner Lehr nachkommen wil / Alles getrewlich vnd kråfftig zu halten / laut dieser meiner Verschreibung / welche ich zu mehrer bekråfftigung mit meinem eygen Blut geschrieben hab / Datum Wittenberg / etc.

Auff solche verdammliche vnd Gottlose verschreibung / ist er dem guten alten Mann so feind worden / daß er jhm nach Leib vnd Leben stellete / aber sein Christlich Gebett vnd Wandel / hat dem bösen Feindt ein solchen stoß gethan / daß er jm nit hat beykommen mögen / Denn gleich vber 2. tag hernach / als der fromm Mann zu Bett gienge / hörete er im Hauß ein groß Gerömpel / welchs er zuvor nie gehört hette / das kömpt zu jhm in die Kammer hinein / kůrrete wie ein Saw / das triebe es lang. Darauff fieng der alt Mann an deß Geists zu spotten / vnd sagt: O wol ein Båurisch [188] Musica ist das / Ey wol ein schön Gesang von einem Gespenst / wie ein schön Lobgesang von einem Engel / der nit zwen tag im

Paradeyß hat kōnnen bleiben / vexiert sich erst in ander Leut
Hǎuser / vnd hat in seiner Wonung nit bleiben kōnnen. Mit
solchem Gespŏtt hatte er den Geist vertrieben. D. Faust
fragte jn / wie er mit dem Alten vmbgangen were? Gabe jm
5 der Geist zu Antwort / er hette jhme nicht beykommen kōnnen / dann er geharrnischt gewest seye / das Gebett meynen-
de. So hette er seiner noch darzu gespottet / welches die Geister oder Teuffel nit leyden kōnnen / sonderlich wann man
jhnen jhrn Fall fǔrwirfft. Also beschǔtzet GOtt alle fromme
10 Christen / so sich GOtt ergeben vnnd befehlen wider den
bŏsen Geist.

[54]

Von zwo Personen / so D. Faustus zusamen
kuppelt / in seinem 17. verloffenen Jahre.

5 Zu Wittenberg war ein studiosus / ein statlicher vom Adel /
N. N. genannt / der hat[189]te sein Hertz vnd Augen zu einer /
die auch eines guten Adelichen Geschlechts / vnnd ein vberauß schōn Weibsbildt war / gewandt. Die hatte viel / vnd
vnder denselbigen auch ein jungen Freyherrn zum Werber /
20 denen allen aber schlugs sies ab / vnnd hette sonderlich obge-
dachter Edelmann vnder disen allen den wenigsten Platz bey
jhr. Derselbige hette zum Fausto gute Kundschafft / hatt auch
offt in seinem Hauß mit jme gessen vnd getruncken / diesen
fechtet die Lieb gegen der vom Adel so sehr an / daß er am
5 Leib abname / vnnd darǔber in ein Kranckheit fiele. Dessen
D. Faustus in Erfahrung kame / daß dieser vom Adel so
schwerlich kranck lege / fragte derwegen seinen Geist
Mephostophilem / was jm doch were? Der jme alle gelegenheit vnd Vrsach anzeigte. Darauff D. Faustus den Nobilem
10 heimsuchte / jhme alle gelegenheit seiner Kranckheit erōff-
nete / der sich darǔber verwunderte. D. Faustus trōst jn / er
solte sich so sehr nit bekǔmmern / er wolte jhme behǔlfflich
seyn / daß dieses [190] Weibsbildt keinem andern / denn jm

zum theil werden můßte / wie auch geschach. Dann D. Faustus verwirrte der Jungfrawen Hertz so gar mit seiner Zauberey / daß sie keins andern Manns noch jungen Gesellens mehr
achtete (da sie doch stattliche vnd reiche vom Adel zu Wer-
bern hatte) bald darnach befilcht er diesem Edelmann / er solt   5
sich stattlich bekleiden / so wölle er mit jhm zur Jungfrawen
gehen / die in einem Garten bey andern Jungfrawen sässe / da
man einen Tantz anfangen würde / mit der solte er tantzen /
vnd gibt jm ein Ring / den solte er an seinen Finger stecken /
wann er mit jr tantzte / so bald er sie alsdenn mit dem Finger   10
berühret / würde sie jhr Hertz zu jm wenden / vnd sonsten zu
keinem andern. Er solte sie aber vmb die Ehe nicht ansprechen / dann sie würde jn selbst darvmb anreden. Nimpt darauff ein distilliert Wasser / vnd zwaget den Edelmann darmit /
welcher als baldt ein vberauß schön Angesicht darvon   15
bekame / gehen also mit einander in den Garten. Der [191]
Edelmann thete wie jm D. Faustus befohlen hatte / tantzet
mit der Jungfrawen / vnd rühret sie an / die von der Stund an jr
Hertz vnd Lieb zu jhm wandte / die gute Jungfrauw war mit
Cupidinis Pfeilen durchschossen / dann sie hatte die gantze   20
Nacht kein Ruhe im Bett / so offt gedacht sie an jn. Bald
Morgens beschickte sie jn / öffnet jm Hertz vnd Lieb / vnd
begerte seiner zur Ehe / der jr auß inbrünstiger Liebe solches
darschluge / vnd bald mit einander Hochzeit hetten / auch
dem D. Fausto ein gute Verehrung darvon wurde.   25

[55]

Von mannicherley Gewächß / so Faustus im Winter /
vmb den Christag in seinem Garten hatte /
in seinem 19. Jar.

Jm December / vmb den Christag / war vil Frawenzimmers   30
gen Wittenberg kommen / als etlicher vom Adel kinder zu
[192] jhren Geschwisterten / so da studierten / sie heimzusu-

chen / welche gute Kundtschafft zu D. Fausto hetten / vnnd er
etlich mal zu jhnen beruffen worden. Solches zuvergelten /
beruffte er diß Frawenzimmer vnd Junckern zu jme in sein
Behausung zu einer Vnderzech. Als sie nun erschienen / vnd
5 doch ein grosser Schnee draussen lag / da begab sich in D.
Fausti Garten ein herrlich vnnd lustig Spectacul / dann es war
in seinem Garten kein Schnee zusehen / sondern ein schöner
Sommer / mit allerley Gewächß / daß auch das Graß mit
allerley schönen Blumen dahir blühet vnd grünet. Es waren
10 auch da schöne Weinreben / mit allerley Trauben behengt /
deßgleichen rohte / weisse / vnd Leibfarbe Rosen / vnd ander
viel schöne wolriechende Blumen / welches ein schönen herrlichen lust zusehen vnd zuriechen gabe.

[56]

15 [193]   Von einem Versammleten Kriegßheer wider
den Freyherrn / so Doctor Faustus an deß Keysers
Hoff ein Hirschgewicht auff den Kopff gezaubert
hatte / in seinem 19. Jahr.

Doctor Faustus reyset gen Eißleben / als er nu halben weg
20 gereyset / sihet er vngefehr 7. Pferd daher stutzen / den Herrn
kennt er / daß es der Graff war / dem er / wie obgemeldt / an
deß Keysers Hoff ein Hirschgewicht auff die Stirne gezaubert
hatte. Der Herr kannte Doct. Faustum auch gar wol / derhalben er seine Knecht ließ still halten / das Faustus bald mer-
25 ckete / vnd sich deßwegen auff eine höhe thäte. Als solchs der
Freyherr sahe / ließ er auff jn dar rennen / mit befehl / kecklich
vff jn zu schiessen / derhalben sie desto besser darauff truck-
ten jn zu erreichen. Er ward aber bald widerumb auß jhrem
Gesichte [194] verloren / denn er sich vnsichtbar gemacht. Der
30 Freyherr liesse auff der Höhe stille halten / ob er jn wider in
das Gesicht bringen köndte / da hörten sie vnten am Walde
ein groß Pfeiffen mit Posaunen / Trometen / Trummeln

vnnd Heerpaucken / blasen vnd schlagen / sahe auch etliche
100. Pferde auff jhn streiffen / er aber gab das Fersengelt. Als
er nun neben dem Berge hin wolt / stundt ein groß Kriegß-
volck im Harnisch / so auff jn dar wolte / da wandte er sich
auff einen andern Weg / bald sahe er gleichsfalls viel Reysiger　5
Pferde / derhalben er sich abermals auff einander seyten begeben muste. Da er widerumb / wie zuvor eine Schlachtord-
nung sahe / daß jhme also dieses einmal oder fünff begegnete /
so offt er sich an einander ort hat gewandt. Als er nun sahe /
daß er niergendt hinauß kundte / doch sahe / daß man auff jn　10
streiffte / rennet er in das Heer hineyn / was Gefahr jhm gleich
darauß entstehen möchte / vnd fragte / was die Vrsach seye /
daß man jn allenthalben vmbgeben habe / [195] oder auff jhn
streiffe / aber niemand wolte jm antwort geben / biß endtlich
D. Faustus hinfür zu jm ritt / da der Freyherr alsbald vmb-　15
geschlossen ward / vnd jm führielt / er solte sich gefangen geben / wo nicht / werde man mit jhme nach der schärpffe
fahren. Der Freyherr vermeynte nit anders / denn es were ein
Mannschafft oder natürlich Fürhaben einer Schlacht / so es
doch eine Zauberey deß Fausti war. Darauff fordert D. Fau-　20
stus die Büchsen vnd schwerter von jnen / nam jnen die Gäul
vnd führete jnen ander gezauberte Gäul / Büchsen vnd
Schwerter dar / vnnd sprach zum Freyherrn / der den Faustum nicht mehr kennet: Mein Herr / es hat mir der Oberst in
diesem Heer befohlen / euch anzuzeigen / daß jr dißmal solt　25
also hin ziehen / dieweil jr auff einen gestreifft / der bey dem
Obersten vmb Hülff angesucht. Als nun der Freyherr in die
Herberg kam / vnd seine Knechte die pferde zur träncke
ritten / da verschwunden die Pferde alle / vnd waren die
Knecht schier ertruncken / musten also widerumb zu [196]　30
Fuß heym reitten. Der Freyher sahe die Knecht

Wer sich
an Kessel
reibt / emp-
feht ger-
ne Ron.

daher ziehen / die alle besudelt / vnd naß waren /
auch zu Fuß giengen / als er die vrsach erfahren /
schloß er alsbald / daß es D. Fausti Zauberey war /
wie er jm auch zuvor gethan hatte / vnd jm solchs　35
alles zu hohn vnd spott geschehen were.

[57]

Von Doct. Fausti Bullschafften in seinem
19. vnd 20. Jahre.

Als Doctor Faustus sahe / daß die Jahr seiner Versprechung
5 von Tag zu Tag zum Ende lieffen / hub er an ein Säuwisch
vnnd Epicurisch leben zu führen / vnd berüfft jm siben Teuffelische Succubas / die er alle beschlieffe / vnd eine anders
denn die ander gestalt war / auch so trefflich schön / daß nicht
davon zusagen. Dann er fuhr inn viel Königreich mit seinem
10 Geist / darmit er alle Weibsbilder [197] sehen möchte / deren er
7. zuwegen brachte / zwo Niderländerin / eine Vngerin / eine
Engelländerin / zwo Schwäbin / vnd ein Fränckin / die ein
Außbundt deß Landes waren / mit denselbigen Teuffelischen
Weibern triebe er Vnkeuscheit / biß an sein Ende.

15 [58]

Von einem Schatz / so D. Faustus gefunden
in seinem 22. verlauffenen Jar.

Darmit der Teuffel seinem Erben / dem Fausto / gar keinen
Mangel liesse / weiste der Geist Mephostophiles D. Fau-
20 stum in eine alte Capellen / so eingefallen war / vnnd bey
Wittemberg bey einer halben Meil wegs gelegen ist / allda
hette es einen vergrabenen Keller / da solte Doct. Faustus
graben / so würde er einen grossen Schatz finden / dem gieng
Doct. Faustus trewlich nach / wie er nun darka[198]me /
25 fandte er einen greuwlichen grossen Wurmb auff dem schatz
ligen / der Schatz erschiene wie ein angezündet Liecht. D.
Faustus beschwure jhn / daß er in ein Loch kroche / als er
nun den Schatz grub / fandt er nichts als Kolen darinnen /
hörete vnd sahe auch darneben viel Gespenste. Also bracht
30 D. Faustus die Kolen zu Hauß / die alsbald zu Silber vnd

Golt verwandelt wurden / welches / wie sein Famulus darvon
gemeldet hat / in etliche tausendt Gůlden wehrt geschåtzt ist
worden.

[59]

Von der Helena auß Griechenland / so dem Fausto   5
Beywohnung gethan in seinem letzten Jahre.

Darmit nun der elende Faustus seines Fleisches Lůsten
genugsam raum gebe / fållt jm zu Mitternacht / als [199] er
erwachte / in seinem 23. verloffenen Jar / die Helena auß
Grecia / so er vormals den Studenten am Weissen Sonntag   10
erweckt hatt / in Sinn / Derhalben er Morgens seinen Geist
anmanet / er solte jm die Helenam darstellen / die seine Con-
cubina seyn mőchte / welches auch geschahe / vnd diese
Helena war ebenmåssiger Gestalt / wie er sie den Studenten
erweckt hatt / mit lieblichem vnnd holdseligem Anblicken.   15
Als nun Doct. Faustus solches sahe / hat sie jhm sein Hertz
dermassen gefangen / daß er mit jhr anhube zu Bulen / vnd fůr
sein Schlaffweib bey sich behielt / die er so lieb gewann / daß
er schier kein Augenblick von jr seyn konnte / Ward also in
dem letzten jar Schwangers Leibs von jme / gebar jm einen   20
Son / dessen sich Faustus hefftig frewete / vnd jhn Iustum
Faustum nennete. Diß Kind erzelt D. Fausto vil
zukůnfftige ding / so in allen Låndern solten geschehen. Als er aber hernach vmb sein Leben kame / verschwanden zugleich mit jm Mutter vnd   25
Kindt.

Quaestio /
an Bapti-
zatus
fuerit?

Folget nu was Doctor Faustus in seiner
letzten Jarsfrist mit seinem Geist
vnd andern gehandelt / welches das 24. vnnd
letzte Jahr seiner Versprechung war.

5
[60]

Von Doct. Fausti Testament / darinnen er seinen
Diener Wagener zu einem Erben eingesetzt.

Doct. Faustus hatte diese zeit hero biß in diß 24. vnnd letzte Jahr seiner Versprechung / einen jungen Knaben aufferzo-
10 gen / so zu Wittemberg wol studierte / der sahe alle seins
Herrn / Doct. [201] Fausti / Abentheur / Zåuberey vnd Teuffelische Kunst / war sonst ein bőser verloffner Bube / der
anfangs zu Wittenberg Betteln vmbgangen / vnnd jhne / seiner bösen art halben / niemandt auffnemmen wolte. Dieser
15 Wagener ward nun deß Doct. Fausti Famulus / hielte sich bey
jhm wol / daß jhn D. Faustus hernach seinen Son nannte / er
kam hin wo er wolte / so schlemmete vnd demmete er mit. Als
sich nu die zeit mit D. Fausto enden wolte / berůfft er zu sich
einen Notarium / darneben etliche Magistros / so offt vmb
20 jnen gewest / vnd verschaffte seinem Famulo das Hauß /
sampt dem Garten / neben deß Gansers vnd Veit Rodingers
Hauß gelegen / bey dem Eysern Thor / in der Schergassen an
der Ringmawren. Jtem / er verschaffte jhme 1600. Gůlden am
Zinßgelt / ein Bawren Gut / acht hundert gůlden wert / sechs
25 hundert Gůlden an barem Gelt / eine gůlden Ketten / drey
hundert Cronen werth / Silbergeschirr / was er von Hőfen zu
wegen gebracht / vnnd sonderlich auß [202] deß Bapsts vnd
Tůrcken Hoff / biß in die tausendt Gůlden wert / Sonsten war
nit viel besonders da an Haußraht / dann er nicht viel daheym
30 gewohnet / sondern bey Wirten vnd Studenten Tag vnd
Nacht gefressen vnd gesoffen. Also ward sein Testament
auffgericht vnd constituiert.

[61]

Doctor Faustus besprach sich mit seinem Diener deß Testaments halben.

Als nu das Testament auffgericht war / berůfft er seinen Diener zu sich / hielt jm fůr / wie er jhn im Testament bedacht
habe / weil er sich die zeit seines Lebens bey jm wolgehalten /   5
vnd seine Heimligkeit nicht offenbaret hette / Derhalben solte
er von jhme noch was bitten / dessen wŏlle er jhn gewehren.
Da begerte der Famulus seine Geschickligkeit. Darauff jme
Faustus antwortet: Meine Bů[203]cher belangendt / sind dir
dieselbigen vorhin verschaffet / jedoch daß du sie nicht an Tag   10
kommen wŏllest lassen / Sondern deinen Nutzen darmit
schaffen / fleissig darinnen studieren. Zum andern / begerestu
meine Geschickligkeit / die du ja bekommen wirst / wann du
meine Bücher lieb hast / dich an niemandt kehrest / sondern
darbey bleibest. Noch / sagt Doctor Faustus / dieweil mein   15
Geist Mephostophiles mir weiter zu dienen nit schůldig /
derhalben ich dir jn nit verschaffen mag / so wil ich dir doch
einen andern Geist / so du es begerest / verordnen. Bald hernach am dritten Tage berůfft er seinen Famulum wider / vnd   20
hielte jm fůr / wie er einen Geist wolte / ob er noch deß
Vorhabens were / vnd in was Gestalt er jm erscheinen sol. Er
antwortet: Mein Herr vnd Vatter / in Gestalt eins Affen / auch
in solcher grŏsse vnd Form. Darauff erschiene jme ein Geist /
in gestalt vnd form eines Affen / der in die Stuben sprange.   25
D. Faustus sprach: Sihe / jetzt sihestu jn / doch wirt er [204] dir
nicht zu Willen werden / biß erst nach meinem Todt / vnnd
wann mein Geist Mephostophiles von mir genommen / vnd
jhn nicht mehr sehen wirst / vnd so du dein Versprechen /
das bey dir stehet / leystest / so soltu jn nennen den Auwer-   30
han / denn also heisset er. Darneben bitte ich / daß du meine
Kunst / Thaten / vnd was ich getrieben habe / nicht offenba-
rest / biß ich Todt bin / alsdenn wŏllest es auffzeichnen /
zusammen schreiben / vnnd in eine Historiam transferiren /

darzu dir dein Geist vnd Auwerhan helffen wirt / was dir
vergessen ist / das wirdt er dich wider erjnnern / denn man
wirdt solche meine Geschichte von dir haben wõllen.

[62]

5 [205] Wie sich Doctor Faustus zu der zeit / da er nur
    einen Monat noch vor sich hatte / so vbel gehub /
        ståtigs jåmmerte vnd seufftzete vber sein
                Teuffelisch Wesen.

Dem Fausto lieff die Stunde herbey / wie ein Stundglaß / hatte
10 nur noch einen Monat fûr sich / darinnen sein 24. Jar zum
ende lieffen / in welchen er sich dem Teuffel ergeben hatte /
mit Leib vnd Seel / wie hievorn angezeigt worden / da ward
Faustus erst zame / vnd war jhme wie einem gefangenen Môr-
der oder Råuber / so das vrtheil im Gefångnuß empfangen /
15 vnd der Straffe des Todes gewertig seyn muß. Dann er ward
geångstet / weynet vnd redet jmmer mit sich selbst / fantasiert
mit den Hånden / åchtzet vnd seufftzet / nam vom Leib ab /
vnnd ließ sich forthin selten oder gar nit sehen / wolte [206]
auch den Geist nit mehr bey jm sehen oder leyden.

20   [63]

    Doctor Fausti Weheklag / daß er noch in gutem Leben
            vnd jungen Tagen sterben mûste.

Diese Trauwrigkeit bewegte D. Faustum / daß er seine Weheklag auffzeichnete / damit ers nicht vergessen môchte / vnd ist
25 diß auch seiner geschriebenen Klag eine.
    Ach Fauste / du verwegenes vnnd nicht werdes Hertz / der
du deine Gesellschafft mit verfûhrest in ein Vrtheil deß Feuwers / da du wol hettest die Seligkeit haben kônnen / so du

jetzunder verleurest / Ach Vernunfft vnd freyer Will / was
zeihestu meine Glieder / so nichts anders zuversehen ist /
dann beraubung jres Lebens / Ach jhr Glieder / vnnd du noch
gesunder Leib / Vernunfft vnd Seel / beklagen mich / [207]
dann ich hette dir es zu geben oder zu nemmen gehabt / vnd   5
mein Besserung mit dir befriedigt. Ach Lieb vnnd Haß / warumb seyd jr zugleich bey mir eingezogen / nach dem ich
euwer Gesellschafft halb solche Pein erleiden muß / Ach Barmhertzigkeit vnd Rach / auß was vrsach habt jr mir solchen Lohn
vnd Schmach vergönnet? O Grimmigkeit vnd Mitleyden / bin   10
ich darvmb ein Mensch geschaffen / die Straff / so ich bereit
sehe / von mir selbsten zu erdulden? Ach / ach Armer / ist
auch etwas in der Welt / so mir nicht widerstrebet? Ach / was
hilfft mein Klagen.

[64]   15

Widerumb ein Klage D. Fausti.

Ach / ach / ach / ich arbeitseliger Mensch / O du betrübter
vnseliger Fauste / du bist wol in dem Hauffen der Vnseligen /
da ich den vbermässigen schmertzen deß Todtes erwarten
muß / Ja viel [208] einen erbärmlichern dann jemals eine   20
schmertzhaffte Creatur erduldet hat. Ach / ach Vernunfft /
Mutwill / Vermessenheit vnnd freyer Will / O du verfluchtes
vnd vnbeständiges Leben / O du Blinder vnd Vnachtsamer /
der du deine Glieder / Leib vnd Seel / so Blindt machest / als
du bist. O zeitlicher Wollust / in was Mühseligkeit hastu mich   25
geführet / daß du mir meine Augen so gar verblendet vnnd
vertunckelt hast. Ach mein schwaches Gemüt / du meine
betrübte Seel / wo ist dein Erkändtnuß? O erbärmliche
Müheseligkeit / O verzweiffelte Hoffnung / so deiner nimmermehr gedacht wirdt. Ach Leyd vber Leyd / Jammer vber   30
Jammer / Ach vnd Wehe / wer wirdt mich erlösen? wo sol ich
mich verbergen? wohin sol ich mich verkriechen oder flie-

hen? Ja / ich seye wo ich wölle / so bin ich gefangen. Darauff
sich der arme Faustus bekümmerte / daß er nichts mehr reden
kondte.

[65]

5 [209]   Wie der böse Geist dem betrübten Fausto
mit seltzamen spöttischen Schertzreden
vnd Sprichwörtern zusetzt.

Auff solche obgehörte Weheklag / erschien Fausto sein Geist
Mephostophiles / tratte zu jhm / vnnd sprach: Dieweil du auß
10 der heyligen Schrifft wol gewust hast / daß du GOtt allein
anbetten / jhme dienen / vnnd keine andere Götter / weder zur
Lincken noch zur Rechten / neben jhm haben sollest / dassel-
big aber nicht gethan / Sondern deinen Gott versucht / von
jme abgefallen / jn verleugnet / vnd dich hieher versprochen /
15 mit Leib vnd Seel / so mustu diese deine Versprechung leysten / vnnd mercke meine Reimen:

      Weistu was so schweig /
      Jst dir wol so bleib.
[210]   Hastu was / so behalt /
20   Vnglück kompt bald.
      Drumb schweig / leyd / meyd vnd vertrag /
      Dein Vnglück keinem Menschen klag.
      Es ist zu spat / an Gott verzag /
      Dein Vnglück läufft herein all tag.

25   Darumb / mein Fauste / ists nit gut mit grossen Herrn vnd
dem Teuffel Kirschen essen / sie werffen einem die Stiel
ins Angesicht / wie du nun sihest / derhalben werestu wol
weit von dannen gangen / were gut für die Schüß gewesen /
dein hoffertig Rößlein aber hat dich geschlagen / du hast die
30 Kunst / so dir GOtt gegeben / veracht / dich nicht mit begnügen lassen / sonder den Teuffel zu Gast geladen / vnd hast die
24. Jar hero gemeynet / es seye alles Golt / was gleisset / was

dich der Geist berichte / dardurch dir der Teuffel / als einer
Katzen / ein Schellen angehengt. Sihe / du warest ein schöne
erschaffene Creatur / aber die Rosen / so man lang in Hän-
[211]den trägt / vnd daran riecht / die bleibt nit / deß Brot du
gessen hast / deß Liedlein mustu singen / verziehe biß auff den   5
Karfreytag / so wirds bald Ostern werden / Was du verheissen
hast / ist nicht on Vrsach geschehen / Ein gebratene Wurst hat
zween Zipffel / Auff deß Teuffels Eyß ist nicht gut gehen / Du
hast ein böse Art gehabt / darumb läßt Art von Art nicht / also
läßt die Katz das Mausen nit / Scharpff fürnemmen macht   10
schärtig / weil der Löffel new ist / braucht jn der Koch /
darnach wenn er alt wirt / so scheißt er dreyn / dann iß mit jm
auß / Jst es nicht auch also mit dir? der du ein newer Kochlöf-
fel deß Teuffels warest / nun nützet er dich nimmer / denn der
Marckt hett dich sollen lehren Kauffen. Daneben hastu dich   15
mit wenig Vorrath nit begnügen lassen / den dir Gott bescheret hat. Noch mehr / mein Fauste / was hastu für einen grossen Vbermuth gebrauchet / in allem deinem Thun vnd Wandel hastu dich einen Teuffels Freund genennet / derhalben
schürtz dich nun / dann Gott [212] ist HERR / der Teuffel ist   20
nur Abt oder Münch / Hoffart thäte nie gut / woltest Hans in
allen Gassen seyn / so sol man Narren mit Kolben lausen /
Wer zuuiel wil haben / dem wirt zu wenig / darnach einer
Kegelt / darnach muß er auffsetzen. So laß dir nun meine Lehr
vnd Erinnerung zu Hertzen gehen / die gleichwol schier ver-   25
loren ist / du soltest dem Teuffel nit so wol vertrawet haben /
dieweil er GOttes Aff / auch ein Lügener vnnd Mörder ist /
darumb soltest du Klüger gewesen seyn / Schimpff bringt
Schaden / denn es ist bald umb einen Menschen geschehen /
vnd er kostet so viel zu erziehen / den Teuffel zu beherber-   30
gen / braucht ein klugen Wiert / Es gehört mehr zum Tantz /
dann ein roht par Schuch / hettestu Gott vor Augen gehabt /
vnd dich mit denen Gaben / so er dir verliehen / begnügen
lassen / dörfftestu diesen Reyen nicht tantzen / vnnd soltest
dem Teuffel nicht so leichtlich zu willen worden seyn / vnd   35
gegläubet haben / dann wer leichtlich glaubt / wirt bald

betrogen / jetzt [213] wischt der Teuffel das Maul / vnnd gehet
davon / du hast dich zum Bůrgen gesetzt / mit deinem eigenen
blut / so sol man Bůrgen wůrgen / hast es zu einem Ohr lassen
eingehen / zum andern wider auß. Als nu der Geist Fausto
5 den armen Judas genugsam gesungen / ist er widerumb verschwunden / vnd den Faustum allein gantz Melancholisch
vnd verwirrt gelassen.

[66]

Doctor Fausti Weheklag von der Hellen / vnd
10   jrer vnaußsprechlichen Pein vnd Quaal.

O ich armer Verdampter / warumb bin ich nit ein Viehe / so
one Seel stirbet / damit ich nichts weiters befahren dörffte /
Nun nimpt der Teuffel Leib vnd Seel von mir / vnd setzt mich
in ein vnaußsprechliche finsternuß der qual / dann gleich wie
15 die Seelen an jhnen ha[214]ben schönheit vnd frewd / also muß
ich armer vnnd die Verdampten einen vnerforschlichen
Grewel / Gestanck / Verhinderung / Schmach / Zittern /
Zagen / Schmertzen / Trůbsall / Heulen / Weinen vnd Zåen-
klappern haben. So sind alle Creaturen vnd Geschöpffe Got-
20 tes wider vns / vnd můssen von den Heyligen ewige Schmach
tragen. Jch weiß mich noch zu erjnnern vom Geist / den ich
auff eine zeit von Verdampnuß gefraget habe / der zu mir
sagte / Es sey ein groß vnterscheidt vnter den Verdampten /
dann die Sůnde sind vngleich. Vnnd sprach ferrner / gleich
25 wie die Spreuwen / Holtz vnd Eysen von dem Feuwer
verbrennet werden / doch eins leichter vnd hårter als das
ander / also auch die Verdampten in der Glut vnnd Hellen.
Ach du ewige Verdampnuß / so du vom Zorn Gottes also
inflammiert / von Fewer vnd Hitze bist / so keines schůrens in
30 ewigkeit bedarff. Ach was Trawren / Trůbsall vnd Schmert-
zens / muß man da gewertig seyn / mit weinen [215] der Augen / knirschen der Zåenen / stanck der Nasen / Jammer der

Stimm / erschreckung der Ohren / zittern der Hånde vnd
Fůß. Ach ich wolte gerne deß Himmels entberen / wann ich
nur der ewigen straffe kŏndt entfliehen / Ach wer wirt mich
dann auß dem vnaußsprechlichen Feuwer der Verdampten
erretten? da keine hůlff sein wirdt / da kein beweinen der   5
Sůnden nůtz ist / da weder Tag noch Nacht ruhe ist / wer wil
mich Elenden erretten? Wo ist mein zuflucht? wo ist mein
Schutz / Hůlff vnnd Auffenthalt? Wo ist meine feste Burg?
Wessen darff ich mich trŏsten? der Seligen Gottes nicht / dann
ich schåme mich / sie anzusprechen / mir wůrde keine Ant-   10
wort folgen / sondern ich muß mein Angesicht vor jnen ver-
hůllen / daß ich die Freude der Ausserwehlten nit sehen mag.
Ach was klage ich / da kein hůlff kommet? da ich kein Vertrŏ-
stung der Klage weiß? Amen / Amen / Jch habs also haben
wŏllen / nun muß ich den Spott zum Schaden haben.   15

[67]

[216]   Folget nun von D. Fausti greuwlichem vnd
        erschrecklichem Ende / ab welchem sich jedes
            Christen Mensch gnugsam zu spiegeln /
                vnd darfůr zu hůten hat.   20

Die 24. Jar deß Doctor Fausti waren erschienen / vnd eben in
solcher Wochen erschiene jhm der Geist / vberantwort jhme
seinen Brieff oder Verschreibung / zeigt jm darneben an / daß
der Teuffel auff die ander Nacht seinen Leib holen werde /
dessen solte er sich versehen. Doctor Faustus klagte vnnd   25
weynete die gantze Nacht / also daß jhme der Geist in dieser
Nacht wider erschiene / sprach jhme zu: Mein Fauste / seye
doch nicht so kleinmůtig / ob du schon deinen Leib verleurest / ist doch noch lang dahin / biß dein Gericht wirt / du
must doch zuletzt sterben / wann du gleich viel hundert Jar   30
lebtest / Můssen [217] doch die Tůrcken / Jůden vnd andere
Vnchristliche Keyser auch sterben / vnd in gleicher Verdamp-

nuß seyn / weistu doch noch nicht was dir auffgesetzt ist /
seye behertzet / vnd verzage nicht so gar / hat dir doch der
Teuffel verheissen / er wólle dir einen ståhlin Leib vnnd Seel
geben / vnd solt nicht leyden / wie andere Verdampte. Sol-
5 chen vnd noch mehr Trosts gab er jhme / doch falsch vnd der
heyligen Schrifft zu wider. Doctor Faustus / der nicht anders
wuste / dann die Versprechung oder Verschreibung måste er
mit der Haut bezahlen / gehet eben an diesem Tag / da jme der
Geist angesagt / daß der Teuffel jn holen werde / zu seinen
10 vertraweten Gesellen / Magistris / Baccalaureis / vnd andern
Studenten mehr / die jn zuvor offt besucht hatten / die bittet
er / daß sie mit jhme in das Dorff Rimlich / eine halb Meil
wegs von Wittenberg gelegen / wolten spatzieren / vnnd allda
mit jme eine Malzeit halten / die jm solches zusagten. Gehen
15 also mit einander dahin / vnnd essen ein Morgenmahl / [218]
mit vielen kóstlichen Gerichten / an Speise vnd Wein / so der
Wirt aufftruge. D. Faustus war mit jnen frólich / doch nicht
auß rechtem Hertzen / Bittet sie alle widerumb / sie wolten
jm so viel zu gefallen seyn / vnd mit jme zu Nacht essen /
20 vnd dise Nacht vollendt bey jhme bleiben. Er måste jnen
was Wichtigs sagen / welches sie jme abermals zusagten /
namen auch die Mahlzeit ein. Als nu der Schlafftrunck auch
vollendet ward / bezahlt D. Faustus den Wiert / vnd bathe die
Studenten / sie wolten mit jhme in ein ander Stuben gehen / er
25 wolte jhnen etwas sagen / das geschahe. D. Faustus sagte zu
jnen also:

[68]

Oratio Fausti ad Studiosos.

Meine liebe Vertrawete vnd gantz günstige Herren / Warumb
30 ich euch beruffen hab / ist diß / daß euch viel jar her an mir
bewußt / was ich für ein Mann war / in vielen Künsten vnd
Zauberey be[219]richt / welche aber niergendt anders / dann
vom Teuffel herkommen / zu welchem Teuffelischen Lust

mich auch niemandt gebracht / als die bôse Gesellschafft / so
mit dergleichen Stůcken vmbgiengen / darnach mein nicht-
werdes Fleisch vnd Blut / mein Halßstarriger vnd Gottloser
Willen / vnd fliegende Teuffelische gedancken / welche ich
mir fůrgesetzet / daher ich mich dem Teuffel versprechen   5
mǔssen / nemlich / in 24. jaren / mein Leib vnd Seel. Nu sind
solche Jar biß auff diese Nacht zum Ende gelauffen / vnd
stehet mir das Stundtglaß vor den Augen / daß ich gewertig
seyn muß / wann es außlåufft / vnd er mich diese Nacht holen
wirt / dieweil ich jm Leib vnd Seel zum zweytenmal so thewr   10
mit meinem eigen Blut verschrieben habe / darvmb habe ich
euch freundtliche gůnstige liebe Herren / vor meinem Ende
                    zu mir beruffen / vnd mit euch ein Johannstrunck
Deß Teuf-   zum Abschied thun wôllen / vnd euch mein Hin-
fels   scheiden nicht sollen verbergen. Bitt euch hier-   15
Brůder.   auff / gůnstige liebe Brůder vnd [220] Herrn / jhr
wôllet alle die meinen / vnd die meiner in gutem gedencken /
von meinet wegen / Brůderlich vnd freundtlich grůssen /
darneben mir nichts fůr vbel halten vnnd wo ich euch jemals
beleydiget / mir solches hertzlich verzeihen. Was aber die   20
Abentheuwer belanget / so ich in solchen 24. Jahren getrieben
habe / das werdt jhr alles nach mir auffgeschrieben finden /
vnd laßt euch mein greuwlich End euwer Lebtag ein fůrbildt
vnd erjnnerung seyn / daß jr wôllet Gott vor Augen haben /
jhn bitten / daß er euch vor des Teuffels trug vnnd List be-   25
hůten / vnnd nicht in Versuchung fůhren wôlle / dagegen jme
anhangen / nicht so gar von jhm abfallen / wie ich Gottloser
vnd Verdampter Mensch / der ich veracht vnd abgesagt habe
der Tauffe / dem Sacrament Christi / Gott selbst / allem
Himmlischen Heer / vnd dem Menschen / einem solchen   30
Gott / der nit begert / daß einer solt verloren werden. Laßt
euch auch die bôse Gesellschafft nit verfůhren / wie es mir
gehet vnnd begegnet ist / Be[221]sucht fleissig vnd embsig die
Kirchen / sieget vnd streitet allezeit wider den Teuffel / mit
einem guten Glauben an Christum / vnd Gottseligen Wandel   35
gericht.

Endlich nu vnd zum Beschluß / ist meine freundliche Bitt /
jr wóllt euch zu Bett begeben / mit ruhe schlaffen / vnd euch
nichts anfechten lassen / auch so jr ein Gepólter vnd Vngestůmb im Hauß hóret / wóllt jr drob mit nichten erschrecken /
es sol euch kein Leyd widerfahren / wóllet auch vom Bett
nicht auffstehen / vnd so jr meinen Leib tod findet / jhn zur
Erden bestatten lassen. Dann ich sterbe als ein bóser vnnd
guter Christ / ein guter Christ / darumb daß ich
eine hertzliche Reuwe habe / vnd im Hertzen jm-   Judas
mer vmb Gnade bitte / damit meine Seele errettet   Rew.
móchte werden / Ein bóser Christ / daß ich weiß /
daß der Teuffel den Leib wil haben / vnnd ich wil jhme den
gerne lassen / er laß mir aber nur die Seele zu frieden. Hierauff
bitt ich euch / jr wóllet euch zu Bette verfügen / vnnd wůndsche euch eine gute Nacht / Mir aber [222] eine árgerliche /
Bóse vnnd Erschreckliche.

Diese Declaration vnnd Erzehlung thât Doctor Faustus mit
behertztem Gemůt / damit er sie nicht verzagt / erschrocken
vnd kleinmůtig machte. Die Studenten aber verwunderten
sich auffs hóchste / daß er so verwegen gewest / sich nur vmb
Schelmerey / Fůrwitz vnnd Zauberey willen in eine solche
Gefahr an Leib vnnd Seel begeben hette / war jnen hertzlich
leydt / dann sie hetten jn lieb / vnd sprachen: Ach mein Herr
Fauste / was habt jhr euch geziehen / daß jhr so lang still
geschwiegen / ynd vns solches nicht habt offenbaret / wir
wolten euch durch gelehrte Theologos auß dem netz deß
Teuffels errettet / vnd gerissen haben / nun aber ist es zu spat /
vnd ewerm Leib vnd Seel schádlich. Doct. Faustus antwortet:
Er hette es nicht thun dórffen / ob ers schon offt willens
gehabt / sich zu Gott seligen Leuthen zu thun / raht vnd hůlff
zu suchen / Wie mich auch mein Nachbawr darumb angesprochen / daß ich seiner Lehre [223] folgen solte / von der
Záuberey abstehen / vnd mich bekehren. Als ich dann dessen
auch schon willens war / kam der Teuffel / vnd wolt mit mir
fort / wie er diese Nacht thun wird / vnd sagte: So bald ich die
bekehrung zu GOtt annemmen wůrde / wólle er mir den

Garauß machen. Als sie solches von Doctor Fausto verstanden / sagten sie zu jme: Dieweil nun nichts anders zugewarten
seye / sol er Gott anruffen / jhn durch seines lieben Sohns Jesu
Christi willen / vmb verzeihung bitten / vnd sprechen: Ach
Gott sey mir armen Sünder gnädig / vnnd gehe nicht mit mir
ins Gericht / dann ich vor dir nicht bestehen kan / Wiewol ich
dem Teuffel den Leib muß lassen / so wöllst doch die Seel
erhalten / ob Gott etwas wircken wolte / Das sagte er jnen zu /
er wolte beten / es wolte jhme aber nit eingehen / wie dem
Cain / der auch sagte: Seine Sünde weren grösser / denn daß
sie jhme möchten verziehen werden. Also gedachte er auch
jmmerdar / er hette es mit seiner Verschreibung zu grob ge-
[224]macht. Diese Studenten vnd gute Herren / als sie Faustum gesegneten / weyneten sie / vnnd vmbfiengen einander.
D. Faustus aber bleib in der Stuben / vnnd da die Herren sich
zu Bette begeben / kondte keiner recht schlaffen / dann sie den
Außgang wolten hören. Es geschahe aber zwischen zwölff
vnd ein Vhr in der Nacht / daß gegen dem Hauß her ein
grosser vngestümmer Wind gienge / so das Hauß an allen
orten vmbgabe / als ob es alles zu grunde gehen / vnnd das
Hauß zu Boden reissen wolte / darob die Studenten vermeyn-
ten zuverzagen / sprangen auß dem Bett / vnd huben an einander zu trösten / wolten auß der Kammer nicht / Der Wiert lieff
auß seinem in ein ander Hauß. Die Studenten lagen nahendt
bey der Stuben / da D. Faustus jnnen war / sie hörten ein
greuwliches Pfeiffen vnnd Zischen / als ob das Hauß voller
Schlangen / Natern vnnd anderer schädlicher Würme were /
in dem gehet D. Fausti thür vff in der Stuben / der hub an vmb
Hülff vnnd Mordio zu[225]schreyen / aber kaum mit halber
Stimm / bald hernach hört man jn nicht mehr. Als es nun Tag
ward / vnd die Studenten die gantze Nacht nicht geschlaffen
hatten / sind sie in die Stuben gegangen / darinnen D. Faustus
gewesen war / sie sahen aber keinen Faustum mehr / vnd
nichts / dann die Stuben voller Bluts gesprützet / Das Hirn
klebte an der Wandt / weil jn der Teuffel von einer Wandt zur
andern geschlagen hatte. Es lagen auch seine Augen vnd et-

liche Zåen allda / ein greulich vnd erschrecklich Spectackel.
Da huben die Studenten an jn zubeklagen vnd zubeweynen /
vnd suchten jn allenthalben / Letzlich aber funden sie seinen
Leib heraussen bey dem Mist ligen / welcher greuwlich an-
5 zusehen war / dann jhme der Kopff vnnd alle Glieder schlot-
terten.

   Diese gemeldte Magistri vnnd Studenten / so bey deß Fausti todt gewest / haben so viel erlangt / daß man jhn in diesem
Dorff begraben hat / darnach sind sie widerumb hineyn gen
10 Wittenberg / vnd ins [226] Doctor Fausti Behausung gegangen / allda sie seinen Famulum / den Wagner / gefunden / der
sich seines Herrn halben vbel gehube. Sie fanden auch diese
deß Fausti Historiam auffgezeichnet / vnd von jhme beschrieben / wie hievor gemeldt / alles ohn sein Ende / welches von
5 obgemeldten Studenten vnd Magistris hinzu gethan / vnnd
was sein Famulus auffgezeichnet / da auch ein neuw Buch von
jhme außgehet. Deßgleichen eben am selbigen Tage ist die
verzauberte Helena / sampt ihrem Son / nicht mehr vorhanden gewest / sondern verschwunden. Es wardt auch forthin in
10 seinem Hauß so Vnheimlich / daß niemandt darinnen wohnen kondte. D. Faustus erschiene auch seinem Famulo leb-
hafftig bey Nacht / vnd offenbarte jhm viel heimlicher ding.
So hat man jn auch bey der Nacht zum Fenster hinauß sehen
gucken / wer fürüber gangen ist.

5   Also endet sich die gantze warhafftige Historia vnd Zåuberey Doctor Fausti / darauß jeder Christ zu lernen / sonderlich
[227] aber die eines hoffertigen / stoltzen / fürwitzigen vnd
trotzigen Sinnes vnnd Kopffs sind / GOtt zu förchten / Zauberey / Beschwerung vnnd andere Teuffelswercks zu fliehen /
10 so Gott ernstlich verbotten hat / vnd den Teuffel nit zu Gast
zu laden / noch jm raum zu geben / wie Faustus gethan hat.
Dann vns hie ein erschrecklich Exempel seiner Verschreibung
vnnd Ends fürgebildet ist / desselben müssig zu gehen / vnnd
Gott allein zu lieben / vnnd für Augen zu haben / alleine
5 anzubeten / zu dienen vnd zu lieben / von gantzem Hertzen
vnd gantzer Seelen / vnd von allen Kråfften / vnd dagegen dem

Teuffel vnnd allem seinem Anhang abzusagen / vnd mit Christo endtlich ewig selig zu werden. Amen / Amen / Das wůndsche ich einem jeden von grunde meines Hertzen / AMEN.

I. Pet. V.

Seyt nůchtern vnd wachet / dann ewer Widersacher der Teuffel geht vmbher wie ein brůllender Lôwe / vnd suchet welchen er verschlinge / dem widerstehet fest im Glauben.

Register der Capitel /
vnnd was in einem jeden fůrnemlich begriffen.

ENDE.

Gedruckt zu
Franckfurt am Mayn/
bey Johann Spies.

M. D. LXXXVII.

Zusatztexte
der Wolfenbütteler Handschrift
und der zeitgenössischen Drucke

I

Die Vorrede und die zwei zusätzlichen Kapitel [62] und [70]
der Handschrift der Herzog August Bibliothek Wolfenbüttel

[1ʳ]   Vorred An den Leser

Gunstiger Lieber Freundt vnnd Brueder / Dise Dolmetsch
vom Doctor Fausto / vnnd seinem Gottlosen Vorsatz / hat
mich bewegt auff deine Vielfeltige Bitt auss dem Latein jnn
das Teutsch zu Transferiern / wie jch dann achte niemahls jnn
Teutsche sprach kommen ist / was dann solliches bewegt hat /
das es nit jnn den Teutschen Truckh oder schreiben gebracht
worden / hat es ein sonnderliche Causam vnnd gelegenheit
gehabt / Einmahl / Damit nit Rohe vnnd Gottlose Leuth sich
hierjnn spiegeln / vnnd zu ainer Laruen machen / vnnd jm das
werckh nachthuen wöllen / Dann man das boese eher fast /
dann das guete / dann wo der Teuffel den sollichen das Hertz
sihet vnnd erhascht / darein verwickhelt er sich / vnnd nimpt
ain hannd fur ein Elen lanng / Da dann endtlich volget / Das
sich der Mensch wider das Erste vnnd Ander Gebott Gottes
vergreyfft / Abdritt vnd handelt / wie der Herr Christus
Math: 4. Zum Sathan selbst sagt / Es stehet geschriben [1ᵛ] Du
solt Gott deinen Herren allein anbetten / jme Diennen etc.

Zum Andern / haben sich vil gesellen vnderwunden sollichs
dem Fausto nach zuthon / wie dann bey den Studenten / vnnd
nach bey vns jr vill seind / die mit den Coniurationibus
vmbgehn / seind Gauckhler / Teufels Lockher / Jäger vnnd
Banner / die sollen endtlich wissen / Das jnen letstlich der
Teuffel belohnen wirdt wie dem Fausto. – Also auch meldet
Caspar Goldtwurm von ainem Teuffelbanner / wellicher sich
ermessen vnnd erbotten hat / alle Schlanngen auf ein Meyl
wegs lang jnn ein Grueb zusamen zubringen / vnnd Dieselbigen alle ertödten / Welches Er auch zuwegen gebracht /
vnnd ein Vnzeliche menge der Schlangen zusamen kommen

waren / Zu letst Da kompt ein grosse Alte Schlang / dieselbige
wehret sich jnn die Grueben zu kriechen / Der Incantator
stellet sich als liesse Er Sie also gehrn wehren / er ließ Sie auch
Frey hin vnd wider kriechen / letstlich Da er mit seinen Incan-
tationibus forth will faren / Sie jnn die Grueben zubeschwe-
ren / Da springt die Alt Schlang an den Incantatorem / fast
jn / wie mit ainer Gurttel / fuert jn mit gewalt [2ʳ] mit sich
jnn die Grueben vnder die andern grewlichen Schlangen /
vnnd bringt jne vmb.

Alexander .vj. Pestis Maxima / Damit Er zum Pabst möcht   10
werden / Ergab Er sich dem Teuffel / der jme allezeit jnn Eines
Protonotarij gestalt erscheinen solt. Wie jne dann der Pabst
Alexander Fraget Ob Er Pabst wurde / Da Antwurt jme der
Teuffel ja / Da fraget Er jne weitter / wie lang er wurde Pabst
sein / Antwurt der Teuffel / Aylff vnd Acht etc. Es ward aber   15
nur Ailff jar vnnd Acht Monat. – Nach Aylff jaren ward Er
kranckh / schickht seinen vertrawtn Dienner einen hinauff
jnn sein Gemach / Der solt jme ein Biechlin holen / welchs
Voller Schwartzer kunst ward / zusehen ob Er gesundt werden mocht oder nit / Da der Dienner hinauf kam / Die Thur   20
auf thett / fandt Er den Teuffel jnn des Pabsts Stuel sitzen / jnn
Pabstlicher zier vnnd Pomp / Also das Er sehr erschrack /
zeigt solchs dem Pabst an / Da muest Der knecht wider hinauf
zusehen Ob er noch Da sey / Da fand er jn noch / Da fraget
Der Teuffel den knecht was er da schaffen wolt Der Dienner   25
sagt Er soll dem Pabst Ein Buechlin auf dem Tisch ligenndt
Hollen / [2ᵛ] Darauff spricht der Teuffel / was sagstu vom
Pabst. Ego sum Papa. Als diss der Dienner dem Pabst an-
saget / ist Er sehr erschrockhen / hat die Sach anfahen zu
merckhen / wa hinauß es wölle / jnn dem kompt der Teuffel jn   30
eines Postpottens gestalt / klopfft an der Thur an / er wirt
eingelassen / kompt zum Pabst fur das betth zeigt jm an / die
jar seind auß / Er sey jetzt sein / Er mueß mit jm darvon.
Alsbaldt hat auch der Pabst / der Vicarius Christj vnnd Seule
der Christenheit den Geyst aufgeben / mit dem Teufel jnns   35
Nobis hauß gefahren /

Zum dritten. haben bey vnns die Studenten so wol Magistrj
mechten genannt werden / wie jch bey ettlichen gesehen hab /
noch solliche Stuckh vnnd Zauberey / Die Sie nennen die
Nott stuckh / Das ist die Stuckh vnnd Kunst jnn der Nott /
5 vnnd wa es sein möcht / hilff darjnn suechen / Diss alles ist
nichts annders Somnia vnnd Lugen / Laruen / Damit Sie
sich selbs betriegen / Als Da seind Auguria weissagungen
auss dem Vogel geschray Chiromantia Weyssagungen auss
den Hennden etc. Vnd wie solche gesellen genennt mögen
10 werden / [3ʳ] Die jetziger zeit ain sondern Ruem haben / Was
seind es anderst jnn der Hayligen schrifft / dann schwartze
kunst Dardaniae Artes Magia. Das ist Teuffels werckh /
Teuffels Sohn / Vatter vnnd Schwager / ja solliche / die wol
wie .S. Paulus sagt Teufels Glider sein / wie ettliche sich selbs
15 hoch geruempt haben / es seind Verborgene stuckh / kunst-
lich werckh / jtem man brauch hierjnn Gottes wort sein heylige wörter / was ist das anders dann Gott lugen straffen /
wider das Erst vnnd Ander Gebott Gottes sündigen / Da sie
doch teglich betten vnnd sprechen et ne nos inducas in Ten-
20 tationem / Vber das so ist jr Ruem noch mehr / Das Sie furge-
ben es habe solliche Teuffels werckh (diss jch nenne) oder
falsch kunst nicht erst kurtzlich angefanngen / sonnder es sey
jm anfanng vnd Alter gewest Zoroastes sagen Sie sey der Erst
kunstler gewest / Wellicher der Boctrianorum König gewest
25 ward ein Astrologus / Sie aber sagen nicht wie jm der Teuffel
gelohnet habe / Welcher vom Teuffel jnn die Lufft vber sich
gefiert worden / alda die Götter vnnd gestirn hat sehen wöllen / Darumb Er verbrandt worden von hymlischem Feur /
Darumb jn die Poeten nachmalen Zoroastra nennten / Das
30 ist ein Lebendig gestirn / wie [3ᵛ] sollichs auch Justinus lib:
.j. Meldet / Dieweil aber Zoroastes ein Heyd ward / wirt jm
der Teuffel gewislich vil Articul wie auch dem Doctor Fausto furgehalten haben / Also das er der Teuffel jn geraytzt
habe / Er were wirdig das Er vnder die Götter gezelt wurde /
35 als ein Bacchus / Pan / Ceres etc. Am Andern so wirt er ime
erzelt haben / Er muesse etwas News vnnd Vnerhörts auf-

bringen / das einen schein habe / Damit Sie jn fur ein Gott
achten.

Zum Vierdten. So wirdt Er die Zauberey die Leuth
offenntlich haben sehen lassen / wie die Egyptischen Zauberer vor dem Pharaone gethon haben / Mit disen Rennckhen
wirdt der Teuffel den Zoroastro ein wachssene Nasen
gemacht haben / Zum Vierdten hab jch auch gesehen
schwartze kunst / Die jnn Lateinischer vnnd Griechischer
sprach seindt verzeichnet gewesen / Aber alles das am mein-
sten vnnd kunstlichsten sein solle / Dises sein alles Chaldei-
sche / Hebraische / vnnd Persische Vocabula gewesen / Auss
disem jch schlieslich judiciern mueß / Das solliche kunst in
Persia [4ʳ] vnnd Chaldaea ausgebraittet worden / wie auch das
Wortlin jnn Latein Chaldaeo Darumb genennt wirdt / Dieweil dise Völckher jren Vrsprung hetten Von dem Gottlosen
Cain / also liessen Sie auch seine kinder ahn / Daher dann
gewislich war / das Zoroaster die Zauberey in Persia gelernet
hat / Wie solchs Menippus in Luciano meldet / Da Er spricht /
Mir kam jnn den Synn Das jch hinzoge In Babilon vnnd
sprach jrgendt einen Zauberer ahn / auss des Zoroastrj Schue-
lern vnnd Nachuolgere etc. Auss Persia seind alle andere
Nationen auch Damit beschmeist worden / wie die Meder
nicht jnn einem schlechten Ruem gewest / als Apuleo vnnd
Zaratus bey den Baboloniern / Marmaridius bey den Arabiern / Hypocus bey den Assyriern /

Zum Funfften / vnnd Letsten / Soll sich ain jeder Christ
Gottes Forcht befleissen / vnd solliche sůnd vnnd Misbrauch
nicht jnn sich einwurtzlen lassen / Da der Mensch nit allein
felle / sonndern Leib vnnd Seel jnn die Schanntz schlecht /
Wie dann der Teuffel nit allein den Leib suecht / sundern es ist
jm [4ᵛ] nur vmb die Seel zuthuen / Soll sich derhalben ein jeder
Christen Mensch dafur hietten / Gott vertrawen / sein vernunfft nicht jns Teuffels weiß verfuern / noch sich damit
befleckhen lassen / sonnder ein jegclicher soll dem Teuffel
nicht statt geben / Damit Er Gottes zorn nit heuff / vnnd die
Regell Christj behalte. Was hilfft es den Menschen / Wann

Er gleich die ganntz Welt hette / vnnd nem schaden an seiner
Seel / So hatt Gott solchs auch jnn der Hayligen Schrifft /
schwer ernstlich vnnd hefftig verbotten / Dess Er auch gewiß
halten wirdt Leuiticj cap: 19. Jr solt Euch nicht wenden zu
5 den Warsagern / vnnd forschet nit von den Zaichendeuttern
Am .20. cap: Wann sich ein Seel zu den Zaichendeuttern /
vnnd Warsagern wenden wirt / Das Sie jnen nachhenget / So
will jch mein Andlitz wider dieselb Seel setzen / vnnd will Sie
auss jrem Volckh rotten. Cyprianus primo de duplici Marty-
10 rio et Magicis (inquit) artibus vtuntur tacite Christum abnegant / dum cum Daemonibus habunt foedus.

Wer sich der Zauberey befleyst.
Christ der gewiß kein glauben leyst /

[5ʳ] Zu einer Warnung vnnd mich selbs zu excusiern / hab jch
15 zu ainer Vorred / vnnd Eingang nicht können vnderlassen
auch solche Memoration jns werckh zuuerrichten / vnd bin
das jnn ganntzer zuuersicht Doctor Faustj werckh vnnd that
zu ainer kurtzweil Dir angenem sein werden / welches warhafftig geschehen ist / vnnd Dir noch lieber sein wirt / Dann
20 andere vnwarhafftige Geschicht / Nim also guetter Freundt
vnnd Brueder zu ainer kurtzweil fur ein Garten gesprech an /
Gott sey mit dir alle zeit Amen /

[62]

[87ᵛ]   Von einem so jnn der Turckey gefanngen
25   worden sein weib sich verheurat /
             so Doctor Faustus jme Kundt
             gethan vnd erlediget hatte:

Ein stattlicher vom Adel Johann Werner von Reuttpuffel zu
Bennlingen der mit Doctor Fausto jnn die Schuel ganngen ein
30 gelerther Kerle / der sich mit einer verheuratt [88ʳ] Sabina
von Kettheim / Ein vberauß Schön Weibsbildt / waren auch

vber die Sechs jar jnn der Ee / darnach ward bemelter Johann Werner jnn ainem Schlaftrunckh verfuert / Das Er gesellschafft jnn die Turckhey vnnd Hayligen Lanndt Laysten
wolt / sollicher promission vnnd versprechen ist Er auch
nachkommen / vnnd viel Nation gesehen / auch vil ausge-   5
stannden / vnnd jnn die Funff jar ausgeblieben / also das gewise
Pottschafft kam / das Er todt wer / Die Fraw Drey jar Leyd
trueg / vnnd darneben Viel werber hett / vnnd darunder jr
einen jungen vom Adel auserkhorn (der Nott halben nicht
zumelden ist) als nun die Zeitt Daher lieff die Hochzeit zu   10
Celebriern / vnnd Doctor Faustus solliches jnn erfahrung
kam / bericht Er seinen Mephostophiles Fragt jn ob Diser
Reuttpuffel noch jnn Leben wer oder nit / Da gab der Geyst
antwurt / ja Er wer bey Leben / vnnd jnn Egypten jnn der
Statt Lylopolts gefanngen / Da Er die Statt Alkeyro hat sehen   15
wöllen / Das thett dem Fausto Wehe / Dann Er jn gar Lieb
hett / vnnd neben jm nit Fro ward Das sich die Fraw so bald
verheurat / Da doch der Mann sie So geliebt hett / Damahl
ward eben die zeit der Hochzeit der Kattheim [88ᵛ] jm das der
Beyschlaff sein solt / guckht Derhalben Doctor Faustus jnn   20
seinen Spiegell / darjnnen Er alles sehen konndt / zeigt solchs
dem Reuttpuffel an / wie die Hochzeit seiner Frawen wer /
Darab Er von hertzen erschrocken / Nun ward die zeit dess
Beyschlaffens verhannden / Als sich der Edelman Auszug
auch das wasser abschlueg / Da braucht der Geist sein spiel /   25
            dann als Er zu jr jnns Beth sprang Die Frucht der
NB: Liebe zu genuessen / Dann Sie die hembder aus-
            zugen sich zusamen schmuckten / Da ward etc.
alles verlohren / Die guett Fraw als sie sahe das Er nicht dran
wolt vnnd verzohe / greifft Sie selbs nach dem Patron etc.   30
wolt jm darzue helffen / aber Sie kundt auch nichts gewinnen /
– Also das Ers mit greiffen / ruckhen / schmuckhen bezallen
muest / welliches der Frawen ein Reuwe bracht / ward jnge-
denckh jres vorigen Manns / Den Sie mainte todt sein / der Sie
recht herumb kundt ziehen etc. / Eben denselbigen tag hett   35
D. Faustus den Edelman erledigt / vnnd jm schlaf jnn sein

Schloss bracht / – Als nun die guett Fraw jren junckher sahe /
Fiel Sie jm zu fueß vnnd batt vmb verzeyhung / zeigt auch an /
wie der ander Mann keinen gehabt / vnnd nichts hett ausrich-
ten kŏnnen / darauß [89ʳ] Er merckht / Das Doctor Faustus
5 reden sich zusamen stimpten / nimpt Sie derhalben widerumb
an / Der guet gesell / so erst widerumb gestaffiert ward / Der
entritt wolt sich nicht mehr sehen lassen / Dieweil es jm also
ergangen / ist jm krieg hernach Vmbkommen / Der Ander
Eyffert aber jmmer / vnnd muest die guett Fraw hŏrn / ob Ers
10 schon nit gemerckt / hab Sie dennoch bey jme geschlaffen /
Der Sie betast / greifft / So Er aber vber sie mechtig hett
kommen kŏnnen / solliches auch Vollbracht hett.

[70]

Von einer Prophecey oder Weyssagung
15   des Doctor Faustj vor seinem Endt
         Von dem Pabstumb:

Jnn .24. seinem verlauffnem jar / Wardt Er berueffen zu dem
Bischoff vnd Cardinal gen Saltzburg / Dem Er widerumb
zuer gesundtheit hulff / – Diser Bischoff hielt viel auff Doctor
20 Faustum / Sonnderlich seiner Practica halben so nicht vnge-
wiß gewesen / Dennoch begert Er eben jnn dem Jar / Da dess
Faustj Endt herzue geruckht / Ein weyssag was sich jm Pabstumb werdt zuetragen / jnn Zwainzig oder mehr jaren / Darauff ward diss die widerantwurt vnnd Prophecey Doctor
25 Faustj an den Bischoff wie volgenndt kurtz verfast /
   [96ʳ] .1. Der Pabst Ruempt sich dess Apostelampts als Ein
verkertter Apostel / sein macht wirdt je lenger je grŏsser /
Dann Er Verlast sich auff grosse herren / Als Kayser / Kunig
vnnd Potentaten Die jn Beschutzen /
30   .2. Er wirdt jnn Ettlich jaren die Lilien jn Franckreich verfueren durch ein Florentinerin vnd gross jammer vnnd Bluetvergiessen anrichten /

.3. Er steigt auf durch einen wurdt ein gewalttiger vnnd
Weltlicher herr / legt seinen Stab neben sich / nimpt das
Schwerdt jnn die hanndt / Derhalben der Adler vnnd Römi-
sche Kayser geschwecht wirdt /

.4. Er wirdt Newe Gesatz machen / vnnd Wie Er ein Geyst- 5
licher vnnd Weltlicher wirt sein / Also werden seine Bischoff
auch sein vnnd Namen haben / dann es wirdt jnen als gluckh-
lich ergehn / Dieweil Er Lebt jm Pabstumb mit seinen Cardi-
nälen Bischoffen etc. / mit fressen vnnd sauffen /

.5. O Teutschlandt dein Cron ist dir genomen / dann der 10
Pabst hats vber sein Cron gesetzt / vnnd wolt fur Kayser vnd
Kŏnig wo Er will fleugt hocher Dann der Adler / Lebt also
mit Euch seines gefallens / vnd ist diser Fuchs ein herr / vnnd
last Euch Affen sein /

[96ᵛ] .6. Weyl nun der Pabst ein Weltlicher Herr ist / gelt 15
vnnd guett die Menge hat / Wirt Er jnn Franckhreich vil
jammer vnnd Bluettvergiessen anstyfften / auch vil hocher
Pottenaten durch sein gelt die kopff abreyssen /

.7. Aber Frew dich wider Teutschlandt / Dann Er Hat dein
Gelt vnnd guet an sich gebracht / Dargegen wirstu sein betrie- 20
gerey mit seinem falschen Glauben gewar / Vnnd wirdt jn
Teutschlandt das Lautter Euangelium angehn / Darzue sich
die Teutschen Fursten bekhern / vnnd dem Pabstum einen
grossen stoss thuen /

.8. Dieweil Er sich dann mit der Heyligen schrift nicht 25
mehr wirdt schutzen kŏnnen / Dann thuet Er doch zun Bue-
cher / setzt hinden vnd vornen Zue mit Newem / Darumb
auch Vngern / Pollen / Franckhreich / Engellandt vnd Nider-
lanndt grossen Stoss vnnd Bluetvergiessen haben werden /

.9. Das Pabstum stehet jetzundt auf dreyen Seyln / als sei- 30
ner Lehr / dem Schwert / vnnd seinem gelt vnnd guett / aber
das ein wirdt Er behalten / vnnd die zwey verliern / als Abfall
der Lehr vnnd eröffnung des Rechten Euangelij / Aber fur ein
Weltlichen herren wirt man jn bleiben lassen /

Die zusätzlichen Kapitel [53] – [58] und [65] – [66]
der zweiten Auflage von 1587 (B) nach
dem Exemplar der Stadtbibliothek Ulm

5 [53]

[188]   Doct. Faustus hetzet zwen Bauren aneinander.

Es reysete Doc. Faustus ohngefåhr durchs Land Gülich vnd
Cleue / da begegnete jhm ein Bawr / so sein Roß vor etlichen
stunden verlohren / vnd fragte ob jme nit ein Roß jrgents
10 vnterwegen auffgestossen / Falb von farben vnd starckes Lei-
bes. D. Faustus wolte einen BauwrScharmützel anrichten /
vnnd sagte zu dem Bauwren: Ja / guter Freund / es ist mir nit
weit von hinnen einer begegnet / der reytet ein solches Roß /
wie du mir beschriben hast: vnd dunckct mich wol / es gehe
15 nicht recht damit zu: denn er eylet tapffer fort. Der Bauwr
fragte / ob er nicht wuste / wohin er seine Reise genommen
hette. Faustus sagte / er hette sich gleich wöllen vber den
Rhein sampt dem Roß führen lassen. Wie das der Bauwr
håret / sagt er D. Fausto des berichts danck / vnd eylet dem
20 andern [189] Bauren nach. Wie er an den Paß kompt / fragt er
bey denen / so die Leute pflegen vberzuführen / ob nicht einer
mit einem Falben Roß vbergesetzet habe: Sie antworten
jhme / ja (wie auch war wahre) er sey gleich hinuber gefahren. Der Bauwr bate die Schiffleute / sie solten jn vberführen /
25 welches sie auff bezahlunge thaten. Der Bauwr war nicht
weit fortgezogen / da ersihet er obgedachten Falben Reuter
auff einer Matten absitzen. Wartt / dacht er / ich wil dich
lehren Roß stehlen: du bist mir da nicht entrunnen / wie du
meinest. Kompt in solchen gedancken zu dem andern /
30 greifft jn vnbegrüsset mit zornigen ehrenrührigen worten
an / schilt jhn einen Dieb vnnd Schelmen / als der jhm sein

Roß henckmåssiger gestalt entritten. Der ander sagt / er solle
gemach thun / das Roß sey sein eygen / habe es niemand
gestolen: was er jn da zeyhe / habe er auff gut hochstarckbreyt
Beyerisch Teutsch in seinen losen halß hinein erhebt vnd erlogen. Ey so hast du es erheyt / sagt der erste: vnnd [190] liessen   5
von den worten / vnd fallen vngestümiglich zu den Streichen /
zerzausen einander Haar vnd Bart dermassen / daß sie neben
den vnfreundlichen starcken Baurenstössen / so einer dem
andern geben / gantz zerkratzet / zerraufft vnnd zerschlagen
aller ermüdet von einander lassen musten vnd athem schöpf-   10
fen: vnd waren nuh gleich an deme / daß sie erst mit jren
krummen Peters Pletzen einander die Köpffe zwagen wolten / so ersiehet der / so den andern deß Diebstals ziege / daß
das Roß / so er anforderte vnd seinem sonst durchauß gleich
sahe / grosse Hoden habe / da doch seines ein verschnittener   15
Mönch gewesen. Erschrickt derohalben / bittet den andern
vmb verzeihung / vnd erzehlet jme / wie es gangen sey. Was
wolte der ander darauß machen / sie waren allein / vertrugen
sich recht mit einander / vnd behielt ein jeder was er hatte.

[54]   20

[191]   Faustus betreuget einen Pfaffen
                vmb sein Breuier.

Doctor Faustus spazierte ein mal zu Cöln mit einem seiner
guten bekannten / vnd wie sie miteinander von mancherley
schwetzen / begegnet jhnen ein Pfaff / der eylete der Kirchen   25
zu / vnd hatte sein Breuier / so fein mit silbern Puckeln
beschlagen / in der Faust. Fausto gefiel das Büchlin wol /
dachte du kanst bey einem andern ein Degratias damit verdienen / vnd sagte zu seinem Gesellen: Schaw / schaw / den
Pfaffen / wie ein Geistliches Bettbuch hatt er in der Faust / da   30
Schellen die Responsoria geben. Diß erhört der Pfaff / siehet
auff sein Buch / vnd wird gewahr / das es ein Kartenspiel ist.

Nuhn hatt der Pfaff eben dißmals zu Hauß gespielt gehabt /
vnnd meinet er habe in dem eylen die Karten für das Breuier
vnuersehens [192] ergriffen / wirffts derwegen auß zorn von
sich weg / vnnd gehet brummlende seines weges. Faustus
5 vnnd sein Gesell lacheten deß Pfaffens / huben das Buch auff /
vnd liessen den Pfaffen lauffen / vnnd ein ander Breuier
kauffen.

[55]

Faustus frißt einen Hecht so er
10 nit gekochet.

Es kame Faustus eins mals mit anderen Reysenden in ein
Wirts Hauß in Důringen / sprach neben seinen Reyßgeferten
die Wirtin in abwesen deß Wirts freundlich vmb Herberg an:
Aber es ware dieselbe so holdselig / wie jene zu Basel / zur
15 Krone / da sie jhre Gåste nit setzen konnte: Antwortete dem
Fausto / sie könne jn sampt seiner Geselschafft nicht beher-
bergen / habe nichts zu essen / so sey jhr Mann auch nicht zu
hauß. Faustus sagte: Mein Wir[193]tin das laßt euch nit jrren /
wir wollen für gut nehmen / vnd desto enger zusamen sitzen.
20 Sie ließ sich etwas bewegen / sagte jhnen zwar Herberg zu /
wolte jhnen aber nichts zuessen geben. Da sagten etlich vnter
dem hauffen: hetten wir ein stuck oder etliche von dem
Hechte / so vns heut zu Mittag vberbliben. Faustus sagte /
gelüstet euch nach Hechten / so will ich sehen / was mein
25 Koch vermag: klopffte damit ans fenster mit einem finger /
vnnd sagte / adfer / bring was du hast. Griff bald darauff fürs
fenster / vnnd brachte ein grosse Schüssel voll auffs beste
abgesottener Hechte / sampt einer grossen küpffern Kannen
mit gutem Rheinischen Wein. Da waren sie alle frôlich / weil
30 es so wol gienge. Vnd wiewol sie sich ettwas entsetzten /
liessen sie sich doch den Faustum leicht vberreden / assen /
zechten vnnd lebten wol / Gott geb / wer des Hechtes dargegen mangeln můste.

[56]

[194]   Doctor Faustus ein guter Schütz.

Doc. Faustus ließ sich auff eine zeit / bey einem grossen
Herrn vnd Könige in dienste brauchen / vnd war auff die
Artillerey vnnd Geschütz bestellet / nuhn war das Schloß /   5
darin Faustus dißmals lage / von Keyser Karles Spanischem
Kriegsvolck belägert / darunter ein fürnemmer Oberster vnd
Herr ware. Faustus sprach seinen Hauptman an / ob es jme
gelegen / er wolte gedachten Spanischen Obersten / welcher
damals in einem kleinen Wäldlin vnter einem hohen Tannen-   10
Baume / auff seinem Rosse hielte / vber einen hauffen von der
Mähre herab schiessen / ob er jhn gleich des Waldes halben nit
sehen könne. Der Hauptmann wolte es jme nicht gestatten /
sondern sagte er solte jhn sonst mit einem nahen schusse
erschrecken. Da richtet Faustus sein Stücke / so er vor sich   15
[195] hatte / vnd schoß in gedachten Baum / darvnter dißmals
der Spanier zu morgen aß / dermassen daß die stücker vnd
spreyssen vmb den Tisch flogen. Wenn aber von den Feinden
ein Schuß inn die Vestung gethan ward / schawete Faustus
daß er die grossen kugeln in seine Fauste auffienge / als wenn   20
er mit den feinden den Pallen schlüge: Er trat auch bißweylen
auff die Mawren vnd fienge die kleinen Kugeln in Busen vnd
in die Ermel mit hauffen auff.

[57]

D. Faustus frißt einen HaußKnecht.   25

Es saß Doc. Faustus mit etlichen in einem Wirtshauß vnd
soffen gut Sächsisch vnd Pomerisch zusammen mit halben
vnd gantzen. Da jme nun / D. Fausto / der Haußknecht die
Becher vnd Gläser allzeit zu vol einschenckte / drewete er jm /
wenn ers jme offt thäte / wolt er jn fressen. Ja wol fressen /   30
sagte er / Ein dreck soltu fressen: vnd ließ sich deß Fausti

drewen nichts anfechten / [196] sondern schenckte jhm die
Glåser zu verdruß nuhr vôller ein. Da sperret Faustus vnuersehens sein maul auff / vnd verschlucket jhn gantz. Erwischt
darauff den Kübel mit dem Kůlwasser / vnd sagt: auff einen
5 starcken bissen gehört ein starcker trunck: vnd saufft den
auch gantz auß. Der Wirt merckte den possen wol / bate
Faustum / er solte jhme den Haußknecht wider lassen zukommen / er kônne deß Dieners jetzt nit wol mangeln / weil
er mit vielen Gåsten vberfallen. Faustus lachte / vnnd sagte /
10 er solte sehen / was draussen vnter der Stegen were. Der Wirt
gienge hinauß / vnd schawete vnter die Stegen / da saß der
arme Tropff / aller begossen vnd trieffen / wie ein Naß Kalb
zitterende vor forcht. Der Wirt zoge jn herfür: vnd lachten
die Gåste des vollen einschenckens genug.

[197]   D. Faustus hauwet einem den Kopff ab.

Es ward Doct. Faustus von etlichen guten Gesellen zu gast
geladen in ein Wirtshauß. Nach der Malzeit sprachen jhn die
Bursch an / er solte sie etwas von seiner kunst sehen lassen /
20 vnd vnter andern / wie es mit dem zauberischen Kopffabhau-
wen ein gestalt hette. Faustus ware zwar etwas beschweret
dazu / doch jhnen zugefallen / růstet er sich zu dem possen.
Nuhn wolte aber niemand gerne seinen Kopff dazu leyhen /
wie zuerachten. Letzlich last sich der Haußknecht durch die
25 Gesellschafft mit geschenck bewegen vnd bereden / daß er
sich darzu wolte brauchen lassen: dingete doch dem Fausto in
bester form gewiß an / das er jm seinen Kopff widerumb recht
solte anmachen: denn solte er also ohne Kopff darnach sein
Ampt versehen / was wůrden die Gåste darzu sagen. Endtlich
30 auff des Fausti ver[198]heissen wird deme der Kopff gut
ScharffRichterisch herab geschlagen: Aber das wideranma-
chen wolte nicht von statten gehen / was auch gleich Faustus

anfienge. Da sprach er / Faustus / zu den Gesten / Es sey einer
vnter jhnen / der jhn verhindere / den wolte er vermanet vnnd
haben gewarnet / das ers nit thue. Darauff versuchet ers abermal / konte aber nichts außrichten. Er vermanete vnd drewete
deme zum andern mall / er solle jn vnuerhindert lassen / oder   5
es werde jm nicht zum besten außschlagen: da das auch nit
halff / vnd er den Kopff nicht wider ansetzen konte: lest er
auff dem Tische eine Lilge wachsen / der haw er das Haupt
vnd die Blume oben abe: Alsbald fiel einer von den Gåsten
hindersich von der Banck / vnnd war jme der Kopff abe. Der   10
war der Zauberer / der jhn verhindert hatte. Da setzte er dem
Haußknechte seinen Kopff / wie er jhm verheissen hette /
wiederumb auff: vnd packte sich von dannen.

[65]

[215]   D. Fausti Gåste wõllen jn die Nasen
                          abschneyden.

Doctor Faustus hatte in einer fůrnemmen Reichstadt etliche
stattliche Herren zu Gaste geladen / vnnd doch nichts auff sie
zugerichtet. Wie sie nu kamen / sahen sie woll den Tisch   20
gedecket / aber die Kuchel noch kalt. Es hatte aber denselben
tag ein nicht schlechter Burger allda Hochzeit gehalten / vnd
waren nuhn die Hochzeit Leute auff disen abent am wercke /
daß sie den wiederkommenden Gåsten zum Nacht[216]essen
zurichteten. D. Faustus wuste diß alles woll / befahle seinem   25
Geyste / er solte jhme von der Hochzeit ein Schůssel vol
bratens / Fisch vnnd anders / seine Gåste zubespeysen /
eylends abhohlen. Bald darauff fallt in dem Hause / darinn die
Hochzeit gehalten / ein hefftiger Wind zum Schorstein / Fenstern / vnnd Thůr hinein / wehet alle Liechter auß / dessen sie   30
alle erschrocken / wie zuerachten. Als sie sich nun besunnen /
vnd zu sich selbst kommen / licht wieder angezundet / vnd
gesehen / was das fůr ein tumult sey gewesen / da befinden sie

daß an einem Spisse ein Braten / am andern ein Hun / am
tritten ein Ganß / im Kessel die besten Fisch mangeln. Da
ware Faustus vnd seine Gåste versehen mit Speiß: Wein mangelte / aber nit lang: dann Mephostophiles war auch schon
5 auffm wege nach Augspurg zu ins Fuggers Keller / da brachte
er volauff. Nach dem sie gessen hatten / begerten sie / drumb
sie fůrnemlich kommen waren / daß er jnen zum lust ein
Gauckelspiel ma[217]chete. Da ließ er auff dem Tisch ein
Reben wachsen mit zeitigen trauben / deren für jedem eine
10 hienge. Hieß darauff einen jeglichen die seine mit der einen
hand angreiffen vnd halten / vnnd mit der andern das Messer
auff den Stengel setzen / als wenn er sie abschneiden wolte:
Aber es solte bey leibe keiner schneiden. Darnach gehet er
auß der Stuben / wartet nit lang kompt wider: da sitzen sie
15 alle / vnd halten sich ein jeglicher selbß bey der Nasen / vnd
das Messer darauff. Wenn jhr nuh gerne wolt / so måget jhr
die Trauben abschneiden. Das ware jhnen vngelegen: wolten
sie lieber noch lassen zeitiger werden.

20

[66]

D. Faustus schieret einem Meßpfaffen
den Bart vnseuberlich.

Als auff eine zeit Doc. Faustus zu Battoburg / welchs an der
Mose ligt / vnd mit dem Hertzogthumb Geldern grentzet / in
25 ab[218]wesen Graff Hermanns ohngefehr in gefångniß kommen / hat jhme der Capellan des orths / Johann Dorstenius /
vil liebs vnd guts erzeigt / allein der vrsachen halben / dieweil
er / Faustus / jme / dem Pfaffen / zugesagt / er wolte jhn viel
guter künste lehren / vnd zu einem außbündigen erfahrnen
30 Mann machen. Derohalben / dieweil er sahe / das Faustus
dem trunck sehr geneyget ware / schicket er jme auß seinem
Hauß so lang guten Wein zu / biß das Fåßlin schier nachließ
vnnd gar låhr wurde. Als nuhn eines tages der Pfaff zum

Fausto kame / vnd vnter anderm sagte / er wolte gehn Grauen
gehn / vnd sich daselbst Barbieren lassen / sagte D. Faustus /
er wolte jhn eine kunst lehren / das er ohne Schermesser des
Barts gantz solte abkommen. Da nuhn der Pfaff begierig war
solch kunststück zuhören / sagte Faustus / er solte nur auß der   5
Apoteck Arsenicum holen lassen / vnd den Bart vnd Kinne
wol darmit reiben. So bald der Pfaff das gethan / hatte jhme
gleich das [219] Kinne dermassen anfangen zu hitzen vnd
brennen / das nicht allein die haar jhme außgefallen / sondern
auch die haut mit sampt dem fleisch gar abgangen ist. Jch   10
meine das hieß dem Pfaffen den Bart scheren vnd den Wein
zahlen. Fausti Mephostophiles kame bald darauff vnd lösete
jhn auß der Gefänckniß vnd fuhre mit jhm daruon.

Texteinschub der 1588 von Johann Spieß
bei Wendel Homm gedruckten Ausgabe (A²) nach
dem Exemplar der Bayerischen Staatsbibliothek München

5 [5ᵛ]   Zeugnuß der H. Schrifft / von den
               verbottenen Zauberkůnsten.

Exod. 22. Die Zauberinnen soltu nicht leben lassen.
Leuitic. 20. Wenn eine Seele sich zu den Warsagern vnd
Zeichendeutern wenden wird / daß jhnen nachhuret / So
10 wil ich mein Antlitz wider dieselbige Seel setzen / vnd wil sie
auß jrem Volck rotten. Darumb heiliget euch vnd seid heilig /
vnd haltet meine Satzung / vnd thut sie / denn ich bin der
HERR ewer Gott / der euch heiliget.
Esa. 8. Wenn sie aber zu euch sagen: Jhr můsset die War-
15 sager vnd Zeichendeuter fragen / die da Schwätzen vnnd
Disputiren (so sprecht) soll nicht ein Volck seinen Gott fragen? Ja nach dem Gesetz vnd Zeugnuß / werden sie das nicht
sagen / so werden sie die Morgenröte nicht haben / Sondern
werden im Landt vmbher gehen / hart geschlagen vnd hunge-
20 rig. Wenn sie aber hunger leiden / werden sie zőrnen vnnd
fluchen jhrem Kőnige vnnd jhrem Gott / vnd werden vber
sich Gaffen vnd vnter sich die Erden ansehen / vnd nichts
finden / denn Trůbsall vnd Finsternuß.
[6ʳ] Esa. 19. Der Muth soll den Egyptern vnter jhnen verge-
25 hen / vnd wil jhre Anschläge zu nicht machen. Da werden sie
denn fragen jhre Gőtzen vnd Pfaffen / vnd Warsager vnd
Zeichendeuter. Aber ich wil sie vbergeben inn die Handt
grawsamer Herrn / vnd ein harter Kőnig soll vber sie herr-
schen / spricht der Herrscher der HERR Zebaoth.
30 Esa. 47. Vmb der Menge willen deiner Zauberer / vnd vmb
deiner Beschwerer willen / deren ein grosser Hauffe bey dir
ist / wirdt vber dich ein Vnglůck kommen / das du nicht

weissest / wenn es daher bricht / vnd wird ein Vnfall auff dich
fallen / den du nicht sühnen kanst. Denn es wird plötzlich ein
Getümmel vber dich kommen / deß du dich nicht versihest.
So tritt nun auff mit deinen Beschwerern / vnd mit der menge
deiner Zauberer / vnter welchen du dich von deiner Jugend   5
auff bemühet hast / ob du dir möchtest rahten / ob du möchtest dich stercken. Denn du bist müde für der Menge deiner
Anschläge. Laß her tretten vnnd dir helffen die Meister deß
Himmelslauff / vnnd die Sterngücker / die nach dem Monden
rechen.   10

Jerem. 27. Gehorchet nicht ewern Propheten / Weissa-
gern / Träumdeutern / Tagwehlern vnd Zauberern / die euch
sagen / Jhr werdet nicht dienen müssen dem Könige zu [6ᵛ]
Babel. Denn sie Weissagen euch falsch / auff daß sie euch fern
auß ewerm Landt bringen / vnnd ich euch außstosse / vnnd   15
jhr vmbkommet.

Mich. 5. Zur selbigen zeit (nemlich inn der Zukunfft Christi) wil ich die Zauberer bey dir außrotten / daß keine Zeichendeuter bey dir bleiben sollen. Jch wil deine Bilder vnd
Götzen von dir außrotten / daß du nicht mehr solt anbetten   20
deiner Hände Werck.

Malach. 3. Jch wil zu euch kommen vnnd euch straffen /
vnd wil ein schneller Zeuge seyn / wider die Zauberer / Ehebrecher vnd Meineydige / etc.

Num. 22. Bileam / der Zauberer vnnd Weissager / darff   25
Jsrael nicht fluchen / wie er gern gethan / vnd es Balack hefftig
an jhn begeret.

1. Samuel. 28. Dem Gottlosen König Saul wolte Gott
weder durch Träwme / noch durchs Liecht / noch durch Propheten antworten / derhalben fraget er eine Weissagerin zu   30
Endor auß verzweiffelung / vnnd lest jhm den vermeinten
Samuel herauff bringen / welcher jhm verkündiget / Daß Gott
das Heer Jsrael Morgens in der Philister Hände geben / vnnd
Saul selber auch vmbkommen werde. Wie auch geschehen /
vnd Saul jn sein eigen schwert [7ʳ] gefallen / vnd zum Mörder 35
an jhm selber worden ist.

2. Reg. 1. Ahasia fraget Baal Sebub / den Gott zu Ekron / ob er von seiner Kranckheit genesen werde / dem verkündiget Elias / daß er dieses Lågers nicht auffkommen / sondern deß Todts sterben werde. Wie auch geschehen.

5 2. Paral. 33. Manasse ließ seine Söhne durchs Fewer gehen / im Thal deß Sons Hinnom / vnd wehlet Tage / vnd achtet auff Vogelgeschrey / vnd Zauberte / vnd stifftet Warsager vnd Zeichendeuter / etc. Verführet Juda vnd die zu Jerusalem / daß sie årger theten / denn die Heyden / die der HERR für den
10 Kindern Jsrael vertilget hatte. Vnd wenn der HERR mit Manasse vnnd seinem Volck reden ließ / merckten sie nicht drauff. Darumb ließ der HERR vber sie kommen / die Fürsten deß Heers deß Königs Assur / die namen Manasse gefangen / mit Fåsseln / vnd bunden jhn mit Ketten / vnd brachten jhn
15 gen Babel. Vnd da er in der Angst war / flehet er für dem HERRN seinem Gott / vnnd demütiget sich sehr für dem Gott seiner Våtter. Da erhöret er sein flehen / vnd bracht jn wider gen Jerusalem zu seinem Königreich. Da erkennet Manasse / daß der HERR Gott ist / etc.

20 [7ᵛ] Act. 19. Es vnterwunden sich die 7. Söhne deß Hohenpriesters Scenae / den Namen deß HERREN Jesu zu nennen / vber die / so böse Geister hetten. Aber der Mensch in dem der böse Geist war / sprang auff sie / vnd ward jhrer måchtig / vnd warff sie vnter sich / also / daß sie nackend vnd verwundet auß
25 demselbigen Hauß entflohen. Dasselbige aber ward kundt / allen die zu Epheso wohneten / beyde Juden vnnd Grichen / vnd fiel eine Furcht vber sie alle / vnd der Name deß HERRN Jesu ward hoch gelobet / etc. Viel aber die da fürwitzige Künste getrieben hatten / brachten die Bücher / auff funfftzig
30 tausend Groschen werdt geschåtzet / zusammen / vnd verbrandten sie öffentlich.

Eine solche bekerung wolle Gott allen Zauberern / Warsagern vnd Teuffelsbeschwerern gnådiglich verleihen / zu seines Göttlichen Namens Lob / Ehr vnd Preiß / vnd jrer eigenen
35 Wolfart vnnd Seligkeit / AMEN.

Die zusätzlichen Kapitel [50] – [55]
der Ausgabe von 1589 (C²ª), die sogenannte
»Erfurter Reihe«, nach dem Exemplar
der Universitätsbibliothek München

[50]

[162]   Doctor Faustus schencket den Studenten
zu Leiptzig ein Faß Weins.

Es hatten etliche frembde Studenten aus Vngern / Polen /
Kerndten vnd Osterreich / so zu Wittenberg mit Doct. Fausto viel vmbgiengen / eine Bitt an jhn geleget / als die Leiptziger Meß angangen / er solte mit jhnen dahin verrůcken /
můchten wol sehen / was da fůr ein Gewerb were / vnnd vor
Handelsleute zusammen kåmen / so hatten jhr auch etliche
Vertröstung Gelt allda zuempfahen. D. Faustus willigte /
vnnd leiste Gesellschafft. Als sie nun zu Leiptzig hin vnd
wider spacireten / die Vniversitet sampt der Stadt vnd Meß
besahen / giengen sie ohn gefåhr vor einen Weinkeller vor
vber / da waren etliche Schröter vber eim grossen Weinfasse /
vngefährlich von 16. oder 18. Eymern / woltens aus dem
Keller schroten / kondtens aber nit heraus bringen / das sahe
D. Faustus / sprach: Wie stellet jhr euch so leppisch / vnnd ist
ewer so viel / kóndt doch wol einer allein diß Faß herausser
bringen / [163] wenn er sich recht darzu zu schicken wůste:
Die Schröter wurden vnwillig solcher Rede halben / vnd
wurffen mit vnnützen Worten vmb sich / weil sie jhn nicht
kandten / wie denn diß Gesindlein pflegt zu thun. Als aber
der Weinherr vernam / was der Zanck war / sprach er zu
Fausto vnd seinen Gesellen: Wolan / welcher vnter euch das
Faß allein wirdt heraus bringen / dem sol es sein. Faustus war
nicht faul / gieng baldt in den Keller / satzte sich auffs Faß / als

auff ein Pferd / vnnd reit es also schnell aus dem Keller /
darůber sich Jederman verwunderte. Da erschrack der Weinherr / vermeinet nicht / das solches were můglich gewesen /
muste aber doch seine Zusage halten / vnnd Fausto das Faß
mit Wein folgen lassen / der gab es seinen Wandersgesellen
zum besten / die luden andere gute Freunde darzu / hatten
etliche Tage lang einen guten Schlampamp darvon / vnd
wusten vom Glůck zu Leiptzig zu sagen.

[51]

[164] Wie Doct. Faustus zu Erffordt den Homerum
        gelesen / vnd die Griegischen Helden seinen
        Zuhőrern geweist vnd vorgestellet habe.

Es hat sich auch D. Faustus viel Jahr zu Erffordt gehalten /
vnd in der hohen Schul daselbst gelesen / vnd viel Abenthewr
in dieser Stadt angerichtet / wie noch etliche Personen beim
Leben / die jhn wol gekandt / solch Abenthwr von jhm
gesehen / auch mit jhm gessen vnnd getruncken haben. Als er
nun seinen Zuhőrern einmal den Griegischen fůrtreflichen
Poeten Homerum gelesen / welcher vnter andern Historien
auch den zehenjerigen Krieg vor Troja / der sich der schőnen Helenae wegen vnter dem Griegischen Fůrsten erhaben
hatte / beschreibt / vnnd da vielmahls der dapffern Helden /
Menelai / Achillis / Hectoris / Priami / Alexandri / Vlyssis /
Ajacis / Agamemnonis vnd anderer gedacht wirdt / hat er
derselben Personen / Gestalt vnd Gesichte den Studenten dermassen beschrieben / das sie ein gros [165] verlangen bekommen / vnd offt gewůntscht / wo es jhr Praeceptor zu wegen
bringen kőndte / dieselbigen zu sehen / haben jhn auch darumb bittlichen angelanget. Faustus hat jn solchs verwilligt
vnd zugesagt in der nechsten Lection / alle die sie begeren
zusehen / vor Augen zustellen / derwegen ein grosser Con-
cursch vnd Zulauff von Studenten worden. Wie denn die

Jugend allezeit mehr auff Affenwerck vnd Gauckelspiel /
denn zu dem guten / Lust vnnd Zuneigung hat. Als nun die
Stunde kommen / vnnd D. Faustus in seiner Lection fortge-
fahren / auch gesehen / das wegen seiner gethanen Zusag mehr
Zuhörer vorhanden / denn sonsten / hat er fast mitten in der
Lection angefangen / vnd gesagt: Jhr lieben Studenten / weil
euch gelüstet die Griechischen berühmbten Kriegsfürsten /
welcher der Poet allhier neben vielen andern Scribenten
gedenckt / in der Person / wie sie damals gelebt vnnd herein
gangen seind / anzuschawen / sol euch dieses jetzt begegnen /
vnd sind auff solche Wort als bald obernante Helden in jhrer
damals gebreuchlich gewesenen Rüstung in das Lectorium
[166] nach einander hinein getretten / sich frisch vmbgesehen /
vnnd gleich als wenn sie ergrimmet weren / die Köpffe
geschüttelt / welchen zu letzt nachgefolget ist der grewliche
Rise Polyphemus / so nur ein Auge im Kopff mitten an der
Stirn gehabt hat / vnnd einen langen zottichten Fewrrohten
Bart / hatt ein Kerln / den er gefressen / mit den Schenckeln
noch zum Maul heraus zottend gehabt / vnnd so greßlich aus-
gesehen / das jhnen alle Haar gen Berge gestanden / vnd sie
vor schrecken vnd zittern schier nicht gewust haben / wo sie
naus solten. Dessen aber Faustus sehr gelacht / vnnd jhnen
einen nach dem andern bey Namen genandt / vnnd wie er sie
beruffen / auch also ördentlich heissen wider hinaus gehen /
welches sie auch gethan / allein der Eineugige Cyclops oder
Polyphemus hat sich gestalt / als wolt er nicht weichen /
sondern noch ein oder zween fressen / darüber sich denn die
Studenten noch mehr entsatzt / sonderlich weil er mit seinem
grossen dicken Spiesse / der lauter Eisern vnnd eim Weber-
baum gleich war / wider den Erdboden stieß / das sich das
gantz Collegium bewe[167]gete vnd erschutterte. Aber D.
Faust. wincket jhm mit eim Finger / da traff er auch die Thür /
vnd beschloß also der Doctor seine Lection / des die Studenten alle wol zu frieden waren / begerten fortan kein solch
Gesichte mehr von jhme / weil sie erfahren / was für Gefahr
hiebey zu fürchten.

[52]

Doct. Faustus wil die verlornen Comoedien Terentii vnnd Plauti alle wider ans Liecht bringen.

Nicht lang darnach / als eine Promotion in der Vniversitet daselbest gehalten / vnnd etliche zu Magistern gemacht worden / hat sich vnter den Philosophen ein Gespråch zugetragen von Nutzbarkeit des Lateinischen Comoedien Schreibers Terentii von Carthagine aus Africa bůrtig / wie nemlich derselbe nicht allein der Lateinischen Sprache vnnd schôner Lehre vnnd Sententz halben in den Schulen zubehalten / vnnd der Jugendt vorgelesen werden solte / sondern auch derentwegen / weil er allerley Stånde in der Welt / auch gute vnnd bôse [168] Personen derselben also eigentlich vnd artig mit allen jhren Eigenschafften zubeschreiben weis / als wenn er in der Menschen Hertzen gesteckt / vnnd eines jedern Sinn vnd Gedancken / gleich als ein Gott erkůndiget hette / wie Jederman bekennen můste / der denselben Poeten recht lese vnd verstůnde. Vnnd das noch wunderbarlicher / sihet man daraus / das zur selben Zeit die Menschen eben also geartet / vnnd mit gleichen Sitten gelebt haben / wie es jetzt in der Welt zugeht / obs gleich etliche hundert Jahr vor Christi Geburt geschrieben ist worden. Allein das ist beklagt worden / das die fůrnembsten vnd meisten desselben / als 108. so schendlich durch einen Schiffbruch vntergangen / vmbkommen vnd verloren weren / darůber er der Terentius selber auch sich zu tode sol bekůmmert haben / als Ausonius meldet. Gleichen Vnfall haben sie auch von Plauto erzehlet / welcher nicht minder als Terentius aller oberzehlten Vrsachen halben in den Schulen sehr notwendig vnd nůtzlich zulesen / denn man auch wol 41. oder mehr Comoedien desselben nicht mehr haben kôndte / weil [169] dieselben entweder durch Wassers oder Fewers Noth auch jemmerlich verdorben. D. Faustus hat diesem Gesprech lang zugehôret / vnnd gleicher Gestalt von beyden Poeten viel vnnd mehr / dann die andern alle / zu reden gewust / auch etliche schöne Sententz vnd Sprüche aus den verlornen Comoedien angezogen / vber welcher / als sich jederman vnter jhnen hefftig verwunderte / vnd jhn gefragt / wo er wüste / was in denselben Comoedien stünde? Darauff hat er jnen angezeigt / das sie nit so gar vmbkomen oder nit mehr vorhanden weren / wie sie meinten / sondern do es jm on gefehr sein solte / vnnd den Theologen / so Gegenwertig / bey denen er sonst nicht guten Windt hette / nicht zu wider / wolte er aller beyden Poeten alle jhre Schrifften / sie weren verloren worden oder vmbkommen / wie sie wolten / gar wol vnnd leichtlich herwider vnd ans Liecht bringen / doch nur auff etliche Stunden lang / wolte man sie denn je lenger haben oder behalten / köndte man viel Studenten / Notarien vnd Schreiber vber setzen / vnd in einem Hui dieselben alle abschreiben lassen / so köndte man sie her[170]nach stets / nit weniger als die andern / so jtzt noch vorhanden / haben vnd lesen. Solches ist den Herren Theologen vnnd fürnembsten des Raths / so auch zugleich / wie gebräuchlich gegenwertig waren / angemeldt worden / aber man hat jhme zur Antwort geben lassen / wenn er nicht köndte oder wolte dieselben Bücher also herfür bringen / das man sie rechtschaffen vnnd für vnd für behalten vnd haben köndte / so dürffte man seines Erbietens nicht / denn man sonsten gnugsam Autores vnnd gute Bücher hette / daraus die Jugend die rechte artige Lateinische Sprachen lernen möchte / vnd stünde zubefahren / der böse Geist möchte in die new erfunden allerley Gifft vnd ärgerliche Exempel mit einschieben / das also mehr Schaden denn Frommen daraus erwachsen köndte. Derwegen bleibt es noch diese Stunde bey den Comoedien Terentii vnnd Plauti / die man bißher gehabt / vnd sind die verlornen an jhrem Ort / da sie der Teufel hingefurt oder verstackt hat / blieben / das also D. Faustus hierinnen kein Meisterstück hat beweisen können.

[53]

[171]   Eine ander Historia / Wie D. Faustus
vnversehens in eine Gasterey kômpt.

In der Schlôssergassen zu Erffordt ist ein Haus zum Encker
genandt / darinnen hat damahls ein Stadtjuncker gewohnet /
des Namen etlicher Vrsachen halben allhie nit gesetzt worden / bey welchem sich D. Faustus die gantze Zeit vber / so er
zu Erffordt gewesen / am meisten gehalten / auch viel wun-
derlicher Bossen vnd Kurtzweil / sonderlich / wenn er
etwan Gesellschafft bey sich gehabt (wie denn fast teglich geschehen) vnd lustig sein wollen / geûbet vnnd angerichtet
hat. Nun hat sichs zugetragen / das gemelter Faustus auff eine
Zeit / als derselbe Juncker viel gute Freunde zur Abendmal-
zeit zu sich geladen / nicht Einheimisch / sondern zu Prage
beim Keyser gewesen ist / als aber die Junckern bey seinem
Freunde sehr lustig gewesen / vnnd jhn offt gewûntscht vnd
begert haben / hat sie jhr Wirt berichtet / das er jetzt nicht
zubekommen / weil er weit von dannen / nemlich / zu Praga
were [172] darbey sie es wol ein Weil bleiben lassen / aber baldt
hernach wider angefangen haben jhn zu sich zu wûntschen /
hat jhme auch einer Schertzweise mit Namen geruffen vnd
gebeten / er wolte zu jnen kommen / vnd die gute Gesellschafft nicht verlassen. Jn dem klopfft eins an der Hausthûr
starck an / der Hausknecht leufft ans Fenster / fraget oben-
naus / wer da sey / stehet Doct. Faustus vor der Thûr / hat sein
Roß beim Zûgel / als einer der jetzt abgesessen / spricht zum
Hausknecht / ob er jhn nicht kenne / er seys / deme geruffen
worden / der Hausknecht leufft baldt hinein zum Herren /
ehe er auffthut / zeigt an / D. Faustus sey vor der Thûr / vnd
habe angeklopfft / der Juncker im Hause spricht / er werde
Tauben haben / oder nicht wol sehen / er wisse wol wo Faustus sey / werde vor seiner Thûr jetzt nicht stehen / der
Knecht beruhet auff seinen Worten. Jn dem klopfft Faustus
noch einsten an / vnnd als der Herr selbst neben dem Knecht

hinaus sihet / ists Doct. Faustus / darumb man jhm die Thür
öffnet / vnd jhn schön empfanget. Des Junckern Sohn bittet /
er wolle mit dem Vater bald [173] hinein zun Gesten gehen /
nimpt seinen Gaul von jhme / verheist jhm Futter gnug zu
geben / kans aber nicht halten / wie hernach folgen wirdt. Als
nun D. Faustus hinein zun Gesten kömpt / herrlich empfangen vnnd zu Tisch gesetzt wird / vnnd der Herr im Hause
fraget / wie er so bald wider sey kommen / antwort er / da ist
mir mein Pferd gut zu / weil mich die Herren Geste so sehr
begeret / vnd mir geruffen / habe ich jhnen willfaren / vnnd   10
bey jhnen allhier erscheinen wollen / wiewol ich nicht lang zu
bleiben / sondern noch vor Morgen wider zu Prag sein mus.
Darauff legten sie jhme für zu essen / vnd truncken weidlich
auf jhn zu / biß er ein guten Rausch bekömpt / da fehet er an
seine Bosserey mit jhnen zu vben / spricht ob sie nit mögen   15
auch einen frembden Wein oder zween versuchen? Antworten sie / ja / darauff er weiter fraget / obs ein Rephal / Malvasier / Spanisch oder Frantzösisch Wein sein sol / Gibt einer
lachend zur Antwort / Sie sein alle gut. Bald fodert Faustus
ein Bohrer / fehet an auff die Seiten am Tischblat vier Löcher 20
nacheinander zu boren / stopfft Pflöcklin für / wie [174] man
die Zapffen oder Hane vor die Fasse zustecken pfleget / vnd
heist jhm ein bahr frische Gleser bringen. Als diß geschehen /
zeucht er ein Pflöcklin nach dem andern / vnd lest eim jedern
aus dem dürren Tischblate / gleich als aus vier Fassen / was vor 25
ein Wein er fordert / vnter den obernanten. Des wundern sich
die Geste / lachen vnnd seind guter ding. Jn des kömpt des
Junckern Sohn / spricht: Herr Doctor / ewer Pferd frist / wie
wanns toll were / wolte lieber sonst 10. oder 20. Geule füt-
tern / denn diesen einigen / hat mir allbereit etliche Scheffel   30
Habern verschlucket / stehet stets vnnd sihet sich vmb / wo
mehr sey. Des lachet nicht allein Faustus / sondern auch alle
die es hörten. Als er aber saget / ich wil meiner Zusag gnug
thun / vnnd jhm Futter satt geben / solt ich auch etliche Malter
an jhn wagen / gibt jhm Faustus zur Antwort / er solts lassen   35
bleiben / es habe heint gnug Futter bekommen / denn es fresse

jhm wol allen Habern vom Boden / ehe es voll wůrde. Es war
aber sein Geist Mephostophiles / der / wie oben gesagt / sich
zu weilen in ein Pferd mit Flůgeln / wie der [175] Poeten
Pegasus verwandelte / wenn Faustus eilends verreisen wolte.
Mit solchen vnd dergleichen kurtzweiligen Bossen brachten
sie den Abendt hin / biß in die Mitternacht / da thet Fausti
Pferd einen hellen Schreig / das man es vber das gantze Haus
hören kundte. Nun mus ich fort / sagte Faustus / vnnd wolte
gute Nacht geben / aber sie hielten jhn / vnnd baten / das er
noch ein Weil verharren wolte / da knupffet er einen Knoten
an seinen Gůrtel / vnnd sagte jhnen noch ein Stůndtlein zu /
wie das aus war / thet sein Pferdt aber ein lauten Schreig / da
wolte er wider fort / lies sich doch die Gesellschafft bewegen /
bleib noch eine Stunde / vnnd machte noch einen Knoten an
Gůrtel. Wie aber dis auch verlauffen war / vnnd sein Gaul den
dritten Schreig that / da wolt er gar nicht lenger bleiben / noch
sich auffhalten lassen / nam seinen Abschied von jhnen /
sprach / er můste nun fort. Da gaben sie jhme das Geleit biß
zur Hausthůr / liessen jhme seinen Gaul vorziehen / darauff
saß er / vnnd reit wider dahin / die Schlössergassen hinauff /
Er war aber kaum vor drey oder [176] vier Håuser vor vber / da
schwang sich sein Pferd mit jhm vber sich in die Lufft / das /
die jhme nachsahen / jhn baldt nicht mehr spůren kundten /
kam also wider vor Morgen gen Prage / verrichtet daselbst
seine Gescheffte / vnd brachte vber etliche Wochen hernach
viel Schrifften vnnd newe Zeitungen vons Keysers Hofe mit
sich / als er wider zu Haus kam.

[54]

Wie D. Faustus selbst eine Gasterey anrichtet.

Als nun D. Faustus von Prag wider Anheim kommen / vnnd
von den Osterreichischen Herren vnd andern Fůrsten vnnd
Graven / so ans Römischen Keysers Hofe damahls sich ver-

hielten / viel herrlich Geschenck mit sich bracht hatte /
gedacht er an die gute Gesellschafft / die jhn von Prag in den
Encker beruffen hatten / geliebte jhm derselben Conversation
vnnd kurtzweilige Gesellschafft. Derhalben damit er mit denselben / so jhme zum theil zuvor vnbekandt gewesen / ferner
Kundtschafft machte / vnd sich Danckbar gegen [177] jnen
erzeigen möchte / lud er sie alle widerumb zu sich in sein
Losament / so er nicht weit vom grossen Collegio zu Erffordt
bey S. Michael hatte. Sie erschienen alle mit Lust / nit sonderlich essens oder trinckens halben / sondern das sie verhofften
seltzame Schwencke widerumb von jhme zu sehen / wie auch
geschach. Denn als sie kamen / vnd sich nach einander einstel-
leten / sahen sie weder Fewer noch Rauch / auch weder Essen
noch Trincken / oder sonsten was zum besten / doch liessen
sie sich nichts mercken / waren lustig vnd gedachten / jr Wirt
würde wol wissen / wie er seiner Gäste pflegen solte. Als
sie nun alle zusammen kommen waren / bat er / sie wolten
jnen die Zeit nicht lassen lang sein / er wolte bald zu Tische
schicken vnd auffdecken lassen / klopffete demnach mit ein
Messer auff den Tisch / da kam einer zur Stuben hinein getretten / als wenn er sein Diener were / sprach: Herr was wolt jr?
Doct. Faustus fragte / wie behend bistu? Er antwortet: Wie
ein Pfeil / O nein sprach Faustus / du dienst mir nicht / gehe
wider hin / wo du bist her kommen. Vber ein kleine Weile
schlug er [178] aber mit dem Messer auff den Tisch / kam ein
ander Diener hinein / fragte / was sein Begeren were? Zu deme
sprach Faustus / wie schnell bistu denn? Er antwortet / wie
der Wind. Es ist wol etwas / sagte Faustus / aber du thust jetzt
auch nichts zur Sache / gehe hin / wo du her kommen bist. Es
vergieng aber ein kleines / da klopffte Doct. Faustus zum
dritten mal auff den Tisch / kam wider einer einher getretten /
sahe gar sawer ins Feldt / sprach / was sol ich? Der Doctor
fragete / sag mir / wie schnell du bist / dann solstu hören / was
du thun solt. Er sprach / ich bin so geschwind / als die
Gedancken der Menschen. Da recht / sprach Faustus / du
wirsts thun / vnd stund auff / gieng mit jme vor die Stuben /

sandte jhn aus vnnd befahl jhm / was er vor Essen vnd Trincken holen / vnnd jhme zubringen solte / damit er seine lieben
Gåste zum besten tractieren kôndte. Vnnd als er dis gethan /
gieng er bald wider hinein zu seinen Gåsten / lies sie Wasser
5 nemen vnd zu Tisch sitzen. Wie solches geschehen / kam sein
behendester Diener bald getretten / brachte neben andern
zweien seiner Gesel[179]len neun Gerichte oder Schüsseln /
jeder drey / fein mit Deckschüsseln zugedackt / wie es zu
Hofe der Gebrauch ist / satztens auff den Tisch / darinnen
0 waren die besten herrlichsten Speisen von Wildpret / Vogeln /
Fischen / Gemůsen / Pasteten vnd mancherley einheimischen
Thieren / auffs kôstlichste zugerichtet / vnnd solcher Trachten geschahen viere / waren zusamen 36. essen oder Gericht /
ohn das Obs / Confect / Kuchen vnd ander bellaria / so zu
5 letzt auffgesatzt worden. Alle Becher oder Glåser vnnd Kan-
deln wurden leer auff den Tisch gesatzt / vnd wenn einer
trincken wolte / fragete jn Faustus / was vor Wein oder Bier er
begerte / wenn ers nun genant hatte / satzte Faustus ein
Trinckgeschirr vors Fenster / in einem hui war es vol dessel-
20 ben Getrancks / vnd frisch / als wenns erst aus dem Keller
hergienge. Neben diesem waren auch vorhanden allerley
Jnstrument vnnd Seitenspiel / darauff seiner Diener einer so
Perfect war / vnnd wol spielen kundte / das kein Mensch sein
Lebtag so lieblich gehôrt hatte / ja er kondte auch mancherley
25 Seitenspiel zu gleich in einander bringen / das jr [180] viel / als
Lauten / Positiven / Querchpfeiffen / Harpffen / Zincken /
Posaunen etc. zusammen giengen / vnd sahe man doch jhn
alleine. Jn Summa / es mangelte da nichts an allem / was zur
Frôligkeit dienete / vnd war Niemand / der etwas mehr
30 begerte. Also brachten sie fast die gantze Nacht hin / biß an
den hellen Morgen / da er ein jedern lies wider zu Hause
gehen.

[55]

Ein Münch wil Doctor Faustum bekehren.

Das Gerüchte von Doctor Fausto vnd seinen seltzamen
Abenthewren erschall bald / nicht allein in der Stadt Erffordt /
da er obgesatzte vnd dergleichen Bossen viel angerichtet /   5
sondern auch auff dem Lande / darumb viel Adelspersonen
vnnd junge Ritter von der benachbarten Fürsten vnd Graven
Höfen sich zu jhme gen Erffordt funden / vnd Kundschafft
mit jhme machten / damit sie etwas wunderlichs von jm sehen
oder hören möchten / darvon sie Heut oder Morgen zusagen   10
wiesten. Vnd weil solch Zu[181]lauffen so gros / das zube-
sorgen / es möchte die zarte Jugend dardurch geergert /
vnd etliche verfurt werden / das sie auch zu dergleichen
Schwartzkünstlerey Lust bekemen / weil sie es nur vor ein
Schertz vnnd Geschwindigkeit hielten / vnnd nicht vermein-   15
ten / das der Seelen Gefahr darauff stünde / war von etlichen
Verständigen ein berümbter Barfüsser Münch / D. Klinge
genant / welcher auch mit D. Luthern vnd D. Langen wolbekandt war / angesprochen / weil jhme Faustus auch bekandt /
er solte jhn ernstlich fürnemen / vnd vmb solche Leichtfertig-   20
keit straffen / vnd versuchen / ob er jhn aus des Teuffels
Rachen erretten könte. Der Münch nam diß auff sich / gieng
zum Fausto / redet erstlich freundlich / darnach auch hart mit
jhme / erklerte im Gottes Zorn vnd ewige Verdamnus / so
jhme auff solchem Wesen stünde / sagte: Er were ein fein   25
gelehrt Mann / könte sich sonst wol mit Gott vnd Ehren
nehren / solte sich solcher Leichtfertigkeit / dazu er sich vielleicht in der Jugendt durch den Teuffel / der ein Lügner vnd
Mörder / bereden hette lassen / abthun / GOTT seine [182]
Sünde abbitten / so köndte er noch Vergebung erlangen / weil   30
Gottes Gnade niemals verschlossen / etc. D. Faustus hörete
jhm mit fleiß zu / biß er gar aus geredt hatte / do sprach er /
mein lieber Herr / ich erkenne / das jhrs gern gut mit mir
sehen möchtet / weis auch das alles wol / was jhr mir jetzt vor

gesagt / Jch habe mich aber zu hoch verstiegen / vnnd mit
meinem eigenen Blute gegen dem leydigen Teuffel verschrieben / das ich mit Leib vnnd Seel ewig sein sey wölle / wie kan
ich denn zu růck / oder wie vermag mir geholffen werden?
5 Der Můnch antworte / das kan wol geschehen / wenn jhr Gott
vmb seine Gnade vnnd Barmhertzigkeit fleissig anruffet /
ware Rew vnnd Busse thut / vnd ewere Sůnde Gott abbittet /
vnnd darvon gentzlich abstehet / euch hinfort solcher Zauberey vnnd Gemeinschafft mit dem Teuffel enthaltet / vnd Nie-
10 mand mehr ärgert noch verfůhret / so wollen wir auch Meß
fůr euch halten in vnserm Closter / das jhr wol solt des Teuffels los werden. Meß hin Meß her / spricht D. Faustus / meine
Zusage bindet mich zu hart / so hab ich Gott mutwillig [183]
veracht / vnd bin Meineidig vnd Trewlos an jme worden / dem
15 Teuffel mehr gegleubet vnd vertrawet / denn jhme / darumb
ich nicht wider zu jhm kommen / oder mich seiner Gnade /
die ich verschertzet / getrösten kan. Zu deme were es nicht
ehrlich noch mir rühmlich nachzusagen / das ich mein Brieff
vnd Siegel / das doch mit meinem Blute gestellet / widerlauf-
20 fen solte / So hat mir der Teuffel auch redlich gehalten / was er
mir zugesagt / darumb wil ich jhm wider redlich halten / was
ich jhme zugesagt vnnd verschrieben. Da solchs der Můnch
höret / wart er zornig / sprach: So fahr jmmer hin du verfluchtes Teuffelskind / wenn du dir je nicht wilt helffen lassen / vnd
25 es nicht anders wilt haben / vnnd gieng wider von jhme /
zeigte solches dem Rectori in der Vniversitet an vnnd eim
Erbarn Rathe / da war die Verschaffung gethan / das D. Faustus seinen Stab förder setzen muste / vnd also kam er von
Erffordt hinweg.

Anhang

Editorischer Bericht

Zur Wahl des edierten Textes

Die vorliegende Ausgabe bietet einen kritischen Text derjenigen Version der Faust-Historia, die der Verleger Johann Spieß in Frankfurt am Main mit einer von ihm unterzeichneten Widmungsvorrede 1587 herausbrachte. Von diesem Buch nahm das gesamte weltliterarische Fortleben der Gestalt Fausts und seiner Lebensgeschichte seinen Ausgang. Der Edition liegt das Exemplar der Herzog August Bibliothek Wolfenbüttel (Signatur: 56.3 Ethica) zugrunde. Die davon existierenden reprographischen Nachdrucke, oft recht großzügig als »Faksimiles« bezeichnet, bieten keine verläßlichen Textwiedergaben, so daß in diesem wie in analogen Fällen die Originale benutzt wurden.

Die Wahl des ältesten erhaltenen Drucks (A^1; zur Siglierung vgl. grundsätzlich die *Faust*-Bibliographie von Henning) als »Copytext«, wie der Terminus technicus der analytischen Bibliographie lautet, impliziert zwangsläufig Stellungnahmen zu den editorischen Lösungen, die andere Herausgeber, namentlich Robert Petsch und Harry G. Haile (vgl. das Literaturverzeichnis), gesucht haben. Eine Beschreibung der literarischen Faust-Überlieferung überhaupt und eine Darlegung der editorischen Probleme, die sie aufwirft, kann hier nicht geleistet werden. Es sei lediglich resultathaft zusammengefaßt: Der Spießsche Druck ist keine hinreichend sichere Grundlage für die kritische und editorische Erschließung älterer Textstufen oder gar einer Urform, womöglich gar einer lateinischen, der Faust-Historia. Es existiert zwar eine ältere Version der Faust-Historia in Gestalt einer Handschrift der Herzog August Bibliothek Wolfenbüttel. Zwischen ihr und der Drucküberlieferung besteht jedoch keine unmittelbare Verbindung.

Die Herausgeber der vorliegenden Ausgabe folgen einer seit langem bestehenden, wohlbegründeten editorischen Tradition, wenn sie Zusatztexte aus anderen, A^1 zeitlich eng benachbarten Drucken und aus der Wolfenbütteler Handschrift auf die *Historia* in der Version des Johann Spieß folgen lassen. Aus zweien dieser Drucke und aus der Wolfenbütteler Handschrift wurden weitere Zaubergeschichten, die um den D. Faustus kreisen, hinzugefügt. Nur auf diese Partien trifft die Bezeichnung ›Zusatzkapitel‹ im genauen Wortsinne zu. In einem weiteren Druck hat man zwischen die »Vorrede an den christlichen Leser« und den Text der *Historia* in anderem Schriftgrad eine Art biblischen Schlüssels zum Thema ›Hexen- und Zauberwesen‹ eingeschaltet; er ist aber nicht als Kapitel gekennzeichnet. Die Wolfenbütteler Handschrift schließlich bietet außer zwei anderwärts nicht überlieferten Einzelgeschichten nicht nur eine andere Vorrede, die im Druck keine Verwendung fand, sie enthält außerdem frei gelassene Seiten für eine weitere, möglicherweise nie geschriebene Vorrede. Hypothetisch kann man also mit insgesamt vier Vorreden rechnen.

Diese Zusätze finden sich in unserer Ausgabe in der folgenden Anordnung:

1. die Vorrede der Handschrift der Herzog August Bibliothek Wolfenbüttel;
2. die Kapitel [62] und [70] aus der gleichen Handschrift;
3. die Kapitel [53] – [58] und [65] – [66] der zweiten Auflage von 1587 (B);
4. der Texteinschub der 1588 von Johann Spieß bei Wendel Homm in Frankfurt gedruckten Ausgabe (A^2);
5. die Kapitel [50] – [55] der Ausgabe von 1589 (C^{2a}).

Die beigegebenen Textstücke betreffen ausnahmslos nicht die Lebensgeschichte des Teufelsbündlers Faust. Es handelt sich stets um eine Vermehrung von grundsätzlich ergänzungsfähigem Textbestand. Die Zusatztexte weisen somit u. a. auf die Existenz einer erzählerischen Tradition neben und außerhalb, zeitlich durchaus auch schon vor der Abfassung der Spießschen *Historia* hin. Die beiden Neubearbeitungen des 16. Jahrhunderts, die Georg Rudolf Widmanns (1599) und der sogenannte Tübinger Reim-Faust (1587/88), bedürfen eigener Editionen.

Bewußt verzichtet haben wir auf die Dokumentation von Erwähnungen eines Doktor Faust, die in gänzlich anderen Zusammenhängen vorkommen. Damit begäbe man sich in eine Grauzone vielfältiger Überlieferungsformen, in der sehr verschiedenartige Interessen einander überlagern. Möglicherweise finden sich darin im früheren 16. Jahrhundert auch einige Körnchen historischer Fakten. Im diffusen Licht dieser älteren Überlieferung von einer oder mehreren realen Faust-Gestalten vollzieht sich eine Art Inkubationsphase des Faust-Mythos. Sie zu dokumentieren ist nicht Aufgabe einer Edition desjenigen Textes, in dem dieser Mythos literarische Gestalt gewonnen hat. Folgerichtig bietet die vorliegende Edition über den Text der Faust-Historia von 1587 hinaus nur solche Faustiana, die selbst literarischer Natur sind, also z. B. den Typus der Erzählung im Charakter der Anekdote repräsentieren.

Zur Einrichtung des Textes

Die Entscheidungen, die bei der Edition eines deutschen Textes der frühen Neuzeit zu treffen sind, werden dem Herausgeber durch den geschichtlichen Übergang von einer älteren Schriftart zur jüngeren nahegelegt, ja aufgezwungen. Ein deutschsprachiger Text erscheint im Buchdruck des 16. Jahrhunderts durchweg in der aus gotischer Buchschrift entwickelten, viele graphische Schmuckelemente enthaltenden Frakturschrift. Lateinische Texte, und ebenso einzelne lateinische Wörter und überhaupt fremdsprachige Ausdrücke im Fraktur-Satz, wurden hingegen in Antiqua gesetzt. Die Antiqua aber ist heute die allein verbindliche Schrift für Editionen wie die vorliegende. Die Übertragung eines Textes aus einer so eigenständigen und charakteristischen Schriftart wie der Fraktur in die ganz andersartige Antiqua reicht in einigen Punkten an den Tatbestand einer Übersetzung heran. Die zahlreichen Veränderungen, die das andersartige Repertoire an Schriftzeichen erzwingt, erfordern größte Zurückhaltung bei der Herstellung eines kritischen Textes, wenn diesem zugleich seine charakteristischen Merkmale bewahrt werden sollen.

Die Herausgeber der vorliegenden Ausgabe haben sich bei der Texteinrichtung in erster Linie von den Erfordernissen leiten lassen, welche die Übertragung von der einen Schriftart in die andere mit sich bringt. Nur so läßt sich editorische Konsequenz erzielen. Sobald man über diese notwendigen Änderungen hinaus noch weitere Anpassungsversuche, etwa im Blick auf die Lektüre-Erleichterung, unternimmt, können keine überprüfbaren Leitlinien mehr aufrechterhalten werden. Damit ist zugleich gesagt, daß die pseudopoetisierenden sprachlichen Drapierungen im Geiste der Neuromantik, namentlich die von Richard Benz hergestellten, endgültig verabschiedet werden sollten. Dem heutigen Leser, der neugierig ist auf die Geschichte in ihrer Andersartigkeit, schaden sie mehr, als sie ihm nützen. Das leitende Prinzip für die Schreibweise des Autors oder des Druckers – genauer läßt sich der Urheber nicht angeben – der Spießschen *Historia* ist eine ausgeprägte graphematische Varianz, keinesfalls zu verwechseln mit Regellosigkeit. Variation der Schreibweisen zählt zu den grundlegenden sprachlichen Charakteristika des Textes. Beläßt man ihm grundsätzlich seine Variationsbreite, dann ergibt sich bei der Übertragung in die Antiqua im einzelnen folgendes:

– Offensichtliche Druckfehler sind korrigiert, aber diese Eingriffe der Herausgeber sind ohne Ausnahme in der Liste der Textbesserungen S. 179 verzeichnet.
– Vokalfärbungen (z. B. »Zäuberey«) und altertümliche Namen (z. B. »Weinmar«) sind nicht modernisiert worden.

- Die Irregularität der Groß- und Kleinschreibung, der Vokal- und der Konsonantenbehandlung wurde nicht normalisiert.
- Das bis in den Anfang des 19. Jahrhunderts gebräuchliche *ey*, *y* neben und im Wechsel mit *i* und *j*, *j* neben *i* sind beibehalten.
- Zwischen *u* und *v* wurde auch bei Leseerschwernis (z. B. »Laruen«) nicht normalisiert.
- Statt des doppelten Binde- oder Trennungsstrichs (Divis) in der Fraktur erscheint das einfache Divis der Antiqua. Die Trennungsstriche der Vorlage am Zeilenende sind stillschweigend aufgehoben. In der Vorlage fehlende Divise sind bei Zeilenende stillschweigend ergänzt. Insbesondere bei den Marginalien war für den Setzer der Vorlage der Raum oft so knapp, daß er Trennungsstriche weglassen mußte.
- Verdeutlichende Bindestriche sind in spitzen Klammern eingefügt (z. B. »ruch⟨-⟩ und Godloß«).
- Die drei verschiedenen Formen des *s* sind auf zwei reduziert worden (*s* und *ß*), weil das lange oder Schaft-s (ſ) in der Antiqua nicht mehr existiert.
- Die beiden Formen des *r* in der Fraktur (r und ꝛ) reduzieren sich in der Antiqua auf eine.
- Der Punkt nach arabischer Kardinalzahl ist beibehalten, da er im Druck von 1587 mit Regelmäßigkeit auftritt. Entsprechendes gilt für die Gliederung römischer Zahlen durch Punkte.

Der frühe Buchdruck bewahrt einige Eigentümlichkeiten aus mittelalterlicher Handschriftenpraxis. Sie werden im modernen Schriftsatz nicht nachgebildet: Geminationsstrich, Abbreviatur, Ligatur:

- Der Geminationsstrich wurde stets aufgelöst. Er zeigt indes nicht immer Verdopplung des Buchstabens an, über dem er steht. In bestimmten Fällen (z. B. »nimpt«, »verdampt« oder »ungestům̃b«) vertritt er einen anderen Buch-

staben. Maßgebend für die Auflösung war der Usus scribendi innerhalb der Vorlage.
- Abbreviaturen (z. B. »d'« für »der«) sind aufgelöst bzw. durch heute übliche Buchstabenkombination (so auch »ꝛc.« für »etc.«) ersetzt; »dz« ist je nach Syntax in »daß« oder »das« aufgelöst.
- Ligaturen wurden durchweg nicht gesetzt.

Die Schreibung der Umlaute *ů* und *ő* wurde normalisiert. Der Setzer hat den Umlaut zwar so gut wie immer gekennzeichnet, aber oft falsch, d. h. mit einem *o* statt einem *e*, vielfach auch mit einem nicht eindeutig kenntlichen Zeichen, möglicherweise wegen zu geringen Typenvorrats. Verwendet ein Setzer sowohl Punkte wie diakritisches *e* zur Umlautkennzeichnung (vgl. Zusatztext II), so ist das Nebeneinander beibehalten worden. In den Quellentexten auftretende weitere Druckergewohnheiten wurden ebenfalls beibehalten.

Der Frakturschrift korrespondiert eine Vielzahl von Zierformen und Auszeichnungsmöglichkeiten des Satzes: Schriftgrößen, Satzanordnung, Initialen, Ornamente usw. Der Sachlichkeit der Antiquatype im modernen Gebrauch sind sie wesensfremd und deshalb ausnahmslos aufgegeben worden.

- Beide Vorreden erscheinen im Original in verschiedenen Schriftgraden, die beide größer sind als der des erzählenden Textes. Die Edition vereinheitlicht das ebenso wie den Figurensatz des Originals: herausgehobene Kapitelüberschriften, die in Schmuckform, nach unten kleiner und schmaler werdend, gestaltet sind und analog gestaltete Anfangs- und Schlußzeilen der einzelnen Kapitel.
- Die Holzschnittinitialen (von etwa vier Zeilen Höhe) werden durch Großbuchstaben aus der Grundschrift wiedergegeben. Im Original folgt auf jede Initiale noch ein weiterer Großbuchstabe, ganz selten zwei; auch diese rein graphische Auszeichnung ist aufgegeben.
- Zierstücke, stilisierte Blüten, sind weggelassen.

Mit dem Übergang zur Antiqua steht grundsätzlich nur noch eine Schriftart, gegenüber ursprünglich zweien, zur Verfügung.

– Das Original kennzeichnet lateinische Wörter durch die Antiquaschrift. Eine Hervorhebung des Wortes oder der Wortbedeutung ist damit aber nicht beabsichtigt, so daß eine Schriftauszeichnung in diesen Fällen vernachlässigt werden kann.
– Graphische Hervorhebung bleibt allein gewahrt für die ›Nomina sacra‹: »Gott« und »Herr«.

In der Interpunktion ist seit dem 16. Jahrhundert die Virgel (/) von dem Komma abgelöst worden. Allerdings erscheint das jüngere Zeichen nicht einfach an den gleichen Stellen des Satzes wie das ältere. Äußerlich ist die Virgel ein Bestandteil der Frakturschrift, das Komma hingegen einer der Antiqua. Vor dem Hintergrund einer noch lückenhaften Kenntnis der frühneuhochdeutschen Syntax setzt sich jedoch allmählich die Einsicht durch, daß beide Schriften, da sie für verschiedene Sprachen verwendet werden, primär für vollkommen verschiedene Arten des Satzbaus stehen. Die vorliegende Edition bezieht dazu einen programmatischen Standpunkt.

Die Faust-Historia verwendet die Virgel stets nach Wörtern in der Fraktur. Die Virgel kennzeichnet Sinn- oder Rhythmuseinschnitte. Sie trennt wie ein Pausenzeichen die durchweg relativ kurzen syntaktischen Kola voneinander. Das Komma hingegen steht jeweils nach einem in Antiqua gesetzten lateinischen Wort. Innerhalb eines reinen Antiqua-Textes könnte dem Leser ein Nebeneinander von Virgel und Komma nicht verständlich gemacht werden. Gelegentlich folgen nämlich auch mehrere lateinische Wörter aufeinander. Diese Differenzierung könnte bei durchgehendem Antiqua-Satz nicht mehr kenntlich gemacht werden. Deshalb haben die Herausgeber sich entschlossen, in dieser Edition der *Historia* ausschließlich die Virgel zu verwenden als ein Zeichen für den Sinneinschnitt von mittlerem Gewicht. Sie wollen damit auf die Eigenarten der nebenordnenden, reihenden Syntax des Frühneuhochdeutschen aufmerksam machen, in der Überzeugung, daß das gewohnte Komma den Leser grundsätzlich an die ihm vertraute Ordnung jüngerer deutscher Syntax mit ihren nach dem Muster des Lateinischen geregelten Abhängigkeiten der Teile des Satzes erinnert. Für das Verständnis des Textes können solche Assoziationen sehr hinderlich werden. Unter vertauschten Vorzeichen verfährt somit diese Edition wie andere auch: sie verwendet konsequent eine Schriftart (die Antiqua) mit einem dafür nicht gedachten Satzzeichen (der Virgel). Die Herausgeber älterer kritischer Ausgaben (Robert Petsch, Hans Henning) haben Frakturschrift mit Kommata verwendet. Während also die früheren Herausgeber das Schriftbild zum Maßstab nahmen, möchten wir den Leser in erster Linie auf die Andersartigkeit des älteren deutschen Satzbaus hinweisen.

Es sei jedoch vermerkt, daß in den Quellentexten das Nebeneinander von Virgel und Komma beibehalten wurde. Kapitel- und Seitenzählung sollen die Orientierung erleichtern.

– Die arabische Kapitelzählung in eckigen Klammern ist aus dem Register übernommen worden. Den Kapiteln [8] und [18], die in der Vorlage keine Überschriften besitzen, wurden die entsprechenden Angaben aus dem Register vorangestellt. Das im Register nicht aufgeführte Kapitel, das auf Kapitel [44] folgt, hat, wie auch in den älteren Editionen üblich, die Bezifferung [44a] erhalten. Die im Register fehlende stichwortartige Inhaltsangabe zu diesem Kapitel ist dort nach dem Wortlaut des Textes in eckigen Klammern eingefügt worden.
– Kustoden und Bogenbezeichnungen wurden weggelassen. Seitenbeginn des Originals ist durch die arabische Zählung in eckigen Klammern bezeichnet. Analoges gilt für Seiten- oder Blattzählung bei den Quellentexten.

– Die gesamte *Historia* ist durchpaginiert. Die originale Zählung der beiden Titelbogen mittels Sonderzeichen (Klammern, Strichen, Bögen und römischen Ziffern) konnte
nicht wiedergegeben werden, da sie sich der Zitation so gut
wie ganz entzieht. Die Herausgeber haben lediglich die
Seitenübergänge in den Titelbogen mit der Foliierung a
und b neu gezählt.

Das Titelblatt und die Druckermarke konnten leider nur
andeutend, d. h. leicht verkleinert (Satzspiegel des originalen
Titelblatts: 12,6 × 7,5 cm) und einfarbig wiedergegeben werden. Die Zeilen 2, 3, 11, 18 und 22 des Titelblatts sind im
Original in Rotdruck ausgeführt. Der Text des Titelblatts
und seine Anordnung bieten eine Vielzahl von Hinweisen zur
Rezeptionssteuerung. Insofern kann diese Seite in einer Edition grundsätzlich nicht entbehrt werden.

Mit einigen Problemen ist die Wiedergabe der Ausschnitte
aus der Wolfenbütteler Handschrift (Zusatztext I) behaftet.

– Das u-bogen-ähnliche Schriftzeichen des handschriftlichen
Textes wurde bei der Wiedergabe in der Edition grundsätzlich nicht beachtet.
– Das gleiche Zeichen kommt auch über *o* vor, jedoch nur
dann, wenn der Umlaut auch tatsächlich gemeint ist; infol-
gedessen haben wir es in solchen Fällen in der Form *ő*
übernommen.
– Groß- und Kleinschreibung sind bei dem Buchstaben *j*
nicht mit hinreichender Sicherheit zu unterscheiden. Die
Edition normalisiert: innerhalb des Wortes wird *j* stets als
j, am Wortanfang bei (nichtlateinischen) Substantiven sowie am Satzanfang als *J* wiedergegeben.
– Ähnliches gilt für *d*: mit Sicherheit ist es nur beim Titel des
Doktors Faust als ein großes zu identifizieren; zwei weitere Formen mischen sich. Entschieden wurde hier nach der
Syntax.
– Mehrfach besitzt die Großschreibung eindeutig syntakti-
sche Funktion. An den entsprechenden Stellen wurde im

Text der Edition die Virgel hinzugefügt und der Eingriff im
Verzeichnis der Textbesserungen festgehalten.
– Auch in der Edition des handschriftlichen Textes wurde,
da die Antiqua als Auszeichnungsschrift entfällt, das Komma (bei grundsätzlich gleicher Verwendung wie im Druck,
d. h. im Anschluß an ein einzelnes Wort in Antiqua) stets
durch die Virgel ersetzt.

Erläuterungen und Quellentexte

Sprachliche Erläuterungen gelten allen fremdsprachigen
Wendungen. In bestimmten Fällen ist zeitgenössischen lexi-
kalischen Angaben vor heutigen der Vorzug gegeben worden, und zwar dann, wenn der anonyme Autor nachweislich
aus einem Lexikon zitiert. Alle sprachlichen Erläuterungen
stehen beim jeweils ersten Auftreten eines Wortes oder einer
Wendung.

Erläuterungen und Quellentexte verfolgen in erster Linie
das Ziel, ein genaueres Studium der Arbeitsweise, speziell des
Sprach- und Erzählstils des Autors der *Historia* zu ermöglichen. Dem dient vorab die Wiedergabe der gebotenen Ver-
gleichstexte. Das sind zum einen echte ›Quellen‹, also Vorlagen, deren Verwendung durch den Autor gesichert ist, zum
andern in nicht wenigen Fällen aber auch themengleiche
Erzählvarianten aus der Zeit vor der Abfassung der *Historia*.
Diese Texte sollen den literarischen Hintergrund verdeutli-
chen, von dem sich die Erzählweise der *Historia* abhebt.

In dieser Edition sind erstmals sämtliche Quellentexte aus
originalen Drucken bzw. Handschriften geschöpft. In nicht
wenigen Fällen wurden sachlich geeignetere Ausgaben zitiert als bei Petsch; auf einige ›Quellen‹ mit sehr vagem moti-
vischem Bezug haben wir verzichtet, mit Bedauern auch
auf drei der vier Faust-Geschichten der Karlsruher Handschrift 437 (Christoph Roßhirt); diese Texte bedürfen einer
eigenen kritischen Neuedition. Den bei weitem größten Teil

der benötigten Inkunabeln und Frühdrucke besitzt die Bayerische Staatsbibliothek München. Für eine Reihe von Specialissima erwies sich die Herzog August Bibliothek Wolfenbüttel als unentbehrlich.

Die Quellentexte erscheinen hier erstmals auch mit den Marginalien, die sie in den Frühdrucken bei sich führen. Die letzte kritische Ausgabe mit einem entsprechenden Kommentarteil (Robert Petsch, 1911) verwendet in nicht wenigen Fällen die überaus fehlerhaften Ausgaben des 19. Jahrhunderts.

Für die im Anhang wiedergegebenen Texte ist die Schwelle der angenommenen Kommentierungsbedürftigkeit erheblich höher gelegt. Ein ›Kommentar zum Kommentar‹ sollte unbedingt vermieden werden. Deshalb haben wir die wenigen Stellen, die nach unserem Urteil ohne Hilfe überhaupt nicht verständlich sind, unmittelbar in der Zeile in spitzen Klammern, im Anschluß an die fragliche Wendung, erläutert.

Analog sind wir mit den ganz wenigen unerläßlichen Textbesserungen verfahren. Die ›Methode‹ des stillschweigenden Konjizierens ist grundsätzlich nicht angewandt worden.

Augustin Lercheimers längst bekannte kritische Anmerkungen von 1597 zu der Faust-Historia geraten in ein ganz neues Licht, wenn man die Einschätzung des Tübinger Hebraisten und Astronomen Wilhelm Schickard danebenstellt, die zwar schon Düntzer anführt, an der aber die gesamte Forschung vorübergegangen ist; daher werden beide »Zeugnisse zur zeitgenössischen Wirkung« im Anhang nebeneinander publiziert.

Literaturverzeichnis

Für bibliographische Angaben über die zeitgenössischen Drucke und auch die jüngeren Ausgaben der Faust-Historia sei grundsätzlich auf Teil 1 der Bibliographie von Hans Henning verwiesen.

In der vorliegenden Edition werden nur diejenigen Drucke vollständig verzeichnet, aus denen im Textteil Partien ediert sind. Sinngemäß rechnet hierzu auch die Wolfenbütteler Handschrift. Für diese Titel geben wir alle Einzelheiten wie Zeilentrennung, Rotdruck, Holzschnitte und Bibliothekssignatur des benutzten Exemplars.

Die unter den Quellentexten auszugsweise zitierte Karlsruher Handschrift, die Inkunabeln und Frühdrucke werden in den Abschnitten des Anhangs mit Kurztitel angeführt. Das Literaturverzeichnis bietet jedoch die vollständigen Titel, da diese in vielen Fällen bedeutsame Hinweise auf Autorintention und Rezeptionssteuerung enthalten. Hier wurde jedoch auf Angaben über typographische Merkmale verzichtet. Die Bibliothekssignatur des benutzten Exemplars gewährleistet in jedem Fall eine eindeutige Identifizierung.

Die Bibliographie der Forschungsliteratur ist so knapp wie möglich gehalten. Unbedingt aufgenommen werden mußten alle Arbeiten, in denen Entdeckungen von Quellen – im Einzelfall von unterschiedlicher Nähe zum Text der *Historia* – erstmals bekanntgemacht wurden. Darüber hinaus bieten wir auch die Titel einiger Werke über die sogenannte Faustsage und den historischen Faust, sofern darin auch Fragen der literarischen Faust-Überlieferung zur Sprache kommen.

Textbesserungen

Historia

6,14   Freundschafft] Freundschaff
8,31   heyligen] heylige
11,18 Pful] Pfal
20,22 f.   noht haben] noht haben haben
32,2   verstossenen] verstorbenen *nach dem Register
       (125,26) konjiziert*
41,11 nur] nun
41,24 f.   Verdampten] Verdampte
44,16 richtette] richtettet
45,19 solche] salche
61,19 kompt er in Welschlandt] kompt er Welschlandt
69,26 Tůrck] Tůck
70,24 Statt] Satt
72,9   vmbgeschrencket] vmbgeschrecket
78,14 meinem] mei-|mē
90,25 Frawenzimmer] FrawenZimmer
91,35 Mahlzeit] Malhzeit
92,19 Faustus] Fastus
93,23 Hůnern] Hunern
94,15 Doll waren] Dollwaren
100,23 barbieren] barbierer
101,5   Blumenstengel] Blumen stengel
101,28 Nachbawr /] Nachbawr
102,2   an /] an
103,16 dem] den
104,15 *Die Pagina 187 wurde aus 178 des Originals korri-
        giert.*
112,15 kehrest] ke hrest
112,34 vnnd in] vnndin
113,13 f.   Mőrder] Morder
113,17 ǎchtzet] achtzet

125,5   Artzt] Artz
126,32 f.   rechen] rechnen
127,7   152] 52
127,8   153] 53
127,10   154] 54
127,21   162] 182
128,29 f.   vnaußsprechlichen] vnaußsprechlicher

Wolfenbütteler Hs.

133,5   Brueder / Dise] Brueder Dise
133,12   gehabt / Einmahl] gehabt Einmahl
133,26   wissen / Das] wissen Das
139,2   Fiel] Fuel
139,18   Saltzburg / Dem] Saltzburg Dem
139,21   Jar / Da] Jar Da
140,22   angehn / Darzue] angehn Darzue
140,33   Euangelij / Aber] Euangelij Aber

Druck von 1589 (C²ᵃ)

157,28   baldt] balbt
162,29   *Die Pagina* 182 *wurde aus* 128 *des Originals korri-*
         giert.

Explanations

Erläuterungen

Die Erläuterungen eröffnen mit sprachlichen und sachlichen Hinweisen den Zugang zum Text auch für Benutzer ohne Kenntnisse im Mittelhochdeutschen, Frühneuhochdeutschen und Lateinischen. Jedes Wort bzw. jede Sache wird nur beim ersten Auftreten im Text erläutert. Weitere Anmerkungen dienen insbesondere dem literarischen Verständnis der S. 217 ff. abgedruckten Quellen- und Paralleltexte, die aus einem weiten Überschneidungsbereich von theologischen, erzählerischen und Werken zur Weltkunde stammen. Auf sie wird mit der Sigle QT und einer arabischen Zahl für die Text-Nummer der durchnummerierten Texte verwiesen. Frühdrucke wie wissenschaftliche Literatur werden lediglich mit Verfassernamen und einem leitenden Stichwort aus dem Titel angeführt; vollständige Titel bietet das Literaturverzeichnis. Zahlen mit hochgestelltem r (recto, d. h. Vorderseite) oder v (verso, d. h. Rückseite) beziehen sich auf Handschriften und Drucke mit Blattzählung (Foliierung). Die hierfür üblichen Abkürzungen (Bl., Fol., fol.) sind, da sie sich von selbst verstehen, weggelassen; a und b bezeichnen die linke bzw. rechte Spalte bei Spaltendruck.

Titelblatt

3,1 HISTORIA] übliche Bezeichnung für eine zugleich beispielhafte wie unterhaltsame Erzählung von geschichtlichen oder dafür ausgegebenen Gestalten. Die von der germanistischen Literaturgeschichtsschreibung lange Zeit statt dessen verwendete Gattungsbezeichnung »Volksbuch« geht von Rezeptionsbedingungen aus, die sich erst seit der Spätaufklärung entwickelt haben. Sie ist auf die Literatur der frühen Neuzeit nicht anwendbar.

3,3 Fausten] Der Autor nennt den Helden stets Faustus, mit Vornamen Johann; letzteres ist in der literarischen Tradition seit Johannes Manlius' *LOCORVM COMMVNIVM COLLECTANEA* (lat. 1562) üblich. Briefliche und archivalische Quellen über einen historischen Faust sprechen von »Georg«.
weitbeschreyten] hochberühmten.

3,4 Zauberer vnnd Schwartzkünstler] Betrüger, welcher sich der – als gottlos angesehenen – Schwarzen Magie bedient.

3,12 hochtragenden] stolzen.

3,13 fürwitzigen] wißbegierigen und, da nur auf weltliche Erkenntnis ausgerichtet, zugleich sündigen.

3,18 IACOBI IIII.] Jakobusbrief 4,7. Von Luther zwar als apokryph
eingestuft, aber, abgesehen von der Betonung der Werkgerechtigkeit, geschätzt. Der Text folgt Luthers *Biblia Deudsch* von 1545.

3,21 Cvm Gratia et Privilegio] formelhafter Hinweis auf das Vorliegen eines Druckprivilegs, d. h. eines zeitlich und zumeist auch
lokal begrenzten Schutzes vor Nachdruck. Angaben dieser Art, oft
auch auf deutsch, finden sich in Frühdrucken häufig (vgl. das Literaturverzeichnis, Abschn. III).

3,23 Johann Spies] Geb. um 1540 in Oberursel in der Grafschaft
Königstein, Besuch der dortigen Lateinschule und Setzerlehre.
1572 Erwerb des Bürgerrechts in Frankfurt a. M., Lohndrucker,
seit 1579 selbständig. 1582–85 in Heidelberg tätig, vertritt dort
in seinem überwiegend theologisch ausgerichteten Programm dezidiert lutherische Tendenz, u. a. Drucker der *Concordia*.
1585–1607 wieder in Frankfurt, ausgedehnte Tätigkeit als Drukker-Verleger, insbesondere von wissenschaftlicher, namentlich
theologischer Literatur, u. a. von Nikolaus Reusner und Nikodemus Frischlin. 1610 Verkauf der Druckerei. Gest. (beerd.)
21. 2. 1623 in Gera (dort seine Söhne Martin und Johann Spieß als
Drucker nachgewiesen.)

3,24 M. D. LXXXVII.] Der Titel ist in den Meßkatalogen Georg
Willers im Abschnitt »Teutsche Historische Bůcher« für die
Herbstmesse 1587 verzeichnet. Noch im gleichen Jahr erschienen
mindestens vier unautorisierte Nachdrucke. Spieß selbst verlegte
1588 eine 2. Auflage mit dem Drucker Wendel Homm. Vgl. S. 149
den Textzusatz »Zeugnuß der H. Schrifft / von den verbotenen
Zauberkůnsten« daraus.

5,2 f. Caspar Kolln ... Hieronymo Hoff] Schulfreunde Spieß' aus
Oberursel. Der Amtsschreiber Kaspar Kolle und der Rentmeister
Hieronymus Hoff waren beide in der 1581 kurmainzisch gewordenen, aber zunächst evangelisch gebliebenen Grafschaft Königstein
tätig (urkundliche Belege im Staatsarchiv Wiesbaden, Misc. Königstein).

5,8 gemeine] öffentliche.
Sag] Rede.

Vorrede

5,12 f. Gastungen vnnd Gesellschafften] Festlichkeiten.

5,14 newen Geschichtschreibern] zeitgenössischen Schriftstellern.

5,23 f. guten Freundt von Speyer] möglicherweise zur Wahrheitsbeglaubigung erfunden. – Ein Familienangehöriger, Philipp Spieß, lebte in Speyer, über ihn ist jedoch nichts Näheres bekannt. Geschäftsbeziehungen Spieß' nach Speyer sind nicht nachgewiesen.

5,32 Sicherheit] hier etwa: selbstbewußte Unbefangenheit, Sorglosigkeit in bezug auf die beständige Gefährdung der Seele.

5,33 fürwitz] Neugierde, die sich auf reale oder dem Menschen grundsätzlich verborgene Sachverhalte, jedenfalls nicht auf sein Seelenheil richtet und deshalb als Sünde zu verstehen ist.

6,7 E. E vnd A.] Ewer (Euer) Ehrbaren und Achtbaren (Anredefloskel).

6,9 für andern] mehr als andere.

6,13 sonderlichen] besondern.

6,15 Vrsel] Oberursel, s. Anm. zu 3,23.

6,22 erwinden] mangeln, d. h. es an nichts werden fehlen lassen.

6,33 f. geringen Meßkram] Handelsware von wenig Wert (Bescheidenheitsformel). Gedacht ist an die Buchmesse in Frankfurt a. M. im Herbst 1587.

8,1 Vorred an den Christlichen Leser] nicht in der Wolfenbütteler Hs., in der, an das Register anschließend, zunächst 12 Seiten für eine erste, nicht ausgeführte Vorrede freigeblieben sind. – Der Stil zeigt deutliche Unterschiede zur Widmungsvorrede von Spieß. Im Predigtstil der Zeit abgefaßt. Die zahlreichen rhetorischen Mittel (Sentenzen, Exempel) legen es nahe, in dem Verfasser dieser Vorrede einen Geistlichen zu vermuten. – Inhaltlich liegt dem Anfang zugrunde ein Abschnitt bei Johannes Aurifaber, *Tischreden Oder COLLOQVIA DOCT. Mart: Luthers*, s. QT 1. Da der Versuch aussichtslos wäre, unter den zahlreichen Ausgaben von Aurifabers Sammlung diejenige zu ermitteln, die der Autor der *Historia* benutzt haben könnte, werden sämtliche Zitate und Anspielungen nach der ersten Ausgabe, Eisleben 1566, nachgewiesen.

8,9 träglicher] erträglicher (folgt Luthers Übersetzung Mt. 11,22).

8,14 1. Sam. 15.] 1. Sam. 15,23.

8,24 1. Sam. 28.] 1. Sam. 28,7 ff.: Das Weib zu Endor beschwört Samuel von den Toten herauf; dieser sagt Saul sein Ende voraus.

8,32 angeschaffenen] anerschaffenen (wie angeboren).

9,8 abgünstiger] mißgünstiger, neidischer.

9,15 ersten Eltern] Adam und Eva.

9,26 Samen] Nachkommenschaft.

9,31 1. Pet. 5.] 1. Petr. 5,8.

9,36 sicheren] sorglosen, d. h. der beständigen Gefährdung der eigenen Seele nicht bewußten.

10,2 Luc. 11.] Lk. 11,26.

10,6 verbeut] verbietet.

10,8 Leuit. 19.] Leviticus (3. Buch Mose) 19,31.

10,11 Deut. 18.] Deuteronomium (5. Buch Mose) 18,9–12.

10,14 Tagwehler] Menschen, die Glückstage bestimmen.

10,19 dråwet] droht.

10,21 zuexequirn] zu vollziehen.
        Leuit. 20.] Lev. 20,27.

10,27 ff. Zoroastres . . .] Das Folgende beruht auf Johann Weier, *DE PRAESTIGIIS DAEMONVM* (1586), s. QT 2. (Der 4. Absatz, der von einem Schatz in einer Höhle handelt, ist – mit entgegengesetzter Tendenz – vom Autor für Kap. 58 genutzt worden.) – Diese Ausgabe wurde gewählt, weil erst sie die große Partie über Faust enthält, die die Grundlage für Kap. B 66 bot. Außerdem erscheint der Band in seiner ganzen drucktechnischen Anlage und Ausstattung wie ein Gegenstück zu dem *Theatrum de veneficis*, das für die Zitation in den Erläuterungen sehr häufig benötigt wird.

10,34 f. Hugo Cluniacensis] Fälschlich wird Hugo von Cluny als Quelle angegeben. Peter von Cluny (gest. 1157) berichtet in seinen *Libri de miraculis* II,1 die Geschichte vom ungläubigen Grafen von Mascon, der auf einem schwarzen Pferd in die Lüfte entführt wird.

11,3 f. wie der Hencker seinem Knecht] Vgl. Johannes Agricola in seiner Sprichwörtersammlung (Gilman, Bd. 1, Nr. 226): »Gehe hyn wurd ein kramer / ein schalck sagt der hencker zů seinem knecht.«

11,5 f. bey Menschen Gedächtnuß] in einer Zeit, bis zu der das Gedächtnis heute lebender Menschen noch zurückreicht: die jüngsten Spuren dokumentarischer Überlieferung über einen Doktor Faust weisen ins Ende der 1530er Jahre.

11,9 Vppigkeit] Liederlichkeit, Leichtfertigkeit.

11,15 Galat. 5.] Gal. 5,20 f.

11,17 Apocal. 21.] Offb. 21,8.

11,25 Tauff] *Taufe* hier als Maskulinum.

11,31 abgesagten] erklärten (absagen: jemandem den Frieden auf-, die Fehde ankündigen; Rechtssprache).

11,35 S. Paulus] 1. Kor. 10,13.

12,8 f. Jacob. 4.] Jak. 4,7. (Bereits auf dem Titelblatt zitiert,
    s. Anm. zu 3,18.)

12,11 Eph. 6.] Eph. 6,10 f.

12,25 formae coniurationum] Beschwörungsformeln.

12,29 f. deß Lateinischen Exemplars] vermutlich zur Wahrheitsbe-
    glaubigung erfundene Erzählfiktion; ähnlich auch in der Vorrede
    der Wolfenbütteler Hs., vgl. S. 133. Die Existenz einer lateinischen
    Version ist zumindest unwahrscheinlich.

Historia

13,5 Rod] Roda zwischen Weimar und Gera, heute Stadtroda.

13,6 Weinmar] sonst nicht belegte Form für *Weimar*. – Weimar als
    Geburtsort von Faustus findet sich in keiner der archivalischen,
    brieflichen oder erzählerisch vorgeformten Quellen; vgl. Lerchei-
    mers ausdrücklichen Widerspruch von 1597 in den Zeugnissen zur
    zeitgenössischen Wirkungsgeschichte, S. 297. – Die Ausgabe von
    1597, die letzte von Lercheimer selbst noch bearbeitete, wird nur in
    den Fällen herangezogen, in denen es um die Wirkungsgeschichte
    des Faust-Buches geht. Die Textbelege aus der Entstehungsphase
    der *Historia* werden nach dem *Theatrum de veneficis*, Frank-
    furt a. M. 1586, zitiert. Die Hypothese, daß der darin enthaltene
    Text von »Ein Christlich Bedencken vnnd Erjnnerung von Zaube-
    rey« dem Autor der Faust-Historia vorlag, beruht u. a. darauf, daß
    das *Theatrum* und die Wolfenbütteler Faust-Handschrift unterein-
    ander durch das gleiche biblische Motto (Jak. 4,7) auf dem Titel-
    blatt verbunden sind.

13,9 wol vermögens] vermögend.

13,24 ingenium vnnd memoriam] Begabung und Gedächtnis.

13,26 f. Hiob / am 1. Capit.] Ijob 1,3 f.

13,30 Gen. 4.] Genesis (1. Buch Mose) 4.
    Genes. 49.] Gen. 49,3 f.

13,30 f. 2. Reg. 15. vnd 18.] d. i. 2. Sam. 15 und 18 (genauer: 15–19);
    die Zählung der *Historia* folgt der *Vulgata*: das Liber Regum I und
    II entspricht dem 1. und 2. Buch Samuel. Die drei Belegstellen sind
    eine für den Redaktor typische Ergänzung gegenüber der (älteren)
    Wolfenbütteler Hs.

13,32 Vnglimpff] falsches Verhalten.

13,33 die ich hiemit excusirt wil haben] die (d. h. diese Eltern) ich
    hiermit in Schutz nehmen möchte.

13,33　Laruen] Schwindler.

14,1　schmehefafft] verächtlich.

14,2 f.　Artickel fůrgeben] Klagepunkte geltend machen.

14,5　verkleinerlich] (ihrem Ruf) abträglich.

14,10　somnia] Hirngespinste.

14,12　ad propositum] zur (Haupt-)Sache.

14,18　obgelegen vnd gesieget] überlegen gewesen und hat sie über-
troffen.

14,20　thummen] törichten (bibl.), unverständigen, (jugendlich) un-
erfahrenen.

14,21 f.　Speculierer] Die Reformatoren bezeichnen als »Speculierer«
jemanden, der göttliche Dinge auf anderem Wege als aus der Bibel
erforschen will.

14,27　jm wehren] sich hindern. Im Frühneuhochdeutschen ist »jm«
(»jhm«) der Dativ des Reflexivpronomens, im Plural entsprechend
z. B. »ihnen«. Der Akkusativ lautet »sich«; das ist die Form, die
sich im Neuhochdeutschen allein erhalten hat.

14,33　Dardaniae artes] Zauberkünste. Benannt nach einem (sagen-
haften) antiken Zauberer Dardanus, von dem u. a. auch Apuleius
berichtet.
Nigromantiae] Zauberei, Schwarze Magie.
carmina] Zaubersprüche, -formeln.

14,33 f.　veneficium] Giftmischerei.

14,34　vaticinium] Wahrsagung.
incantatio] Beschwörung.

15,2　Weltmensch] Im Kontext zeitgenössischer Vorstellungen ist
hier Zuwendung zu den Naturwissenschaften gemeint.

15,3　zum Glimpff] zum Schein.

15,11 f.　setzte seine Seel . . . vber die Vberthür] sprichwörtl. im Sinne
von: seine Seele beiseite setzen, vernachlässigen (Über-, Obertür:
Türsturz).

15,17　Datum] Absicht.

15,19　Adlers Flůgel] biblisches Bild; vgl. Spr. 23,5: »Las deine
Augen nicht fliegen dahin / das du nicht haben kanst / Denn dasselb
macht jm Flůgel wie ein Adeler / vnnd fleucht gen Himel.« Der
Prophet Jesaia (40,31) spricht positiv von denen, »die auff den
HERRN harren / kriegen newe krafft / das sie auffaren mit flügeln
wie Adeler . . .«.

15,25　dicken] dichten.

15,27　Spesser Wald] Der Spessart kann geographisch nicht gemeint
sein; evtl. Speckwald bei Wittenberg, von dem bei Aurifaber in

Luthers *Tischreden*, u. a. 75^v, die Rede ist (»ging spaciren in Speck«, d. h. in den Speckwald).

15,29 f. vierigen Wegschied] Kreuzwege galten als Versammlungsort von Geistern und Hexen; vgl. Ez. 21,21.

16,1 f. den Hindern ... sehen lassen] sprichwörtl.; Haltung der überlegenen Verachtung.

16,3 Affenbäncklin] Narrenbank (vgl. Ps. 1,1).

16,5 f. wohin ich nit (wil) . . .] Text verderbt. Der Sinn ist: wohin ich selbst nicht will, dorthin werde ich dich als meinen Boten senden; vgl. Christian Egenolff, *Sprichwörter / Schöne / Weise Klügredenn* 222^r: »Wo der Teuffel nicht hin mag / schickt er seine botten.«

16,7 f. zum Barren bracht] hier etwa: nach seinem Willen bezwang (Barren: Futtertrog).

16,26 Geplerr] Gaukelei, der Lärm als pars pro toto.

16,33 achtet jhms] rechnete es sich selbst hoch an.

17,5 Epheser] Eph. 6,12.

17,14 grauwen Münchs] Mönche der Bettelorden erschienen in graubrauner Kutte, so auch die Franziskaner (vgl. Kap. 5). Der Teufel als grauer Mönch ist ein verbreitetes Motiv in reformatorischen Streitschriften.

17,18 wegerte] weigerte.

18,8 Interrogatorien] Befragungen.

18,14 Kur] Belieben.

18,23 Legion] Vgl. Mk. 5,9; der böse Geist eines Besessenen antwortet Jesus: »Legion heisse ich / Denn vnser ist viel.«

18,27 Auffgang] Osten; Luzifer, der ›Lichtbringer‹, als Morgenstern, vgl. Jes. 14,12: »WJe bistu vom Himel gefallen / du schöner Morgenstern?«
Meridie, Septentrione vnd Occidente] Süden, Norden und Westen.

19,5–9 Wiltu nit . . .] Solange für die Verse keine Anregung nachgewiesen werden kann, müssen sie dem Autor zugeschrieben werden.

19,10 f. S. Veltins Grieß vnd Crisam] »St. Velten« wird häufig statt des Teufels angerufen und dabei der Name des Teufels (mhd. *valant*) mit dem ähnlichen des Heiligen (Valentin) vertauscht. Hier zum Fluch geworden: Blasensteine als angewünschtes Leiden (Grieß: Harngrieß; Crisam: Salböl).

19,19 den armen Judas sang] Das »Judassingen« reicht bis in dramatische Formen des Mettensingens im Mittelalter zurück. Textlich handelt es sich hier um eine Anspielung auf eine einzelne Strophe, die als Schlußstrophe verschiedener Lieder überliefert ist. Für den

Sinnzusammenhang entscheidend ist ihr Vers »Luzifers Geselle mußt du ewig sein«, der dem Verrat des Judas gilt. Vgl. ähnlich S. 117,5.

19,22 andere] zweite.

19,23 Mephostophiles] Eine sichere Herleitung des Namens gibt es nicht (auch Goethe vermochte sich keiner zu entsinnen, vgl. Brief an Zelter vom 20. November 1829). Möglicherweise Zusammensetzung aus drei griechischen Wörtern: μή (Verneinung) – φῶς (›Licht‹) – φιλής (›liebend‹), also: ›der das Licht nicht liebt‹. Zu denken wäre allenfalls an φώς (›Mann, Mensch‹) an der zweiten Stelle, also: ›der den Menschen nicht liebt‹. In jedem Fall müßte man einen Buchstabentausch oder Hinzufügung eines *s* bzw. σ annehmen.

20,30 verschreiben] vertraglich verpflichten.

21,4 belüste] gelüste.

21,15 Promission] Versprechen; Verschreibung.

21,19 Franciscaner-Münchs / mit einem Glöcklin] Vgl. Aurifaber, QT 3. Der Autor hat aus der ganzen Geschichte einzig das ironische Motiv des Glöckleins als Erkennungszeichen für den Teufel in der Mönchskutte verwendet.

21,28–30 wie den Riesen war ...] Die aus antiker Dichtung stammende Vorstellung, daß die Giganten Berge aufeinandertürmen, formuliert Christian Egenolff folgendermaßen in seiner Sprichwörtersammlung (3^v – 4^r): »Also ist geschehen den Risen / da die Heyden von sagen / die einen berg vff den andern trügen / Got auß dem himel zustossen / die Gott mit dem donner alle erschlagen hat.«

22,2 Jnstrument] (notariell beglaubigter) Vertrag.

22,3 Recognition] Vertragsüberprüfung.

22,3 f. Bekanntnuß] Anerkenntnis.

22,5 Obligation] Schuldverschreibung, -brief. Vgl. das Titelblatt und S. 25,34–36: der Erzähler kommt mehrfach auf die vorgeblich dokumentarische Grundlage der Vita des Teufelsbündlers zurück.

22,24 Elementa] Grundlagen des Wissens; das Wesen der Dinge.

22,27 befinde] finde.

23,9 vnd das muß seyn] und so sei es; Bestätigungsfloskel. Hier blasphemisch für »Amen«.

23,11 Receß] Vertrag.

23,12 getrucktem] herausgepreßtem.

23,15 Subscriptio] Unterschrift.

23,17 der Geistlichen Doctor] Die Wolfenbütteler Hs. hat »der Geistlichen Doctrin«.

23,19 ff. dieser Verß vnd Reymen . . .] Die folgenden Verse variieren die Überschriften zu Kap. 3, 43 und 45 des *Narrenschiffs* von Sebastian Brant, s. QT 4.

23,24 Ruht] (Zucht-)Rute.

24,9 famulus] Diener, Schüler.

24,12 Motter] (obd.) Gebrumm, Gemurmel.

24,15 Losament] Wohnung.

24,30 krumblecht] gebogen, gekrümmt.

25,2 warden sie vertragen] vertrugen sie sich.

25,6 Aff] Aurifaber überlieferte einen Ausspruch Luthers, der Teufel fahre mit Vorzug in Schlangen und Affen (294ʳ): »Die Schlangen vnd Affen / sind fur allen andern Thieren dem Teufel vnterworffen / in die er feret / vnd sie besitzt / Braucht derselbigen die Leute zu betriegen / vnd zu beschedigen.«

25,7 liebet jn] schmeichelte ihm.

25,12 Positiff] das Positiv, eine kleine, einmanualige Orgel ohne Pedal.

25,13 Schwegel] der Schwegel, hier wohl die einfache Längsflöte, die Einhand-Schnabelflöte.

25,14 Krumbhörner] das Krummhorn, ein Doppelrohrblatt-Instrument; dunkler, leicht schnarrender Ton.
Zwerchpfeiffen] Querpfeifen; zusammen mit einer kleinen Trommel war die Q. das Instrument der Spielleute; scharfer, durchdringender Ton.

26,2 Copey] erzählerische Verknüpfung: wenn der Vertrag nach Fausts Tod gefunden werden soll (vgl. die entsprechende Angabe des Titelblattes und S. 22,5–7), mußte ein (zweites) Exemplar in seiner Hand verbleiben.

26,11 sonder] sondern.

26,14 einforiert] einquartiert.

26,15 f. nach dem Sprichwort . . .] vgl. Egenolff, *Sprichwörter* 100ʳ: »Mann darff [braucht] den Teufel nicht über die thür malen / er kompt wol selbs ins hauß«, und Aurifaber 285ʳ: »Den Teufel soll man nicht zu Gaste laden.«

26,17 f. hat . . . jnnen] hatte . . . inne.

26,18 ers] dieser es.

26,20 Lecker] Windbeutel.

26,21 Wagner] Die Anteilnahme des Erzählers an dieser Gestalt, der er eigentlich zum Leben verholfen hat, ist auffällig. Er hat damit dem *Wagnerbuch* als einer Art Fortsetzung der *Historia*, das dann 1593 tatsächlich erschien, sehr stark vorgearbeitet; vgl. Kap. 60.

27,2 f. Båyrn ... Saltzburg] erzählerische Vorausweisung: vgl. Kap. 37, 45 und 46.

27,4 f. zauberische Kunst] Das Motiv wird erzählerisch ausgestaltet in dem Zusatzkapitel B 55 (s. S. 143), vgl. dazu QT 69.

27,13 Kram] Laden, Verkaufsstand.

27,13 f. sich ... leiden] sich ... fügen müssen, ertragen.

27,15 entlehnete] geliehene (ironisch).

27,16 gar erbare] sehr ehrbare (ironisch).

27,17 Johannem] Joh. 10,1.

27,19 Noch] außerdem.

27,27 Aphrodisia] Begierde.

27,31 möchte] dürfe.

28 [Marg.] erleidet] verleidet.

28,23 Brunst] Feuer.

28,24 f. gab das Fersengelt] sprichwörtl.: floh.

28,28 schrey] schrie, rief.

28,33 kürtzlich] kurz, mit wenig Worten.

29,1 beharre ... darauff] beharre ... darin, halte dich daran.

29,7 vnd ist dieses] und zwar auf folgende Weise.

29,14 Brunst] hier: Begierde.

29,24 f. eine grosses Buch / von allerley Zauberey] Kap. 23 (S. 51, 15 f.) erhält Faust ein weiteres Zauberbuch.

30,3 Hierarchias] eigtl.: Herrschaften, Ordnungen (vgl. grundsätzlich Kol. 1,16). Die Einteilung der Engel in drei Chöre (nach Dionysius Areopagita) folgt Hartmann Schedels *Buch der Croniken*, s. QT 5; auch dieser setzt Raphael fälschlich mit Luzifer gleich.

30,17 Spelunck] von lat. *spelunca* ›Höhle‹.

30,18 f. Traumete von der Helle] sprichwörtl.: schlimme Ahnungen haben.

30,23 f. Lucifer mit Ketten gebunden] Vgl. 2. Petr. 2,4 und Offb. 20,1–4.

31,2 ff. Ein ander Frag D. Fausti vom Regiment der Teuffel / vnnd jhrem Principat ...] Regiment: Regierung; Principat: Herrschaft. – Der Katalog der zehn Höllennamen beruht auf dem *Elucidarius*, s. QT 6. Hier wie an anderen Stellen hat der Autor praktisch Zitate, mit geringen Änderungen, in seinen Text eingefügt. Benutzt hat er eine Frankfurter Ausgabe, welche aber aus der Reihe, die der Verlag von Egenolffs Erben seit 1572 herausbrachte, läßt sich nicht bestimmen; sie weichen textlich wenig voneinander ab. Der zeitlichen Nähe wegen wurde zum Vergleich die Ausgabe von 1589 herangezogen.

31,5 respondierte] antwortete (formgerecht, d. h. in der schulmäßigen Disputation).

31,7 Refier] (Herrschafts-)Gebiet.

31,13 Lacus mortis] See des Todes, »Grube« (Luther); vgl. in der *Vulgata* u. a. Ez. 26,20 u. ö.

31,14 Stagnum ignis] Feuerstumpf, Feuersee; vgl. Offb. 20,14 f.

31,15 Terra tenebrosa] Schattenland.

31,16 Tartarus] (griech.) Totenreich, Unterwelt.

31,17 Terra obliuionis] Land des Vergessens.

31,18 Gehenna] (hebr.) Hölle, Ort endgültigen Unheils; vgl. Jes. 66,22–24, ferner S. 37,11 ff.

31,19 Herebus] (griech.) Unterwelt, Finsternis.

31,20 Barathrum] (griech.) Abgrund.

31,21 Styx] (griech.) Gewässer in der Unterwelt.

31,22 Acheron] (griech.) Fluß in der Unterwelt.
Phlegeton] (griech.) Feuerstrom in der Unterwelt; hier irrtümlich als Name von Teufeln.

31,24 Lucifer] als Morgenstern: vgl. Jes. 14,12.
Beelzebub] Fürst der Dämonen; vgl. Mk. 3,22.

31,25 Belial] Satan, Oberteufel; vgl. 2. Kor. 6,15 sowie Kap. 23.
Astaroth] Astarte, semitische Fruchtbarkeitsgöttin; Stadtgöttin von Aschtarot (Gen. 14,5) oder Sidon (1. Kön. 11,5–33).

32,2 verstossenen] im Original »verstorbenen«; hier nach dem Register konjiziert.

32,7 auffzug] Aufschub.

32,20 Orient] hier als Territorium aufgefaßt, daher undekliniert.

32,22 Fewrstein] Vulkan, hier für die Hölle, vgl. S. 37,26 f.

32,30 Opiniones] Meinungen, Überzeugungen.

33,17 durch Buß] Faustus vertraut nicht darauf, durch Umkehr und Buße der Verdammung zu entgehen, wie es Mt. 12,41 f. verheißen ist. Hierin liegt seine eigentliche Sünde.
möchte] könnte.

33,18 f. streicht mir ... an] das intransitive *streichen* hier in der Bedeutung ›schminken‹ im Sinne von ›verleiten‹.

33,20 in Himmel sehen] möglicherweise im Sinne von Ijob 35,5: »Schaw gen Himel vnd sihe / vnd schaw an die Wolken, das sie dir zu hoch sind«; vgl. S. 36,14 f.

33,21 f. Denn nimmer thun / ist ein grosse Buß] »Nimer thun die

hôheste Busse« ist die Überschrift einer kleinen Auslegung zu
Joh. 8,11 bei Aurifaber 201ʳ.

33,25 den Leib hie . . . lassen] Vgl. S. 121,12.

34,11 Heimligkeit] Geheimnis.

34,21 sâtzte an jn] stellte ihm nach; brachte ihn in Versuchung.

34,22 ff. Diß sind / lieber Fauste . . .] Im folgenden benutzt der Autor
augenscheinlich Jacobus de Theramo, *Belial*, s. QT 7. (Der Druck
enthält Hinweiszeichen in Gestalt einer ausgestreckten Hand, sogenannte »Merker«.)

34,29 Asmodeus] Vgl. Tob. 3,8.
Thagon] Dagon, vgl. 1. Sam. 4,10 f. (Raub der Lade und Tod der
30000, ohne Nennung Dagons) und 1. Sam. 5,1–5 (Sturz des Gottes Dagon).

34,34 60 000.] Vgl. 2. Sam. 24,15, dort aber 70 000 und ohne die
Nennung Belials.

35,6 Schalckheit] Bosheit.

35,8 durchâchten] verfolgen.

35,29 abnemmen] erkennen, begreifen.

35,30 jm nimmermehr thun] nichts mehr davon tun (ändern), d. h.,
die Entscheidung ist endgültig.

35,35 f. Da sihe du zu] Anspielung auf das Ende des Judas, Mt. 27,5.

36,6 sich . . . geziegen] sich . . . geziehen, vorzuwerfen.

36,8 f. sein Rew war Cains . . . Reuw] Vgl. Gen. 4,13.

36,9 Jude Reuw] Vgl. Mt. 27,3–5. Luther führt in den *Tischreden*
(Aurifaber 201ʳ⁻ᵛ) aus, daß die Buße eines Kain und eines Judas,
d. h. von Menschen, die auf Gottes Barmherzigkeit nicht vertrau-
en, nicht zur Rettung, sondern zum Untergang führt; das Motiv
findet sich wieder im Schlußkapitel, S. 121 f.

36,13 f. Seine Sûnde . . . werden] fast wörtlich Gen. 4,13.

37,11 ff. Die Hell . . .] Die Nomenklatur der Hölle beruht auf
Begriffserläuterungen im Wörterbuch des Petrus Dasypodius: *Dictionarium latino GERMANICVM ET VICE VERSA GERmanico
latinum*, s. QT 8. Zum Beleg wird die zeitlich nahestehende Ausgabe Straßburg 1565 des zuerst 1536 erschienenen Werkes herangezogen. Die insgesamt elf Ausgaben zwischen 1547 und 1577 (der
letzten vor der Drucklegung der *Historia*) sind weitgehend iden-
tisch.

37,12 Figur] Gestalt.

37,13 Hellig] hungrig.

37,20 Wuste] verwüstetes Land; Schmutz.

37,33 Finsternuß eines Thurns] Finsternis eines Turmes.

38,1 Chasma] Kluft; vgl. Dasypodius, QT 9, sowie Lk. 16,26.

38,2 Erdbidems] Erdbebens.

38,8 ff. Petra / ein Felß ...] Die folgenden lateinischen Begriffe weiter nach Dasypodius, s. QT 10.

38,9 Saxum] Felsgestein.

Scopulus] Felsspitze.

Rupes] Klippe.

38,10 Cautes] Kluft.

38,14 Carcer] Kerker.

38,16 Damnatio] Verdammnis.

38,19 f. Pernicies vnd Exitium] Verderben und Untergang.

38,21 f. Confutatio / Damnatio / Condemnatio] Widerlegung, Verurteilung, Verdammung.

39,7 giennet] gähnt, d. h. öffnet den Schlund.

39,10 f. Helle deß Todes] Vgl. hierzu den Katalog der Höllennamen im *Elucidarius*, den der Autor S. 31 bereits benutzt hat.

39,17 erster vnd anderer] erster und zweiter.

39,28 f. Die Helle ... werden nimmer satt] Vgl. Spr. 30,15 f.: »Di Hell / Der frawen verschlossen Mutter / Die Erde wird nicht wassers sat.«

39,34 Gilffen] Jammern.

40,6 ff. Die Verdampten ...] nach Jacobus de Gruytrode (geb. um 1400 in Gruytrode bei Limburg, 1440 Prior der Karthause Lüttich und zugleich in Zierikzee, gest. 12. 2. 1475), *Ain schöne matteri Eingedailt in siben tag der wochen vnd genant der sündigen sele spiegel* (in der älteren Forschung Dionysius van Leeuwen zugeschrieben), s. QT 11. Die Autorzuschreibung nach neuerer Literatur (vgl. Gruys) und in Übereinstimmung mit den Arbeitsstellen für Inkunabelkataloge in München (BSB) und Berlin (GW). – Der Titel der vorangehenden Ausgabe (Ulm 1484; Hain 14949) lautet: *Ein köstlich gaistlich spiegel der armen sündigen sele*.

40,10 alles Guten] an allem Guten.

40,23 Substantz] Wesen, Beschaffenheit.

40,26 Promission vnd Gelübdnuß] Versprechen und Gelöbnis.

41,5 vnter die Augen schlagen] vor Augen stehen.

Als] so wie (zum Beispiel).

41,19 f. Aber meine Sünde ...] Vgl. Anm. zu 36,13 f.

41,29–33 da⟨ß⟩ ein Sandhauff so groß were biß an Himmel ...] vielgebrauchtes Bild der Ewigkeit. Wohl zuerst bei Heinrich Seuse, *Büchlein der Ewigen Weisheit*, Tl. 1, Kap. 11 (s. QT 12). Weitere Belege bei Köhler, S. 37–47.

41,36 hart] feste.

42,3–5 Berge ... trucken wůrden] Vgl. Ijob 14,18 f.

42,15 Melancholisch] Vgl. Luther in den *Tischreden* (Aurifaber 319ʳ): »MAn sagt / vnd ist war / Vbi Melancholicum, Ibi Diabolus habet paratum balneum.« Außerhalb eines so dezidiert theologischen Kontextes gilt Melancholie in dieser Zeit als das Kennzeichen künstlerischer und wissenschaftlicher Begabung.

43,9 biegen] im Sinne von demütig verbeugen, hinneigen.
allweil] solange.

43,22 abgesaget] hier: (dich von ihnen) losgesagt.

44,5 ff. D. Faustus ein Calendermacher ...] In diesem Kapitel berührt sich die Lebensbeschreibung des Doktor Faustus der *Historia* möglicherweise mit historischer Überlieferung.

44,9 guter Astronomus] Augustin Lercheimer erklärt die Wahrsagefähigkeiten der Hexen mit dem Satz (277ᵛb): »Der Teuffel / als ein geschickter Astronomus vnd Sternseher / hat jhnen angezeigt / wann ein befinsterung des Mons fůrhanden war.«

44,11 Practicken] die Praktik(en), eine Kalenderschrift mit Wettervoraussagen, astrologischen Prophezeiungen (z. B. die Deutung von Mondphasen, Sternzeichen), medizinischen Vorschriften (z. B. für das Aderlassen), erbaulichen Betrachtungen u. a.

44,19 Allmanach] hier Synonym für Kalender.

45,8 Judicium] Meinung, Urteil.

45,16 Natiuitet] Nativität: in der Astrologie der Stand der Gestirne zur Geburtszeit eines Menschen und das dadurch vorbestimmte Schicksal; hier: Geburtshoroskop.

45,19 5. oder 600. jar] bezieht sich auf das hohe Alter der alttestamentlichen Patriarchen; Adam lebte nach Gen. 5,5 930 Jahre, Set 912 Jahre (Gen. 5,8) usf.

45,21 das grosse Jar] das »Weltenjahr« in der Astronomie; alle Planeten kehren an den Ausgangspunkt ihrer Bahnen zurück, und eine neue Ära beginnt.

45,23 f. nach gutem Wohn] nach bloßem Glauben (Wahn).

46,3 ff. daß von dem Mond an ...] Vgl. *Elucidarius*, QT 13.

46,15 eine Farbe anzustreichen] einen Vorwand zu finden (für weitere Fragen).
mit glimpff] mit Anstand.

46,28 ff. Dann Gott machte anfänglich den Himmel ...] Zu 46,28–30 vgl. Gen. 1,6–8. – Der Text beruht bis zum Kapitelende auf der Darstellung von Schedel, *Buch der Croniken*, s. QT 14.

46,31 Kuglecht vnnd Scheiblecht] kugelförmig und rund.

47,4 Auffang ... Mittnacht] Osten, Westen, Süden, Norden.

47,15 Creatur] hier: Teil der Schöpfung.

47,18 f. scheinlich] leuchtend.

47,23 tunckeln Lufft] Vgl. Kap. 30.

47,28 wie es Wittern sol] was für ein Wetter es geben wird.

47,30 vmbringen] (wie ein Ring) umgeben.

47,32 gradus] Grade, hier: Winkelgrade der Planeten untereinander (von der Erde aus gesehen) auf dem Astrolabium.

48,16 f. zu wider gewesen] (mich) widersetzt habe.

48,25 falschen Bericht] Folgt zu Beginn wieder Schedels *Buch der Croniken*, s. QT 15, der aber diesen »alten irthumb« nur als Einleitung zur Welterschaffung nach den »mosayschen schrifften« anführt.

48,31 verglichen gewest] in Einklang gewesen.

49,19 erwachste] erwachtest.

49,26 alleine] nur.

49,26 f. vber sich] aufrecht, in die Höhe.

50,2 sieben fürnemme Geister] Eine Quelle für die nachfolgend genannten sieben Diener des Belial hat die Forschung bisher nicht ermittelt.
   als] als da ist; so.

50,7 Leibfarbs] fleischfarbenes.

50,17 Kestenbraun] kastanienbraun.

50,21 Anubis] ägyptische Gottheit in Gestalt eines Hundes.
   Tåpfflen] Tüpflein, kleine Tupfen.

50,25 Dythicanus] sonst nicht nachweisbarer Name; »Dithyrambus« (d. i. der Gott Bacchus) nennt ihn die Wolfenbütteler Hs. Vgl. den Beleg für einen Satyr *RE* V,1230.

50,32 vnuernünfftige] wilden.

50,33 Råhe] Rehe.

51,3 f. anders nicht verändern könnten] keine andere Gestalt annehmen könnten.

51,5 wiewol sie] obwohl sie (zu ergänzen: in Wahrheit noch).

51,6 beydes] sowohl ... als auch.

51,15 f. Zauberbůchlin] Kap. 11 (S. 29,24 f.) hatte Faust bereits ein Zauberbuch erhalten.

51,17 fůrůber] wörtl.: darüber hinweg; er konnte es nicht unterlassen.

51,18 Vnziffer] Ungeziefer (eigtl.: nicht zum Opfer würdige Tiere); Beelzebub (vgl. Anm. zu 31,24) ist der »Fliegengott«.

51,26 f. Omeissen . . .] Die Aufzählung folgt der »Reptilium seu Vermium et Insectorum Nomenclatura« bei Dasypodius, s. QT 16.

51,30 beseichten] anspritzten (zu denken ist an Seichameisen).

52,6 in die Hell gefahren] Der Descensus, der Nekyia der antiken Dichtung nachgestaltet, bildet zusammen mit seinem Gegenstück, dem Ascensus (im anschließenden Kap. 25) als bildhafter Vergegenwärtigung menschlicher Selbstüberhebung, ein Ganzes.

52,7 achte Jar] ins 8. Jahr der vereinbarten Vertragszeit von 24 Jahren; der erste Hinweis auf die gesetzte Frist erfolgt wohl mit Absicht in Kap. 24.

52,21 stick Finster] stockfinster.

52,22 Beinen Sessel] beinernen Sessel; Stuhl aus Knochen – zu erwägen vielleicht auch: aus Elfenbein. Die Beschreibung bleibt undeutlich.

52,24 hôret / wie jn der Teuffel verblendet] Der Erzähler zieht eine deutliche Grenze zu der ›wirklichen‹ Katabasis nach literarischen Mustern. Die Begründung dafür, daß es sich um eine bloße Vorspiegelung handelt, liefert bereits Kap. 12, und zwar in Übereinstimmung mit der zeitgenössischen wissenschaftlichen Teufelsauffassung (vgl. etwa Milichius).

52,28 ff. hohen Berg . . .] Die Beschreibung folgt dem *Elucidarius*, s. QT 17.

54,15 Klufft] hier: Fels(vorsprung).
  erlangte] ergreifen konnte.

54,19 jm thun] dich verhalten.

54,26 vberzwergs] verkehrt, d. h. kopfüber.

54,28 erschüttet] erbebte.

55,10 abnemmen] vermuten.

55,13 Wohn] Wähnen.

55,28 f. selbs auffgeschrieben] weitere erzählerische Verknüpfung und Wahrheitsbekräftigung, wie schon auf dem Titelblatt eingeleitet.

56,4 concipiert] entworfen. Dieses Konzept, so gibt der Erzähler vor, hat man im Nachlaß Fausts gefunden. Der Brief selbst soll an den (wahrscheinlich erfundenen) Arzt Jonas Victor in Leipzig gesandt worden sein; dieser wird im *Wagnerbuch* von 1593 in Kap. 6 erwähnt.

56,19 vrbietig] erbietig; (dazu) bereit.

56,32 wett Fritz] mit dem Ausdruck des Erstaunens vermischte, eine Aussage bestätigende Formel, etwa ›alle Wetter‹ oder ›erraten‹.

57,8 Laden] Fensterladen.

57,16 Wagen mit zweyen Drachen] Die nachfolgende Schilderung der Gestirnsfahrt ist im *Alexanderroman* (Alexanders Flug mit dem Greifenwagen) vorgebildet. Die sehr verbreitete Bearbeitung Johannes Hartliebs ist im 16. Jh. noch mehrfach gedruckt worden (zuletzt Frankfurt a. M. 1573).

58,19 schlimbs] schräg (gegenüber).

58,21 Tartarey] Tatarei; Innerasien.

58,22 hinder sich schlägt] in die Gegenrichtung umschlägt.

58,23 Reussen] Rußland.

58,25 die grosse vnnd kleine Tůrckey] das Osmanische Reich mit Griechenland.

58,28 schweben] schwimmen.

58,31 warff] richtete.

59,1–3 daß der Himmel ...] Vgl. Kap. 21 mit dem dazugehörigen Zitat aus Schedels *Buch der Croniken*, QT 14, und ferner den *Elucidarius*, QT 18.

59,24 f. Dotter im Ey] Vgl. *Elucidarius*, QT 19.

59,29 darnach] sinngemäß: auf die Beobachtung der Gestirne.

59,30 besehet ... euwer Bůchere] seht ... in Euren Büchern nach.

60,9 Dromedari] Kühne (S. 197) vermutet einen Bezug zum Struthio camelus, dem Vogel Strauß.

60,11 Pannoniam] Pannonien, das östliche Österreich mit der Steiermark. Die nachfolgende Aufzählung kann auf den Zwischenüberschriften im *Elucidarius*, Kap. 8, beruhen, folgt ihm jedoch nicht in der Reihenfolge; vgl. QT 20.

60,12 Behem] Böhmen.

60,19 name er ein Widerfuhr] unternahm er eine weitere Fahrt.

60,20 ff. Trier ...] Die Stadtbeschreibungen in Kap. 26 übernehmen weitgehend den Wortlaut von Schedels Chronik, s. QT 21.

60,24 gebacken] gebrannten.

60,25 die Kirchen] die zur Simeonskirche umgebaute Porta Nigra.

60,26 Simeon ... Bischoff Popo] Der Einsiedler Simeon von Trier (gest. 1035) begleitete 1028–30 Erzbischof Poppo von Trier (1016 bis 1047) ins Heilige Land.

61,3 f. Castell oder Burg / so new gebawet] das Castel Nuovo.

61,12 gerings herumb im Meer] ringsum im Meer, d. h. auf allen Seiten vom Meer umgeben.

61,21 dreyfächtigen] dreifachen.

61,28 Fůrters] fürder, weiter(hin).

61,35 Heylthumbs] Reliquien.

62,2 verworffene] verfallene.

62,6 Richten vnd Kosten] Gerichte und Speisen, d. h. wie viele Gänge.

62,15 ziehen] halten, d. h. mästen.

zeitig] reif.

62,36 Kanten] Kannen.

63,5 condemniert] verurteilt.

63,6 fegen] reinigen, im Sinne von ›aufessen‹; ironisches Wortspiel zum Fegfeuer.

63,19 der . . . Spital] das Ospedale Maggiore der Sforza.

63,21 kůnstlichen] kunstvollen.

das Thor] Möglicherweise ist an Lorenzo Ghibertis Bronzetüren des Baptisteriums San Giovanni mit alttestamentlichen Szenen, die sogenannten Paradiestüren, zu denken.

63,25 f. Glocken- oder Ertzspeiß] Bronze.

63,29 Leon] Lyon.

63,31 ein Tempel trefflicher wůrdigkeit] die Ara Romae et Augusti, 12 v. Chr. von Drusus erbaut.

63,35 das hohe Stifft] der Kölner Dom mit den Reliquien der Heiligen Drei Könige.

64,8 Ach] Aachen.

64,10 geordnet] angeordnet.

64,12 lendt] wandte er sich.

64,14 Saphoy] Savoyen.

64,16 vnd wont ein Bischoff da] Diese von Schedel (1493) übernommene Angabe traf 1587, ein halbes Jahrhundert nach Einführung der Reformation (1532) in Genf, natürlich nicht mehr zu.

64,26 hohe Schul] Universität.

64,28 Costnitz] Konstanz.

65,17 Stephaner] Abschreibefehler nach Schedel, der von dem »Benedicten orden. zu sant Stephan« spricht (QT 21, 160ʳ). Johanser] Schedel schreibt »sant iohansen. mit den schotten« (ebd.); gemeint ist wahrscheinlich die Kirche St. Jakob des ehemaligen Schottenklosters. Einen Johannserorden gibt es nicht.

65,19 Thumbkirchen] Domkirche.

65,35 vbergülten] vergoldeten.

66,2 ff. Diese Statt hat 528. Gassen . . .] Die Stadt Nürnberg erfährt auszeichnende Hervorhebung dadurch, daß der Autor sein Exzerpt aus Schedel unterbricht und statt dessen detaillierte Angaben aus Hans Sachs' *Lobspruch der statt Nürnberg* (1530) übernimmt, s. QT 22.

66,8 380. Thŭrne] Zahlenverdrehung; Sachs spricht von »hundert achtzig und drey«.

66,10 Verrȁhter] Lesefehler; bei Sachs heißt es »reutter«, also Reiter im Sinne von ›Wächter‹.

66,14 ff. Augspurg ...] Von hier an exzerpiert der Autor wieder Schedel, s. QT 23.

66,16 Vindelica] Der römische Name ist Augusta Vindelicorum.
Zizaria] Schedel führt eine Göttin Ziza an; Anspielung auf den Gründungsmythos mit Aeneas und der (trojanischen) Schutzgöttin Cisa.

66,17 Eysenburg] In der Nähe Augsburgs liegt ein »Eisenberg«.

66,24 Tyberia] nach Kaiser Tiberius.
Quadrata] mit Blick auf den Stadtgrundriß, der vom römischen Lager (Geviert) bestimmt ist.
Hyaspolis] Schedel sagt alternativ auch »Hyatospolis«. Das klingt gelehrt, ist aber grammatisch gleichermaßen unmöglich. Zu denken ist sowohl an die Ableitung von ὕειν (›regnen‹) wie an die Assoziation »Hyantes«, die Böotier, als ein bäurisches Volk. Im Griechischen ist »böotisches Schwein« eine alte sprichwörtliche Wendung. Dabei kommt es, anders als im Deutschen, nicht auf den Schmutz, sondern auf die Dummheit des Tieres an.

66,24 f. Reginopolis] Stadt der Könige oder auch Herleitung von dem Fluß Regen. Ältester Name ist Castra Regina, nach der III. italischen Legion, die 179 v. Chr. ihr Lager am Regen aufschlug.

66,25 Imbripolis] von lat. *imber* ›Regen‹.
Ratisbona] verschiedene Etymologien; wahrscheinlich von lat. *ratis* ›Floß‹ oder (kollektiver Singular) ›Floßbrücke‹ herzuleiten.

66,27 nachgehenden] angrenzenden.

66,32 Anno 1115] Die Steinerne Brücke wurde 1135–46 errichtet.

66,35 S. Remigien] Der Dom war bis zu dem Brand von 1273 dem hl. Remigius geweiht, nach dem Wiederaufbau wurde er Petrus gewidmet.

66,36 allein] jedoch.

67,8 ff. Dise Gegend ...] Gemeint ist der Chiemgau.

67,8 Bŭhel] Hügel.

67,14 Vorschutt] Wall.

67,20 vngegrŭndte] tiefe.

68,24 Solimanno] Sultan Suleiman II., der Große (1520–66).

69,13 f. verschnittene Knaben] Eunuchen.

69,24 mȁnniglich] jeder.

69,37 mit dem Werck wol gestaffiert] mit seinem Geschlechtsteil
vorzüglich ausgerüstet.

70,12 Alkair] Kairo.

70,19 Sabatz] Šabac, 1521 von Suleiman II. erobert.

70,24 Start] offensichtlich ein Irrtum; bei Schedel mißverständlich,
s. QT 23 (139ʳ).

71,10 ff. Britannia . . .] Nach einem kleinen Einschub wird der Auszug aus Schedels *Buch der Croniken* fortgesetzt, s. QT 24.

71,12 stein Gotts] Bei Schedel heißt es »stein Gagates«, ein schwarzer
Bernstein. Möglicherweise benutzt der Autor als Vorlage hier
Sebastian Francks *Weltbuch*, Tübingen 1534, S. LXIX, der von
»steyn Gattes« schreibt; vgl. Szamatólski u. a., »Zu den Quellen
des ältesten Faustbuchs«, S. 187 (Hugo Hartmann).

71,13 Orchades] die Orkney-Inseln.

71,21 Gandischen Meer] Meer von Candia, italienischer Name für
Heraklion und ganz Kreta.

71,22 Maluasier] Malvasier, griechischer Wein.
vmbgeschrencket] umgrenzt.

73,3 Comet] Vermutlich ist der Halleysche Komet von 1531
gemeint. Kap. beruht ansonsten auf dem *Elucidarius*, s. QT 25.

73,11 Prodigium] Wunderzeichen.

73,15 Gehentod] jähen, plötzlichen Tod.

73,16 brunst] Feuersbrunst.

73,21 Hurenkind] Vgl. Aurifaber, QT 26.

73,22 Sol & Luna] Sonne und Mond.

73,25 Doctor N. V. W.] möglicherweise freie Erfindung; nach Häuser könnte der Schwäbisch Haller Stadtarzt Nikolaus Winckler
gemeint sein, der aus Forchheim stammte: Nikolaus Winckler Vor-
chemensis.

74,3 butzten] putzen: Bild für den Fall der Sternschnuppen (vgl.
S. 75,19 f.).

74,12 ff. so groß / als . . .] Vgl. Kap. 25, gegen Ende.

74,27 gestickt finster] stockfinster.

75,3 erscheinen] Erscheinungen.

75,14 ff. Ein ander Frag / von den Sternen . . .] Zu diesem Kapitel
vgl. *Elucidarius*, QT 27.

75,19 Butzen] (Stern-)Schnuppen.

75,26 f. verhengnuß] Anordnung; Willen.

76,4 kisselte] hagelte.

76,10 ff. Solches kompt daher . . .] Vgl. *Elucidarius*, QT 28.

77,8 f. Ein Historia von . . . Keyser Carolo Quinto] Eine Erzählung dieses Inhalts ist für Kaiser Maximilian mehrfach überliefert. Bei Hans Sachs erscheint sie in Form eines Spruchgedichts unter dem Titel *Ein wunderbarlich gesicht keyser Maximiliani löblicher gedechtnus, von einem nigromanten* (geschr. 1564); Keller/Goetze, Bd. 20, S. 483–487. – Bei Luther wird die Geschichte als Pendant zu der Beschwörung der Hexe von Endor durch Samuel erzählt, s. Aurifaber, QT 29. – Johann Weier bringt zusätzlich das Motiv von der besonderen Größe der antiken Helden auf, das für Kap. C 51 bedeutsam geworden sein kann, s. QT 30. – Lercheimers Erzählung schließlich scheint auf Aurifaber zurückzugehen, s. QT 31. – Der Autor der Faust-Historia stellt als erster den Zusammenhang sowohl mit Faust als auch mit Karl V. her. Damit wird die Erzählung geschichtlich erst nach 1519 denkbar.

77,20 Philippi vnd Jacobi] 1. Mai.

78,2 Lucern] Leuchte.

78,25 geding] Bedingung.

78,29 f. rohten oder gleichfalben] rotblondem.

78,33 Reuerentz] Reverenz; höfliche Verbeugung.

79,2 Sammat] Samt(kleid).

79,4 lenglicht] schlank.

79,8 f. gleich wie das Weib den Propheten Samueln erweckt hatt] Vgl. 1. Sam. 28,7 ff.: die Beschwörung Samuels durch die Wahrsagerin von Endor.

79,19 Hirsch Gewicht] Hirschgeweih. – Kleine Geschichten mit übereinstimmendem zentralen Motiv erzählen, stark voneinander abweichend, Michael Lindener in seinem *KATZIPORI* (1558), s. QT 32, und Aurifaber, s. QT 33. Der Autor hat sie auf Faust übertragen.

79,27 [Marg.] Baro ab Hardeck] Hardegg oder Hardeck: eine alte reichsgräfliche Familie, Burggrafen von Maidberg (Magdeburg). Namen und Besitz der Hardeck erhielt 1495 die niederösterreichische Adelsfamilie Brüschenk als kaiserliche Schenkung. Auf welchen Namensträger sich die Anspielung beziehen könnte, ist nicht ersichtlich.

80,11 beneben] außer.

80,11 f. Schanckungen] Geschenken.

80,14 auff jn streiffeten] nach ihm fahndeten.

80,17 mit Spohrenstreichen] spornstreichs.

80,17 f. auffgezogenen Hanen] gespannten Hähnen (an Büchsen oder Pistolen).

80,19 Hőltzlein] Wäldchen.

80,23 vmbringet] eingeschlossen.

81,2 ff. D. Faustus frist einem Bawern ein fuder Håw ...] Für
Kap. 36 kommen mehrere Vorlagen in Betracht. Ganz kurz erzählt zunächst Aurifaber die Geschichte. Dort finden sich, in Kap.
XXVI, unter der Überschrift »Von Zauberey«, unmittelbar aneinander anschließend zwei kleine Geschichten, die in der Faust-Historia in geringem Abstand nacheinander Verwendung gefunden
haben (Kap. 36 und 38); s. QT 34. – Die Geschichte vom wunder-
samen Fuder-Heu-Vertilgen scheint weit verbreitet gewesen zu
sein, vgl. z. B. Andreas Hondorff, QT 35, und Wolfgang Bütner,
QT 36. In einem Satz erwähnt auch bei Lercheimer, S. 272b,
s. QT 73 als Quellenbeleg zu Kap. B 57. Die Faust-Historia entwickelt mit Kap. 40 dann selbst noch eine weitere Erzählvariante.

81,7 wol bezecht] etwa: ganz schön angetrunken.

81,11 nothhalben] notgedrungen.

81,18 darzu bochen] mit Gewalt dazu bringen.

81,21 verblendet] täuschte.

82,17 ein Verehrung thun] ein Geschenk machen.

82,21 Pancket] Mahl.

82,26 f. einen breiten Mantel ...] Das Motiv der Reise (zur Hoch-
zeit) auf dem Zaubermantel, verbunden mit dem Motiv des Gast-
mahls ohne Koch, tritt bereits gegen 1575 in der ersten der Faust-
Geschichten des Nürnbergers Christoph Roßhirt auf. Dort trägt
Faustus auffälligerweise den Vornamen Georgius. Sie ist abge-
druckt bei Wilhelm Meyer in einer Kurz- und einer Langfassung,
S. 384 f. und S. 385–390; die Langfassung danach bei Petsch,
S. 196–201. Eine weitere Spur von der Existenz einer solchen
Faust-Geschichte bei Bütner, *EPITOME Historiarum* (1576) 59[r]. –
Lercheimer führt ähnliche Reisen anderer Zauberer mehrfach an,
vgl. z. B. QT 37. Im Zusammenhang damit steht ferner Kap. 45
der Faust-Historia (vgl. QT 42 als Quellenbeleg dazu.)

83,1 coniurationes] Beschwörungen.

83,27 die sich vbel gehuben] denen sehr unwohl war, d. h. die sehr in
Sorge waren.

83,29 zuerledigen] zu befreien.

83,33 Gesicht] Erscheinung.

84,2 peinlich fragen] foltern.

84,12 zeitlich] rechtzeitig.

84,15 ff. Wie D. Faustus Gelt von einem Jůden entlehnet ...]
Kap. 38 (und 39): verbreitetes Motiv; vgl. die Zusammenstellung
von Johannes Bolte in seiner Ausgabe der Schwankbücher von

Martin Montanus, Tübingen 1899, S. 566 f. Ganz knapp zuerst bei Aurifaber, s. QT 34. Als planvoll ausgeführter Betrug vor allem in Roßhirts zweiter Geschichte von Georgius Faustus, die wie die vorangehende in einer Kurz- und einer Langfassung existiert. Sie ist abgedruckt bei Wilhelm Meyer, S. 392 bzw. S. 392–394; die Langfassung danach bei Petsch, S. 202 f. – Als Vorlage für den Autor der Faust-Historia kommt ferner in Betracht eine Geschichte in Hondorffs *PROMPTVARIVM EXEMPLORVM*, s. QT 38. Eine tabellarische Gegenüberstellung zum Inhalt der Versionen von Hondorff, Bütner und Roßhirt bei Meyer, S. 391 f.

84,23 f. sich ... schicken] sich ... bringen.

85,2 pancketieren] speisen, schlemmen.

85,7 Interesse] Zinsen.

85,14 Geding] Bedingung.

85,16 ohne das] ohnehin.

85,27 Schelmen Bein] toter Knochen (Schelm: Aas, Kadaver).

85,36 wa] wo.

86,9 ff. D. Faustus betreugt einen Roßtäuscher ...] Vgl. Kap. 38 und 43. Die verbreitete Geschichte u. a. bei Hondorff, wie schon zitiert (QT 38). Varianten verzeichnet Bolte, S. 566. Vgl. ferner Roßhirts dritte Faust-Geschichte, abgedruckt bei Meyer, S. 395–397, und danach bei Petsch, S. 207–209.
Roßtäuscher] Pferdehändler.

86,12 Pfeiffering] fiktiver Ort.

86,14 Fl.] Florin, Gulden.

87,2 ff. D. Faustus frist ein Fuder Håuw ...] Vgl. Kap. 36 und die Quellenbelege dazu.

87,6 Grummats] Grummet, Heu (zweite Mahd).

87,9 Löwenpfenning] Münze in Thüringen, Sachsen und Meißen.

87,10 geitzig] gierig.

87,25 ab] ob.

88,2 ff. Ein Abentheuwr mit vollen Bauwern ...] In den Quellen erscheint diese Episode mit Fausts Tod verbunden, vgl. deshalb die Erläuterungen zu Kap. 67 und 68. Das Kernmotiv separat führt Johann Jacob Wecker in einem Satz an, s. QT 39.

88,17 ff. D. Faustus verkauffte 5. Såw ...] Vgl. Kap. 39 und die Vorlage (Hondorff) dazu. Inhaltlich verwandt ist Roßhirts dritte Faust-Geschichte, abgedruckt bei Meyer, S. 395–397, danach bei Petsch, S. 207–209.

88,22 Kath] Kot.

88,24 Strohwisch] Strohbündel.

89,4 Grafen von Anhalt] Grafen von Anhalt treten auch sonst literarisch auf, z. B. im *Dil Ulenspiegel*, dessen 22. Historie erzählt,
»wie Ulenspiegel sich zu dem Grafen von Anhalt verdingt . . .«.

89,7 groß schwanger] hochschwanger.

89,11 E. Gn.] Ewer (Euer) Gnaden.

89,13 nicht verhalten] nicht verhehlen.

89,18 gebûst] befriedigt.

89,26 der Enden] aus einer Gegend, wo.

89,28 f. kunnte nicht fûrvber] konnte nicht unterlassen.

89,31 Circkel] Kreise, Hälften. Die Vorlage könnte Jacob von Liech-
tenbergs *Ware Entdeckung vnnd Erklârung aller fûrnembster Artickel der Zauberey* sein, vgl. QT 40.

90,2 Saba India] Phantasieland. »Saba« galt im Altertum als reiches
Land in Arabien; »Indien« wird stets mit Märchenhaftem verbunden.

90,20 vrlaub name] sich verabschiedete.

90,25 Frawenzimmer] Damen.

90,26 Rohmbûhel] ›Butterhügel‹, d. i. fruchtbarer Platz; Name vom
Autor erfunden?

90,29 vollend] vollends.

91,2 Reyger] Reiher.

91,13 Trachten] Gänge.

91,16 ff. Von heymischen Thieren . . .] Auch diese Aufzählung der
Tiere, Fische, Vögel und der Weinsorten folgt den alphabetisch
geordneten Anhängen »Nomina Aquatilium, seu Piscium« und
»Volatilium vel Avium Nomina« im Wörterbuch des Dasypodius
(s. Anm. zu 37,1 ff.). Damit erklärt sich die – nur scheinbar – un-
terbrochene alphabetische Reihenfolge, z. B. »Asche« nach »Bol-
chen«, da von Dasypodius unter »Esche / Aschia« eingeordnet;
s. QT 41.

91,21 Bersing] Barsche.

91,21 f. Bolchen] Dörrfische, evtl. Weißfisch.

91,22 Aschen] Äschen.

Moschel] Muscheln.

91,23 Platteissen] Schollen oder Stachelflundern (Plattfische).

91,25 f. Jndianisch Gôckel] Truthähne.

91,27 Crambetsvôgel] Krammetsvögel.

91,29 f. Crabatischer] Kroatischer.

91,31 Lûtzelburger] Luxemburger.

91,32 Windische] Slowenische.

Wirtzburger] Würzburger.

91,33 Rheinfall] Reinfall: Südwein, u. a. aus Rivoli (bei Verona),
Vinum rivale.

92,1 ôd] hier: ausgehungert.

92,2 gemeldts] erwähntem.

92,9 ff. Wie D. Faustus mit seiner Bursch ...] Kurz, aber mit allen
wesentlichen Zügen bereits bei Lercheimer, s. QT 42.

92,9 mit seiner Bursch] mit seinen Burschen (Studenten).

92,13 war der Bacchus] spielte den Wirt.

92,15 den Bacchum ... vollend celebrieren] etwa: ausgelassen feiern.

92,24 Weinwachß] Weinberg.

92,26 f. deß Bischoffs Keller] der Kellermeister des Bischofs.

92,29 auffzusein] aufzustehen.

93,1 f. das Valete ... hielten] Abschied feierten.

93,19 f. die Herren Faßnacht] die Herrenfastnacht; der Sonntag vor
der Fastnacht.

93,24 tractiert] bewirtet.

94,13 Bachens] Gebackenem.

94,14 Ehrwein] Ehrenwein; besondere Gabe: als Ehrenwein reichte
er Ungarischen und Spanischen.

94,21 Am Aschermittwochen der rechten Faßnacht] Eigentlich wäre
der Tag der »rechten Fastnacht« der Fastnachtsdienstag. Der Teufelsbündler bricht die hergebrachte Ordnung, indem er den Fast-
und Bußtag Aschermittwoch entweiht.

94,22 beruffen] geladene.

95,1 Hafen] Schüssel.

95,5 f. Gôcker] Gockel, Hahn.

95,13 Mummerey] Maskerade.

95,27 das Kûchlein geholet] Das Erbetteln von Fastnachtsküchlein
ist ein alter Fastnachtsbrauch.

95,28 jren schein] ihr Aussehen.

96,3 Bacchanalia] Trinkgelage (gebräuchlicher neulateinischer Ausdruck im 16. Jh.), hier: Fastnachtsfeiern.

96,14 f. was zeuhest du mich] was ziehest du mich; im Sinne von: was
willst du von mir.

97,4 weissen Sonntag] Dominica in albis, erster Sonntag nach Ostern
(zeitlicher Sprung von sechseinhalb Wochen).

97,14 ff. der Kônigin Helenae / Menelai Haußfraw ...] der Königin
Helena, der Gattin des Menelaus ... Die Nennung der Verwandt-
schaftsverhältnisse folgt Dasypodius, s. QT 43. Vgl. Kap. 59.

97,33 Lefftzen] Lippen.

98,1 Rôßlin] Röslein.

98,3 vntådlin] Makel.

98,15 abreissen] nachzeichnen.

98,26 Gesticulation] hier: Zauberkunststück.

98,32 gericht] gewohnt.

99,9 Vntrew] Unfreundlichkeit, Garstigkeit.

99,31 f. zur fristung kommen] sich erholen.

100,6 ff. Von 4. Zauberern ...] Von einem Zauberer, der die Kunst des Kopfabschlagens und -wiederansetzens übte, erzählt Lercheimer, s. QT 44.

100,18 zwagen] waschen.

100,20 Nachrichter] Scharfrichter, Henker.

100,21 Lilien] Zur Tradition der Lilie als Lebensblume vgl. Düntzer, S. 187 f., und Kühne, S. 235 f., beide mit weitreichenden Belegen.

101,15 ff. Von einem alten Mann ...] In den Erfurter Faust-Geschichten ist es der historische Franziskaner Dr. Klinge, der versucht, Faust zu bekehren. Vgl. S. 162 f., Kap. C²ᵃ 55.

101,19 Nachbawr] Nachbar.

101,29 fůrtragen] Vorbringen.

102,2 Patron] Gastgeber.

102,7 zeiht] belastet.

102,12 ff. das Exempel in der Apostelgeschicht am 8. Cap. von Simone ...] die Bekehrung des Simon, Apg. 8,9–13. Dieser verfällt freilich kurz darauf dem Wahn, für Geld die Gaben des Heiligen Geistes kaufen zu können (Apg. 8,18–24); von da der Ausdruck »Simonie«. Zu Simon Magus vgl. auch Hondorff, QT 45.

102,25 f. Kompt her zu mir alle ...] Mt. 11,28.

102,27 f. Jch beger nicht ...] Ez. 18,23.

102,28 f. denn sein Hand ist nit verkůrtzt ...] Vgl. Numeri (4. Buch Mose) 11,23.

102,33 seitenmal] sintemal; da.

102,34 schwerlich] streng.

103,1 ff. Also nennt S. Paulus ...] Apg. 13,6.8.

103,29 ff. D. Faustus gantz erschrocken ...] Vgl. Lercheimer, S. 294 b: »Der vielgemeldte Faust hat jm ein mal fůrgenommen sich zubekehren / da hat jm der Teuffel so hart gedrawt / so bang gemacht / so erschreckt / daß er sich jm auch auffs new hat verschriben.«

104,2 ff. Doct. Fausti zweyte Verschreibung ...] Eine zweite Verschreibung Fausts erwähnt Lercheimer, s. Anm. zu 103,29 ff.

104,12 ff. [Marg.] Si Diabolus ... homicida] Wenn der Teufel nur kein Lügner und Menschenmörder wäre. Vgl. Joh. 8,44.

104,16 f. dråuwungen] Drohungen.

104,22 Datum] Gegeben zu ...

104,29 ein groß Gerốmpel] Äußerungen des Unwillens des Teufels finden sich ganz ähnlich bei Aurifaber, s. QT 46, und bei Lercheimer, s. QT 47.

104,30 kůrrete] quiekte.

105,1 vexiert sich] hier: begibt sich in betrügerischer Absicht.

105,16 N. N.] gebräuchliches Kürzel für einen nicht (oder erst zu gegebener Zeit) zu nennenden Namen; es gibt mehrere Auflösungen, z. B. *nomen nominandum.*

105,22 hette ... gute Kundschafft] war näher bekannt mit.

105,29 Nobilem] Herrn von Adel.

106,23 f. solches darschluge] die Hand darauf reichte.

106,25 Verehrung] Geschenk.

106,27 ff. Von mannicherley Gewåchß ...] Das bekannte Motiv des Zaubergartens im Winter hat der Autor von Albertus Magnus auf Faust übertragen, vgl. Bütner, QT 48, und Lercheimer, QT 49.

107,4 Vnderzech] auf ein Glas Wein (Dämmerschoppen).

107,15 ff. Von einem Versammleten Kriegßheer ...] Inhaltlich ist Kap. 56 eine Variation zu Kap. 35.

107,20 ungefehr] zufällig.

daher stutzen] etwa: in langsamer werdendem Lauf auf ihn zukommen.

107,21 wie obgemeldt] Vgl. Kap. 34.

108,17 nach der schårpffe] mit aller Strenge.

108,35 [Marg.] Ron] Ruß, Schmutz.

109,5 f. ein Såuwisch vnnd Epicurisch leben] von Luther gebrauchte Wendung, die ihren Ursprung bei Horaz, *Epistulae* I,4,16, hat.

109,7 Succubas] zauberische Beischläferinnen; verbreitete Vorstellung der zeitgenössischen Hexenliteratur.

109,16 ff. Von einem Schatz / so D. Faustus gefunden ...] Vgl. zu Kap. 58 den vierten Absatz des Zitats aus Weier, QT 2, außerdem Lercheimer, QT 50. Falls einer dieser Texte oder beide dem Autor vorlag bzw. vorlagen, so hat dieser energisch umgestaltet.

109,25 Wurmb] Schlange. Die Verbindung von Schlange und Gold ist literarisch gebräuchlich; Gold wird oft als »Wurmbett« bezeichnet.

110,21 f. Iustum Faustum] Faustus den Rechtschaffenen.

110,22 [Marg.] Questio ... fuerit] Es ist fraglich, ob er getauft worden ist.

111,8 diese zeit hero] bis zu dieser Zeit.

111,12 verloffner] verkommener.

111,17 demmete] praßte.

111,21–23 neben deß Gansers vnd Veit Rodingers Haus gelegen ... in der Schergassen ...] in Wittenberg nicht belegt; Lokalitäten für Wittenberg frei erfunden zu haben, macht schon Lercheimer – in der Neubearbeitung seines *Christlich bedencken* von 1597 – dem Autor zum Vorwurf, vgl. S. 297.

111,24 Bawren Gut] In diesem Bauerngut findet im *Wagnerbuch* von 1593, Kap. 3, die erste Geisterbeschwörung statt.

112,11 f. an Tag kommen ... lassen] veröffentlichen.

112,30 f. Auwerhan] Auerhahn, abgeleitet aus dem (sehr seltenen) Namen *Urian*, der diphthongiert und volksetymologisch umgedeutet ist; im 18. Jh. euphemistisch für Teufel.

114,17 arbeitseliger] mühseliger, elender.

114,21 schmertzhaffte] schmerzempfindende.

115,7 ff. Sprichwörtern ...] weitgehend Sebastian Brant und Johannes Agricola entlehnt; vgl. Kühne, S. 249–251, und Fränkel/Bauer, S. 361–381.

115,17 ff. Weistu was so schweig ...] bekanntes Sprichwort. Die Verse schließen sich Luthers Versen über Ps. 37,5 an; vgl. Mathesius, QT 51, und Aurifaber, QT 52. Da Aurifaber nur die letzten vier Verse anführt, dürfte Mathesius die direkte Vorlage bieten.

116,28 Schimpff] Scherz.

117,3 sol man Bürgen würgen] muß man den Bürgen hinrichten.

117,12 befahren dörffte] befürchten müßte.

117,21 ff. Jch weiß mich noch zu erjnnern ...] Vgl. Kap. 16.

117,23 ein groß vnterscheidt vnter den Verdampten] Vgl. Jacobus de Gruytrode, QT 53.

117,29 inflammiert] entzündet.

118,8 Wo ist meine feste Burg?] Anspielung auf Luthers Choral.

118,13 f. Vertröstung] Tröstung.

118,17 ff. Folget nun von D. Fausti greuwlichem vnd erschrecklichem Ende ...] Kap. 67 (und 68): Die literarische Überlieferung von Faustus' Ende setzt ein mit der großen Sammlung der Histörchen und Aussprüche Melanchthons, die dessen Schüler Johannes Manlius angelegt hat (lat. 1562, dt. 1565). Vgl. den entsprechenden Abschnitt vollständig in QT 54. Ob dem irgendein historischer Kern zugrunde liegt, ist letztlich nicht feststellbar. Auf Manlius beruft sich dann Hondorff 1572, vgl. QT 55. Gegen 1565, also um die gleiche Zeit, finden sich auch zwei Bemerkungen, daß Faust von seinem bösen Geist umgebracht worden sei, in der Chronik der Grafen von Zimmern: I,577,20 und III,529,38. Die Chronik blieb jedoch unveröffentlicht. – Von einem Spielmann, den der Teufel umbringt und dessen Leiche auf freiem Felde gefunden wird, spricht Luther bei Aurifaber 196ᵛ. Diese in der Forschung gelegentlich angeführte Stelle bezieht sich jedoch nicht auf Faust. – In der vierten der sogenannten Nürnberger Faust-Geschichten Christoph Roßhirts (die er in eine persönliche Auswahl der Tischreden Luthers einfügt) wird der Erzählung vom Tod des Georgius Faustus in einem Wirtshaus die Geschichte von den betrunkenen Bauern vorangestellt, denen Faust die Mäuler aufsperrt. Diese Geschichte wird hier vollständig in QT 56 wiedergegeben, weil sie das älteste Dokument für die Existenz einer zusammenhängenden Erzählung vom Teufelsbündler Faust ist. – Bei Johann Jacob Wecker (1582) findet sich die Erzählung von den betrunkenen Bauern isoliert, vgl. Kap. 42 und QT 39. – Lercheimer erzählt dann 1597 beide Geschichten noch einmal in Kombination miteinander. Er beruft sich dabei ausdrücklich auf Melanchthon, s. S. 297 ff.

118,21 erschienen] vergangen.

119,12 Rimlich] nicht nachweisbar; vgl. Anm. zu 111,21–23.

119,15 Morgenmahl] zweites Frühstück.

119,28 Oratio Fausti ad Studiosos] (Abschieds-)Rede Fausts an die Studenten.

119,30 viel jar her] seit vielen Jahren.

119,32 bericht] unterrichtet, kundig.

120,4 fliegende] hochfliegende.

120,13 Johannstrunck] Johannistrunk; Abschiedstrunk (Johanniswein ist nach altem Brauch der zum Abschieds- und Erinnerungstrunk bestimmte Wein).

121,17 Declaration] Erklärung.

121,21 Schelmerey] Gottlosigkeit.

121,31 mein Nachbawr] Vgl. Kap. 52.

122,10 f. Seine Sünde weren grösser . . .] Gen. 4,13.

122,14 gesegneten] Lebewohl sagten.

124,4 I. Pet. V.] 1. Petr. 5,7.

125,26 verstossene] Vgl. Anm. zu 32,2.

127,16–18 Von einer andern Abenthewer . . .] Die Überschrift dieses Kapitels fehlt im Register des Originals; hier nach S. 159 (in vorl. Ausg. S. 90) ergänzt.

Zusatztext I: Wolfenbütteler Hs.

133,5 Dolmetsch] Erläuterungen; hier: Erzählung.

133,7 f. auss dem Latein jnn das Teutsch] Die Aussage, daß dem
deutschen Text ein lateinischer zugrunde liege, ist mit an Sicherheit
grenzender Wahrscheinlichkeit eine Fiktion, die der erzählerischen
Wahrheitsbezeugung dient.

133,11 Causam] Ursache.

133,20 Math: 4.] Mt. 4,10.

133,28 Caspar Goldtwurm] Die Schlangenerzählung findet sich
zuerst 1557 in Goltwurms Sammlung *Wunderwerck vnd Wunderzeichen Buch*, s. QT 57, ferner inhaltlich übereinstimmend in der
zweiten Ausgabe, Frankfurt 1567, 138ᵛ. – Unter Berufung auf
Goltwurm erzählt sie auch Hondorff in seinem *PROMPTVA-
RIVM EXEMPLORVM*, s. QT 58, dem der Verfasser dieser Vorrede weitere Geschichten entnimmt. – Der Verfasser der Vorrede
von A[1], der die Geschichte gleichfalls bringt, nennt als seinen Ge-
währsmann Johann Weier; vgl. S. 10 f.

134,2 Incantator] Zauberer.

134,10 Alexander .vj.] Vgl. Hondorff, QT 59, und – unter Berufung
auf diesen – Bütner, QT 60.

Pestis Maxima] das schlimmste Übel, das Verderben schlechthin.

134,12 Protonotarij] Protonotar: Notar der päpstlichen Kanzlei; allgemein: geistlicher Würdenträger, Prälat.

134,34 Vicarius Christj] Stellvertreter Christi.

134,36 Nobis hauß] Wirtshaus der Hölle.

135,19 f. et ne nos inducas in Tentationem] und führe uns nicht in
Versuchung – die Vater-unser-Bitte.

135,23 Zoroastes] auch: Zaratus, Zoroaster, Zarathustra, altirani-
scher Religionsgründer, 6. Jh. v. Chr. Vgl. Milichius, QT 61, und
Hondorff, QT 62.

135,24 kunstler] Ergänze: Schwarz-, also Zauberer.

Boctrianorum] bei Hondorff richtig »Bactriani«, d. h. die Perser.

135,30 Justinus] Marcus Junianus Justinus, 3. Jh. n. Chr., gab *Epi-
toma historiarum Philippicarum Pompei Trogi* heraus; das Zitat
daraus I,1,9 ff.

136,6 f. ein wachssene Nasen gemacht] betrogen.

136,18 Menippus in Luciano] Anspielung auf eine Stelle aus Lukians
Totenorakel (*Nekyomanteia* 6). Dort sagt Menippos: »Ich kam auf
die Idee, eine Reise nach Babylon zu unternehmen und bei irgend-

einem Magus, einem von den Nachfolgern und Schülern des großen Zoroaster, Hilfe zu suchen.«

136,23 Apuleo] Apuleius von Madaura, 2. Jh. n. Chr., Prosaist und
Rhetor, u. a. bekannt als Verfasser des berühmten Romans *Der
Goldene Esel* (auch *Metamorphosen*). Er war in einem Prozeß wegen Zauberei angeklagt und wurde, gerade weil er ihn gewann, seit
alters als Zauberer betrachtet.

136,24 Marmaridius] nicht sicher geklärt; evtl. Bewohner (oder
Heros) von Marmarica (zwischen Cyrene und Ägypten).

136,25 Hypocus] von der Forschung bisher nicht ermittelt.

137,3 hefftig verbotten] Vgl. Milichius, QT 63.

137,4 Leuiticj cap: 19.] Lev. 19,31.

137,6 Am .20. cap:] Lev. 20,6.

137,9–11 Cyprianus ...] grammatisch richtig bei Hondorff, s.
QT 64, d. i. die pseudocyprianische Schrift *De duplici martyrio
liber ad Fortunatum*, abgedruckt in: J.-P. Migne, *Patrologiae Cur-
sus Completus*, Series Latina, Bd. 4, Paris 1891, S. 962–986.

137,24 ff. Von einem so jnn der Turckey gefanngen ...] kurzer Hinweis auf eine Geschichte diesen oder ähnlichen Inhalts bei Bütner,
s. QT 65, wo aber nicht von Faust die Rede ist.

138,15 Lylopolts] Lykopolis (Assiut) in Oberägypten.

138,26 f. Die Frucht der Liebe zugenuessen] Zu dieser Stelle hat die
Hs. eine Marginalie »NB:«. Da alle anderen gleichartigen Hervor-
hebungen in der Hs. lehr- und predigthaften Wendungen gelten,
dürfte auch diese den Sinn eines moralischen Warnzeichens haben –
sehr gegen die Leseerwartung des heutigen Lesers.

139,6 gestaffiert] ausgerüstet.

139,7 entritt] ritt fort. Ergänze: »und«.

139,9 Eyffert] (war) eifersüchtig.

139,14 ff. Von einer Prophecey ...] Im folgenden finden sich zahl-
reiche wörtliche Übernahmen aus Andreas Osianders *Eyn wunderliche Weyssagung von dem Babsttumb*, Nürnberg 1527. Dieses Kapitel der handschriftlichen Version tritt aus dem Erzählverlauf heraus, da es zwischen Fausts Wehklagen und seinem Ende plaziert ist.
Es wird dadurch auch deutlich hervorgehoben.

139,30–32 die Lilien jn Franckreich verfueren ... vnnd Bluetvergiessen anrichten] Prophezeiung der Bartholomäusnacht. Das Kapitel
muß somit nach 1572 verfaßt sein.

139,31 Florentinerin] Katharina von Medici.

140,1 durch einen] Text verderbt; wahrscheinlich ist danach ein Sub-
stantiv ausgefallen.

140,11 fur Kayser] noch vor dem Kaiser.
140,26 Dann thuet Er doch zun Buecher] Text verderbt. Bei Osiander, S. 455, heißt es: »Darumb thut er das buch zu, umbsetzt sich
hinten und forn, unten und oben mit bern, das ist mit Kriegsleuten,
wil sein sach mit lauter gewalt verteydingen.«

Zusatztext II: Druck von 1587 (B)

141,6 ff. Doct. Faustus hetzet zwen Bauren aneinander ...] Verwandte Texte, die als Vorlagen für Kap. 53 in Betracht kommen,
finden sich bei Weier, s. QT 66, und – ganz kurz – bei Lercheimer,
s. QT 67; beide sprechen nicht von Faustus.
141,10 Falb] fahl.
141,20 Paß] hier: Furt.
141,27 Matten] Wiese.
142,1 henckmåssiger] galgenreifer.
142,3 zeyhe] beschuldige.
142,3 f. auff gut hochstarckbreyt Beyerisch Teutsch] höhnische Ver-
stärkung: in ungehobelter Sprache.
142,4 f. erheyt vnd erlogen] erstunken und erlogen.
142,12 Peters Pletzen] Eine Pletze ist eine Schlagwaffe; törichte
Menschen werden oft »Peter« genannt.
zwagen] waschen.
142,15 f. verschnittener Mônch] kastrierter Hengst (Wallach).
142,21 ff. Faustus betreuget einen Pfaffen ...] Eine inhaltlich gleiche
Geschichte erzählt Lercheimer, s. QT 68.
142,28 Degratias] Dank (Vulgärlatein).
142,31 Schellen] Spielkarten.
Responsoria] Antworten (beim Wechselgesang).
143,9 ff. Faustus frißt einen Hecht ...] Lercheimer erzählt eine in
wesentlichen Zügen gleiche Geschichte von Johannes Trithemius,
s. QT 69. Kurzgefaßt und ohne Namensnennung findet sie sich
schon bei Hondorff, s. QT 70, und bei Bütner, s. QT 71.
143,14 wie jene zu Basel] eine bisher ohne Erklärung gebliebene Anspielung.
143,26 adfer] (lat.) bring herbei.
144,2 ff. Doctor Faustus ein guter Schütz ...] Vgl. Lercheimer,
QT 72.
144,15 Stücke] Kanonen.
144,17 f. stûcker vnd spreyssen] Kugeln und Splitter.

144,21 den Pallen schlůge] Ball spielte.

144,23 mit hauffen] haufenweise.

144,25 ff. D. Faustus frißt einen HaußKnecht . . .] Vgl. Lercheimer, QT 73.

144,27 gut Såchsisch vnd Pomerisch] ein gutes Sächsisches und Pommerisches; Biersorten.

144,27 f. mit halben vnd gantzen] Ergänze: Gläsern; Angabe beim sog. Zutrinken (wegen des unvermeidlichen Übermaßes oft kritisierte Trinksitte).

144,29 drewete] drohte.

145,10 Stegen] Treppe.

145,16 ff. D. Faustus hauwet einem den Kopff ab . . .] Vgl. Kap. 51 der *Historia*, wo Faustus eine deutlich positivere Rolle spielt. Für beide bot wahrscheinlich Lercheimer die Grundlage; vgl. QT 44 als Quellenbeleg zu Kap. 51 der *Historia*.

145,21 ware . . . beschweret] fühlte sich beschwert, d. h., es machte ihm Mühe.

145,22 possen] Zauberstreich.

146,8 Lilge] Lilie.

146,15 ff. D. Fausti Gåste wőllen jn die Nasen abschneyden . . .] Hier liegt deutlich eine Partie bei Lercheimer zugrunde, s. QT 74, die besonders sinnfällig das Grundprinzip der zeitgenössischen Teufelsauffassung veranschaulicht: der Teufel vermag nichts von sich aus zu erschaffen; Zauberkunststücke sind aber z. B. in der Form des Diebstahls möglich. (Der Beginn des Lercheimer-Zitats schließt unmittelbar an die Vorlage zu Kap. B 55 an.)

146,15 jn] sich.

146,20 Kuchel] Küche.

147,9 zeitigen] reifen.

147,20 ff. D. Faustus schieret einem Meßpfaffen den Bart . . .] Vgl. Weier, QT 75. In den zahlreichen vorangehenden lateinischen und deutschen Ausgaben von Weiers großem Werk findet sich die Geschichte noch nicht. Im Anfang und Schluß zeigt sich die Partie von Melanchthon/Manlius beeinflußt.

147,22 Battoburg] kleine Stadt an der Maas, heute Batenburg.

147,28 außbündigen] ausgezeichneten.

148,1 Grauen] Grave: kleine, leicht befestigte Stadt an der Maas im Herzogtum Brabant, etwa 10 km von Batenburg entfernt.

Zusatztext III: Druck von 1588 (A²)

Der gesamte Texteinschub, aus anderer Schrift und in kleinerem
Schriftgrad gesetzt und zwischen der zweiten Vorrede und dem
Erzähltext der *Historia* eingeschaltet, bildet in dem Buchblock einen
gewissen Fremdkörper. Inhaltlich markieren die Bibelstellen die Tendenz der *Historia*, damit zugleich den Interpretationsrahmen für das
zeitgenössische Verständnis. Die Zitate folgen getreu der *Biblia
Deudsch*.

149,7   Exod. 22.] Ex. 22,17.
149,8   Leuitic. 20.] Lev. 20,6–8.
149,14   Esa. 8.] Jesaja 8,19–22 (V. 19 fehlt der Satz: »Oder sol man die
         Todten fur die Lebendigen fragen?«).
149,24   Esa. 19.] Jes. 19,3 f.
149,30   Esa. 47.] Jes. 47,9.11–13.
150,10   rechen] rechnen, urteilen.
150,11   Jerem. 27.] Jer. 27,9.11.
150,17   Mich. 5.] Micha 5,11 f.
150,22   Malach. 3.] Malachias (Liber Malachim), Maleachi 3,5.
150,25   Num. 22.] Numeri (4. Buch Mose) 22–24 (zusammengefaßt).
150,28   1. Samuel. 28.] Liber Samu(h)elis I, 1. Sam. 28 (Zusammen-
         fassung).
151,1   2. Reg. 1.] Liber Regum II, 2. Kön. 1 (Zusammenfassung).
151,5   2. Paral. 33.] Liber Paralipomenon II, das 2. Buch der Ergän-
         zungsschriften, d. i. der Bücher der Chronik (als Ergänzungen der
         Bücher Samuels und der Könige), 2. Chr. 6,9–13.
151,20   Act. 19.] Actus (Liber Actuum) Apostolorum, Apg.
         19,14.16 f.19.
151,21   Scenae] Skevas (Skeuas).

Zusatztext IV: Druck von 1589 (C²ᵃ)

152,11   Bitt an jhn geleget] Bitte an ihn gerichtet.
152,11 f. Leiptziger Meß] Leipzig entwickelte sich im 16. Jh. zum
         zentralen Messeplatz des Reiches, mit direkten Handelsbeziehun-
         gen nach Hamburg und zur Ostsee wie auch nach Venedig. Die
         Warenmesse übertraf die Frankfurts, das als Finanzzentrum domi-
         nierte.
152,15   Vertröstung] Zusage.

152,19 Schrôter] Faßverlader.

152,21 schroten] transportieren.

152,28 Weinherr] Weinhändler.

153,7 Schlampamp] Schlemmerei.

153,10 ff. Wie Doct. Faustus zu Erffordt den Homerum gelesen . . .]
Für die sogenannte »Erfurter Reihe« (Kap. 51–55) hat man (vgl.
Szamatólski, »Faust in Erfurt«) auf verschiedene Chronisten verwiesen. Mehr spricht freilich für die Hypothese, daß den Chroni-
ken die Faust-Historia als Quelle gedient hat. – Zu Kap. 51 vgl.
auch Bütner, QT 76.

153,31 f. Concursch] von lat. *concursus* ›Zusammenlaufen‹; Zusam-
menkunft.

154,1 Affenwerck] Nachahmung; Torheiten.

154,9 in der Person] leibhaftig.

154,12 Lectorium] Hörsaal.

154,29 f. Weberbaum] Webkettbaum, Querwalze im Webstuhl; als
Spieß Goliaths 1. Sam. 17,7 – in diesem Sinne im 16. Jh. literarisch
häufiger verwendet.

155,2 ff. Doct. Faustus wil die verlornen Comoedien . . . wider ans
Liecht bringen . . .] Eine Anregung mag Lercheimer geboten haben, s. QT 77.

155,8 Terentii] Die Komödien des Publius Terentius Afer (185 – um
160 v. Chr.) standen im Zentrum der lateinischen Lektüre in Schule
und Universität, und zwar aus eben den hier angegebenen Gründen. Sie boten eine vorzügliche Einführung in die Welt des römischen Alltags. Von den Komödien des Terenz ist wohl keine verloren.

155,26 Ausonius] Decimus Magnus A., römischer Dichter des
4. Jh.s; vgl. seine *Epistula* 18.

155,27 Plauto] Titus Maccius Plautus, römischer Komödiendichter
(um 250–184 v. Chr.). Überliefert sind von Plautus 20 Komödien
und ein Fragment, von 34 weiteren kennt man die Titel. Die erste
Plautus-Hs. mit allen überhaupt erhaltenen Komödien entdeckte
1429 Nicolaus Cusanus. Bis dahin kannte man nur acht seiner
Stücke.

156,14 vber setzen] darüber, d. h. daransetzen.

156,25 zubefahren] zu befürchten.

157,4 Encker] (oberrhein.) Anker. Die ältere Forschung nahm mit
Szamatólski (»Faust in Erfurt«) an, daß hier historisches Detail aus
Hogels *Thüringischer Chronik* auftrete. Nach der Überlieferungs-

lage kann aber ebensogut der Verfasser dieser Chronik die Faust-Historia verwendet haben (s. Anm. zu 153,10 ff.).

157,5 Stadtjuncker] nach Szamatólski (»Faust in Erfurt«) ein Junker Wolfgang von Denstett.

157,14 Einheimisch] zu Hause.

157,31 Tauben] hier: wirre Gedanken.

158,14 fehet] fängt.

158,17 Rephal] Wein von Rivoli u. a., s. Anm. zu 91,33.

158,31 Habern] Hafer.

158,34 Malter] ein Getreidemaß.

159,2 wie oben gesagt] Vgl. Kap. 44a.

159,26 newe Zeitungen] Nachrichten.

160,22 ff. wie behend bistu? Er antwortet . . .] Den Wettstreit der Diener (des Teufels) hat Lessing in seinen Faust-Plänen aufgegriffen.

161,14 bellaria] Nachtisch.

161,26 Zincken] der Zink, ein Grifflochhorn, meist aus lederüberzogenem Holz; im Ensemble oft der Diskant der Posaunenfamilie; in der Stadtpfeiferei bis ins 19. Jh. im Gebrauch.

162,17 ein berümbter Barfüsser Mūnch / D. Klinge] Der Franziskaner Doktor Konrad Klinge (gest. 1556) hielt nach dem Übertritt Erfurts zur Reformation als einziger katholischer Geistlicher weiterhin Gottesdienste in der Kirche des Großen Hospitals. Er konnte seit 1528 wieder öffentlich predigen, auch im Dom (St. Marien), wo seit 1525 der evangelische Pastor D. Lange Prediger war.

162,18 D. Langen] Doktor Johannes L. Lange, ehemaliger Augustinerprior, Reformator in Erfurt. Studienfreund Luthers, den er auch zur Leipziger Disputation 1519 begleitete. Er verließ 1522 das Kloster, wurde Domprediger und Prediger an der Augustinerkirche. Gest. 1548 in Erfurt.

162,18 f. wolbekandt war] Die Erzählung reduziert die Geschichte der Reformation in Erfurt auf die zwei bekanntesten Repräsentanten beider Kirchen. Der Autor läßt wohl nicht ohne Absicht gerade den Versuch eines katholischen Geistlichen scheitern, Faustus für Reue und Buße zu gewinnen. Die Kraft des evangelischen Glaubens bleibt auf diese Weise unangezweifelt.

163,27 die Verschaffung gethan] angeordnet.

Quellentexte

Die im folgenden abgedruckten Texte sollen den literarischen Kontext für die Arbeit des Autors veranschaulichen. Die hier gebotenen Texte sind von der Forschung im Laufe eines guten Jahrhunderts – bis hin zu den gegenwärtigen Herausgebern – als mögliche Vorlagen ermittelt worden. In Umrissen wird damit gleichsam eine Handbibliothek des Verfassers der Faust-Historia sichtbar. Das Auftreten eines Textes an dieser Stelle schließt jedoch keineswegs in allen Fällen die These ein, daß er als »Quelle« gedient habe. Vielfach existieren Erzählvarianten, die gegebenenfalls chronologisch angeordnet sind. Der interpretierende Benutzer hat damit stets die Möglichkeit, sich ein eigenes Urteil über die Abhängigkeitsverhältnisse zu bilden.

Kommentierende Hinweise sind, wo irgend möglich, im Abschnitt »Erläuterungen« untergebracht, Verfassernamen und Titel-Stichworte werden jedoch hier zur besseren Orientierung wiederholt. Im Literaturverzeichnis erscheinen alle Titel vollständig. In dieser Form leisten die Titel selbst den besten Kommentar zum Verständnis der hier wiedergegebenen Textausschnitte. Begründungen zu der Wahl bestimmter Ausgaben für den Abdruck finden sich, falls erforderlich, in den Erläuterungen bei der jeweils ersten Zitation.

Seiten- oder Blattbeginn der Quellenvorlage ist durch die Zählung in eckigen Klammern bezeichnet. Zahlen mit hochgestelltem r (d. i. recto) oder v (d. i. verso) beziehen sich auf Handschriften und Drucke mit Blattzählung; ein folgendes a oder b bezeichnet die linke bzw. rechte Spalte bei Spaltendruck.

1

Johannes Aurifaber: Tischreden D. Martin Luthers

Zeuberey auff Theologisch abgemalet.

Beschrei-
bung des
Zauber-
handels
vnd
der Straff.

[308ʳ] Wiewol alle Sůnde sind ein Abfall von Gottes wercken / damit Gott grewlich erzőrnet vnd beleidiget wird / Doch mag Zeuberey / von wegen jres Grewels / recht genant werden / crimen laesae Maiestatis diuinae, ein Rebellion / vnd ein solch Laster / damit man sich furnemlich an der Gőttlichen Maiestet zum hőchsten vergreift. Denn wie die Juristen fein kůnstlich disputiren vnd reden / von mancherley art der Rebellion / vnd Mishandlung wider die hohe Maiestet / vnd vnter andern zelen sie auch diese / wenn einer von seinem Herrn feldflůchtig / trewlos wird / vnd begibt sich zu den Feinden / vnd denselbigen allen erkennen sie zu die peinliche Straffe an Leib vnd Leben. Also auch / weil Zeuberey ein schendlicher grewlicher abfall ist / da einer sich von Gott / dem er gelobt vnd geschworn ist / zum Teufel / der Gottes Feind ist / begibt / So wird sie billich an Leib vnd Leben gestrafft.

2

Johann Weier: DE PRAESTIGIIS DAEMONVM

Berosus
schreibt
auch fast
auff diese
weise.

[85b] Cham aber / der Sohn Noahs / so auß der Sůndfluß vberblieben / hat einem auß seinen Sőnen / mit Namen Misraim / (von welchem die Egyptier / Babylonier vnnd Persen jren vrsprung haben) die schőne kůnst deß Zåuberwercks hinder jhm gelassen vnnd vbergeben. Diesen Misraim haben die Vőlcker so dazumal gewesen / Zoroastrem genennet (vnder welches

Nahmen noch etliche Zåuberbůcher vorhanden) vnnd sich seiner / als deß ersten Vrhebers deß Zåuberens / hoch verwundert. Als er aber auff ein zeit bey einem Teuffel gar zu streng anhielt / ist er von jhm angezündt vnd verbrennt worden.

[94 b] Johannes Franciscus Picus zeiget für gewiß / daß er offt eigener Person / sich mit etlichen erspracht habe / von welchen er verstendigt / wie sie vom Teuffel am narrenseil seyn geführt worden. Denn als sie jrer kurtz erlehrneten kunst ein prob vnd muster thun wolten / vnd jhrem Teuffel / vermög deß pacts mit jhm eingegangen / zuschreyen / sind sie dermassen von jhm geengstigt worden / daß sie bey Leben zu bleiben vnnd mit der haut darvon zukommen, wol zufrieden waren. Deßgleichen so habe er von etlichen Zåuberern gehört / wie jhnen der Teuffel vngefehrlich vor 50. Jaren einen Spießgesellen mit Leib vnd seel / also / daß sie nimmermehr weder staub noch flaug von jm gesehen haben / vnd das auß der vrsach / daß er einem gewündrigen Fürsten die belågerung der Stadt Troie / vnnd in sonderheit die Monomachey vnnd kampff Achillis vnd Hectoris der thewren Helden / eigentlich für Augen zustellen / sich vndernommen hatt.

Jm 4. buch de prae- notione supersti- tiosa 9. cap.

Wir lesen daß der Graue von Matiscona / so selbst deß Zauberns sich vnderzogen / vmb mittags zeit / in gegenwertigkeit vieler Freyherrn vnd Kriegßknechten von bösen Geistern hingezuckt / vnd geschwindt wie der Wind / zum dritten mahl vmb die Stadt rings weise in die lüfften geführt sey worden / mit grausamer vnd erbermlicher stimme laut schreyende: Helffenio / helffenio, lieben getrewen Bůrger helffenio. Daher denn ein grosser aufflauff in der gantzen Stadt entstanden / welcher aber den Grauen zu errettung nichts hab mögen helffen / denn er von derselben zeit an der Teuffeln ewiger gefehrt hat bleiben müssen / [95a] wie denn Hugo Cluniacensis weitleufftig darvon schreibt.

Vor kurtzen Jaren / vnd noch bey gutem Mannsgedencken / nemlich im jar nach Christi Geburt 1530. hat ein

Ein Priester
wird
in einem
Crystall
vom Teuf-
fel ein
schatz ge-
zeiget /
vnd vff dem
Fuß
gleich auch
in der gru-
ben ver-
scharren.

Cacodemon oder bôser Geist / einem Pfaffen zu
Nůrnberg etliche schåtz in einer Crystall gezeigt /
als nun das gute Herrlein nicht weit von der Stadt
an einem gewissen ort demselbigen nachgråbet /
vnnd jetzt schon so weit kommen war / daß er in
einer Hůle ein truhen sahe / vnd einen schwartzen
Hundt / als ob er jren hůtete / darbey liegen / hat er
sich freuentlich hinein gewaget / darauff die Hůle
als bald eingefallen / vnnd der Pfaff sein Leben darob verloren hat. Welchs alles einer auß seinen besten Freunden / so er mit sich genommen / mit seinen augen gesehen / vnd auch weiters außgebracht
hat.

Ein zaube-
rer kômpt
von einer
Schlangen
vmb.

　　Zu Saltzburg rhůmbt sich auff ein zeit ein Zauberer / er wolte alle Schlangen so in derselben gegend auff ein meil wegs weren / in ein Gruben
zusammen bringen vnd tôdten. Als ers aber versuchen wolt / ist zuletzt ein grosse alte Schlange herfůr gekrochen / welche / als er sie mit seim beschweren vnder-
stunde in die Gruben zu nôtigen / ist sie auffgesprungen / den
Zauberer rings weiß / in der weiche wie ein Gůrtel vmbgeben /
in die Grube geschleifft / vnd darinn vmbgebracht.

3

JOHANNES AURIFABER: Tischreden D. Martin Luthers

Die sechste ⟨*erg.:* Historien⟩ / von zweien Mônchen.

[298ʳ] Ein Cardinal⟨*richtig:* Gardian⟩ gieng mit eim andern
Bruder vber Feld / vnd da sie in die Herberge kamen / sagte
der Wirt / sie solten jm liebe Geste sein / er wůrde nu glůck
haben. Denn er hatte in einer Kammer einen bôsen Geist / das
niemand drinnen schlaffen kondte / Doch worden die Geste /
so drein gelegt waren / nicht geschlagen / sondern nur vexiret /

Vnd sprach / er wolte den Heiligen Vetern ein gut   Des Teufels
Bette drinnen zurichten lassen / es weren heilge   lust zu
Leute / die den Teufel wol beschweren kôndten.   Posserey
Des nachts nu da sie sich gelegt hatten / vnd schlaf-   renwerck.
fen wolten / rauffte der Geist jmerdar einen nach
dem andern bey dem Krentzlin an der Platten / Da fiengen die Mônche an sich mit einander zu zancken / vnd sagt
einer zum andern / Lieber reiff mich doch nicht / las vns jtzt
schlaffen. Da kam der Teufel abermal wider / vnd zuckte den
Gardian beim Krentzlin. Der Gardian sprach / Far hin im
Namen des Vaters / vnd des Sons / vnd des heiligen Geists /
vnd kom zu vns ins Kloster / Da er das gesagte / schlieffen sie
ein / vnd hatten ruge. Da sie nu wider ins Kloster giengen /
sass der Teufel auff der Schwell der Pforten / vnd schrey / Be-
nenenerts ⟨*richtig:* Beneveneritis, *d. i. seid willkommen*⟩
Herr Gardian. Sie aber waren sicher / denn sie meineten / er
were nu in jrer gewalt vnd hand / vnd fragten jn / was er wolte?
Antwortete er / Er wolte jnen im Kloster dienen / vnd bat /
man wolte jn jrgend an einen ort ordenen / da sie seines
diensts bedûrfften / vnd jn finden kôndten. Da
wiesen sie jn in einen winckel in der Kûchen / Vnd   Teufel in
damit man jn kennen kondte / zogen sie jm ein   einer
Mônchskappen an / vnd bunden eine Schelle oder   Mônchs-
Glôcklin dran / als ein Zeichen / dabey man jn   kappe.
kennete. Darnach rieffen sie jm / das er solt Bier holen /
Da horten sie die Schelle / vnd das er sagte / Gebt gut Geld /
so wil ich euch auch gut Bier bringen.

   Ist also bekant worden in der gantzen Stad / wenn er vor ein
Keller kam / das man jm nicht wol gemessen hatte / sprach er /
Gebt voll mass vnd gut bier / ich habe euch gut Geld gegeben.
Es war ansehnlich / vnd hatte ein grossen schein.
Die Papisten haben gemeinet / das es solten gute   Wichtelen.
Geister sein / als Diana / vnd andere viel derglei-
chen Gôtzen vnd grewel / die die Heiden fur Gôtter ehreten.

   Vnd weil der Geist / wie gesagt / oder das Wichtlin (wie es
vnsere Leute nennen) in einem winckel in der Kûche woh-

nete / war der Kůchenbub ein schalck / vnd goss hinein Spů-
lich vnd andern Vnflat / heisse Brůhe / vnd dergleichen vnrei-
nes dinges / was vberblieben / vnd nicht tůchtig war / in

Schertze
mit
dem Teufel
niemand.

winckel / Vnd ob jn wol das Teufelchen bat / vnd
warnete / Er wolt auffhŏren / vnd jm nicht mehr
verdries thun / doch wolt er nicht nachlassen noch
auffhŏren. Da ward der Kobel vnd Teufel zornig /
vnd hieng den Kůchenbuben vberquer vber ein

Balcken in der Kůchen / doch das es jm am Leben nicht
schadete. Da gab jm der Gardian vrlaub.

4

Sebastian Brant: Das Narren schyff

3.

Wer setzt sin lust vff zyttlich gůt
Vnd dar jnn sůcht sin freyd vnd můt
Der ist eyn narr jnn lib vnd blůt

43.

Das ich alleyn zyttlichs betracht
Vnd vff das ewig hab keyn acht
Das schafft / eyn aff hat mich gemacht

45.

Wǎn jn das für syn můttwill bringt
Oder sunst selbs jnn brunnen springt
Dem gschicht recht / ob er schon erdrinckt

5

HARTMANN SCHEDEL: Buch der Croniken

[6ʳa]   Von vnderschid der himlischen ierarchey gewalt oder
fůrstenthumb.

Aber von der himlischen natur haben etlich dreierlay
vnderschid gesetzt als ein überhimlische. ein himlische vnd
ein vnderhimlische. Die vberhimlisch sol in dreyen personen
seyn. als etlich wie wol ůbel gesagt haben. dann das wort
ierarchia als dionisius sagt begreyft in im bedeůtnus einer
ordnung vnd die selb ordnung slechts zereden ist nit in dreyen
personen sunder allein ein ordnung der natur. Die himlisch ist
in den englischen orden. Die vnderhimlisch in heilligen menschen. Nw die himlisch ierarchey wird geteilt in ein obere
mittlere vnnd vndere. die obere begreift drey orden. als seraphin cherubin tronengel. Die ersten betrachten gottes gutt-
heit. die andern sein kraft. die dritten seyn gleicheit. in dem
ersten libet got als die lieb. in dem andern erkent er als die
warheit. in dem dritten sitzt er als die gleicheit. Die mittel
ierarchey helt hersch[6ʳb]engel. fůrstengel gewaltengel. die
ersten regiren die ambt der engel. die andern pflegen der
öbern des volcks. die dritten zwingen der teůfel macht. in den
ersten herschet der herr als die maiestat. in den andern regirt
er als ein fůrstenthumb. in den dritten wird er gehalten als das
hail. Die vndere ierarchey helt auch drey orden. als kreftengel
ertzengel vnd engel. die ersten pflegen der ůbung grosser
wunderwerck. die andern der verkundung grösser ding. die
dritten der sorgfeltigkeit menschlicher wart. In den ersten
wirckt got als ein kraft. in den andern offenbaret er als ein
licht. in den dritten neret er als ein eyngeystender.

6

Elucidarius

[B 3ᵛ] M⟨eister⟩ Zehen namen hat die Hell. J⟨unger⟩ Wie
sindt sie genandt?   M. Sie heißt in der heyligen Schrifft /
Lacus mortis / ein See deß Todes / dann welche Seelen darein
kommen / die mögen ⟨d. i. können⟩ nimmer darauß. Sie heißt
Stagnum ignis / ein Hitz deß Fewrs / Wann als die stein deß
Meers grundt nimmer trucken werden / also erkülen die Seelen nimmermehr die darein kommen. Sie heißt Terra tenebrosa / das ist / eine finstere Erdt / Wann der weg / der zu der
Hellen gehet / ist immer voll Rauchs vnd gestancks. Sie heißt
auch Terra obliuionis / das bedeut die Erden der Vergessung /
Wann die seelen / die darein kommen / seyn verlorn / vnd
wirdt jr vor Gott nimmer gedacht. Sie heißt auch Tartarus /
das bedeut die Marter / Dann da ist jmmer weynen der augen /
vnd grißgrammen der Zän vor frost. Sie heißt auch Gehenna /
das bedeut ein ewig Fewer / Wann das hellisch ist so starck /
daß vnser Fewer ein schatten gegen dem Hellischen fewr ist.
Sie heißt auch Herebus / das bedeut Drachen / dann die Hell
ist voll fewriner Drachen und Würm / die nimmer sterben. Sie
heißt auch Baratrum / das bedeut die schwartzgienung / wann
sie gient biß an den Jüngstentag / wie sie die Seelen verschlin-
den mög. Sie heißt auch Styx / das bedeut on freude / da ist
ewig ohnn freude. Sie heißt auch Acheronta / das bedeut
gienung / Dann da fahren die Teuffel auß vnd ein / als die
Funcken in einem Ofen. Auch heißt dieselbig Hell Phlegeton / von einem Wasser das durchrinnet / das stincket von
Bech vnnd von Schwebel / Vnd ist auch also kalt / daß es alle
Hellische hitz wendet.

7

Jacobus de Theramo: Belial

[92ʳ] Lieben gesellen ir sehent wol das vnser feindt Jesus gar
mechtig ist / vnnd sich darnach stelt das er vnns verderbe /
vnnd das er vnns nyemant lass werden / darumb wöllen wir
vnns rechen an jm dann ich waiß wol das noch garlistig tüfel
vnder vnns sein / die vor groß sachen gethon haben / von erst
so hab ich gemacht das mich das gantz volck [92ᵛ] von Jsrael
hat an gebettet / vnd hat mir geopffert / vnd haben
der unküsch gepflegen mit den heidnischen iungk-   Ut Judicum
frawen von Moab. ◄ So ist auch vnder vns   ij. c.
ein durch bőser geist der grosse manschlacht zu
wegen hat pracht / das getőt wurden LXX / mann   Ut Judicum
vß dem geschlecht Jeroboam. ◄ Vnd haben auch   ix. c.
noch den geist den der Saul gereißt hat das er dem
Dauid hat nach gesetzt vnschuldigklich biß in den
tod. ◄ Auch haben wir den geist Asmod / der   Ut I.
getőt hat VII mann in irer vnküschen begird. Vnd   Regum
den geist Dagon von des reitzung XXX tausend   xiij. c.
mann seind erschlagen vß dem volck gottes vnd die
arch gottes gefangen. Vnd haben den geist Belial.
der dem Dauid sein hertz bekőrt vnd reitzt /   Ut II.
das er das volck begund zelen. vnd darumb seind   Regum
erschlagen worden LXX tausend mann. ◄ Auch   xx. c.
haben wir den geist / vnd mer dann einen / die den weissagen
Salomon haben betrogen. das er sich hat gezogen von dem
gotzdienst. vnd hat abgőttery angebetet. Noch ist sein vil
mer das wir mit wysen listen zu wegen haben pracht darumb
sollen wir nit vertzagen. Wann es sind die leüt die nun sind
alß gůt vnnd waich zůbetriegen alß die vordern. Seid ich
nun der helle herr bin gesetzt / so ist mein gefallen vnd gebot
das wir vnß teilen jn alle welt / vnd versůchen all list vnd
schalckheit vnd raitzen die menschen zů sünden vnd stercken vns wider Jesum vnd durchechten die seinen biß in den

tod. besitzen wir die hertzen der künig vnd der fürsten / vnd machen ire hertzen hert gegen Jesu. vnd gegen allen den seinen.

8

PETRUS DASYPODIUS: Dictionarium

[Teil I, L iij^v] Gehenna. Ein tal nit weit von Jerusalem gewesen / darinn ein platz / an wölchem man die schelmenbein / vnnd ander unsauberkeit auß Jerusalem gefürt. Et per Metaphoram: Das ort der verdampten / die brünnig helle vnd ewige pein.

[Teil II, F viij^v] Helle. Tartarus penultima correpta, masculinum, in plurali neutrum, Orcus.

9

PETRUS DASYPODIUS: Dictionarium

[Teil I, E i^r] Chasma, Ein klufft / oder grosser spalt / latine labes agri, uel hiatus terrae, cum uidelicet ager repente terrae motu subsidet, Hinc Chasmaticus terrae motus, Ein erdbidem / wölcher solliche spaltung oder riß in der erden macht.

10

PETRUS DASYPODIUS: Dictionarium

[Teil II, D iij^v] Fels / Petra.
harter Fels / Saxum, Saxulum diminutivum.
hoher Fels / Scopus & Scopulus.
spitziger Fels / Rupes.
rauher Fels / Cautes, Cotes idem.

[Teil I, D iij^v] Carcer, Ein kercker / gefencknuß.

[Teil I, F ii^r] Damno, as, avi / ich verwirff / schilte / verdam-
me / oder straffe. Ad eos maxime pertinet, qui iudicio convicti
sunt, Gehört fürnemlich avff die / wölche ordenlich vnnd mit
recht / oder offenem gericht verurteilt / oder gestrafft seind.

[Teil II, Q vii^v] Verderbnuß. Pernicies, Perditio, Exitium.

[Teil II, Q viij^v] verWerffung / Confutatio, Refutatio. ver-
Werffen / Damnare, Condemnare, Improbare, Refellere,
Recusare, Repudiare, Abdicare, Respuere, Metaphorice:
Explodere, Notare Carbone.

11

Jacobus de Gruytrode: Ain schöne matteri

[66^v] Von der manigfaltigen pein der entpfintlicheit spricht
sant Gregorius über das so Matheus am .viij. capitel spricht.
Sie söllent geworffen werden in eüsserliche finsternuß; da
man greiffen mög die gaisel, das schlagende grawsamlich
gesicht der teüffel. schendung der sünde. vnd verzweiflung
alles güten. Also werdent die verdamten voller armüt vnd
schmertzen. dann sie habent das wainen in den augen. griß-
gramen in den zenen. gestanck in der nasen. erseüfftzen vnd
klagen in der stimme. grausamlichs geschray in den oren.
erschrecken vnd forcht in dem hertzen. die band in den henden vnd füessen. die brunst des feürs in allen iren gelidern.
[. . .] [67^r] Darumb stat am büch der heimlichen offenwarung.
am .xvj. capitel. Sie habent geessen ir zungen durch schmertzen. vnd hond übell geredet vnd gescholten gott der himeln.
durch menig pein vnd schmertzen den sie geliten haben. vnd
so groß wirt die strengikeit der pein das die sünder das leben
des yederman begerend ist. verschmechent vnd verachtent.
vnd den tod den ain yeglichs förcht vnd entsitzt thond sie yn

inbrünstigklich wünschen. Nun stat aber am bůch der heimlichen offenwarung am .ix. capitel. Jn den selben zeitten so werdent die men[67^v]schen sůchen den tod. vnd werdent begeren ze sterben. aber der tod wird sie flihen.

Im vorstehenden Abdruck sind die höhergestellten (mittenstehenden) Punkte des Originals auf Zeile (Schriftlinie) gesetzt. Schräge Doppelstriche über v/u sind durch Punkte wiedergegeben. Das Original weist keine Bogensignaturen oder Blattzählung auf; letztere ist hier ergänzt.

12

HEINRICH SEUSE: Büchlein der Ewigen Weisheit

[239] »[. . .] Owe, wir gertin nit anders, wan were ein múlistein als breit als alles ertrich und umb sich als groz, daz er den himel allenthalben růrti, und kemi ein kleines vǒgelli ie über hundert tusent jar, und bissi ab dem stein als groz, als der zehende teil ist eins hirskǒrnlins, und aber über hundert tusent jar so vil, also daz es in zehent stunt hundert tusent jaren als vil ab dem stein geklubeti, als groz ein ganzes hirskǒrnli ist, – wir armen begertin nit anders, denn, so dez steines ein ende were, daz och únsrú ewigú marter ein ende hete, – und daz mag nit sin!«

Sich, daz ist der jamersang, der da nach volget dien vrúnden dis zites.

13

Elucidarius

[G III^v] [. . .] daß von dem Mon biß an das Gestirn / alles fewrin sey. [. . .] das merck bey der Sonnen / so die je tieffer scheint / so sie je heisser ist / so die je höher ist / so sie je kelter scheinet [. . .] [G IV^r] wann vns die Sonne nahendt ist / so

haben wir die Hitze / vnd wann sie ferr ist / so haben wir den
Frost / von diesen dingen theilt sich das Jar / in Sommer vnd in
Winter.

14

HARTMANN SCHEDEL: Buch der Croniken

[3ʳ] Amm andern tag sprach got. Es werde das firmament in
dem mittel der wasser: vnd taile die wasser von wasseren vnd
er hies das frimament ⟨!⟩ den himel. Got hat das firmament
gescheibelt. beweglich. andere empfintliche ding begreif-
fende gemacht. vnd auß zesammen gerunnen wassern in
gestalt des cristals befestigt. vnd dar inn das angeheft gestirne.
Nw wirt die spera des himels mit dem dar inn angehefften
gestirne in zwaien axen (der eine die mitternachtlich vnd die
ander die mittaglich hayßt) von auffgang in den nidergang mit
sölcher schnellikeit vmbgeweltzt. das sye die werlt zerpreche
wo die planeten mit irem gegenlawff sie nit verhinderten. vnd
der werckmeister der werlt hat die natur des himels mit wassern gemessigt das sie mit der hitz des obern feŭrs die vndern
element nit anzundete. [. . .]

[6ʳa] Vnderschayd himlischer vnd elementischer vmbkreys.
Das gantz leiplich geschöpff der werlt steet in zwayen dingen. Nemlich in himlischer vnd in elementischer natur. Die
himlisch natur wirdt geteilt in drey fŭrnemlich himel. Als in
den feŭrigen in den cristallinischen vnd in das firmament.
Jnnerhalb deß firmaments das der gestirnt himel ist werden
siben vmbkreys der siben planeten begriffen. Als Saturnus
Jupiter Mars Sunn Venus Mercurius Mond. Bey dem cristallinischen himel wird verstanden der erst teil der ersten materi
die nach sag des weysen geformt ist in zwen vmbkreys. vnder
den der öbrer genant wird das erst beweglich. Die natur diser
vmbkreis ist die: das sie alle bewegt werden außgenomen den
feŭrigen der rŭet. Aber die elementisch natur wird in vier
vornemlich sper geteilt als des feŭrs lufts erden vnd wassers.

Die sper des feůrs hat drey vnderschid. als den obersten. der
ist feůrig vnd den mitteln vnd vndersten der ist liecht. Der luft
hat auch drey vnderschid. der oberst ist scheynlich der mittel
vnd vnderst lůftig. in dem obersten ist die wyrm vnd das
liecht von nehe wegen der sunnen. vnd auch im vndersten
aber von widerscheyns wegen der glentz von der erden. aber
in dem mitteln vnderschid dahin der widerscheyn der glentz
nit raichen mag ist kelte vnd tunckelheit darinn sollen wonen
die teůfel die in diesen tunckeln luft verstôssen sind. Daselbst
werden auch vngestůmigkeit als donerschleg hagel schne vnd
der gleich. Darauß samelst du zwôlff vmbkreis: die die erden
vnd wasser vmbryngen die alle můgen himel genant werden.
Aber dise all vbertrifft der himel der trifeltigkeit. der got der
in allen vnd ůber alle ist. Mercke auch von gelegenheit der
vorgenanten vmbkreis vnd planeten von der erd zu dem
mond sind .xv^m. vi^c. xxv. meyl. Von dem mond zu mercurio
.vij^m. viij^c. xiij. Von mercurio zu venus auch souil. Von venus
zu der sunnen. xxiij^m. iiij^c. xxxvi. Von der sunnen zu mars
.xv^m. vi^c. xxv. Von mars zu iupiter. vi^m. viij^c. xxij. Von iupiter
zu saturnus auch souil. Von saturno zum firmament. xxiij^m.
iiij^c. xxxvi. Auß dem volgt das von der erden bis an den
gestirnten himel sind C^m. viiij^m. iij^c. lxxv. meyl.

15

HARTMANN SCHEDEL: Buch der Croniken

[1^r] Ein kurtze beschreybung des wercks der sechs tag von
dem geschôpff der werlt die vorrede.

⟨D⟩Jeweill bey den allergelertisten vnd fůrnamsten mannen die die waren natur vnd geschicht beschriben haben von
geschopff der welt. vnd von erster geburt der menschen
zwayerlay wone ist. So wollen wir von disen vordern zeiten:
den anfang nemende auf das kůrtzst schreiben: Souil sich von
souer (alters halben) enthlegnen dingen gezimen wil. Etlich

haben gemaint das die werlt vngeporn vnd vnzerstörlich: vnd
das menschlich geschlecht von ewigkeit her gewesen sey. vnd
anfang einichs vrsprungs nit gehabt hab. Etlich mainten die
werlt geboren vnd zurstörlich seyn. vnd sagten das die menschen anfang der gepurt genomen hetten. [. . .] Aber wiewoll
wir gar vil nit allain lateinisch vnd kriechisch sunder auch
Caldeysch vnd hebreysch alt vnd new gelert sehen die zu
erzelung diss dings geschriben haben. So wöllen wir doch die
alten irthumb verlassen vnd beschawen die verporgen mosayschen schrifften von der werlt geschöpff vnd von den wercken
der sechs tag sagende. dar in die heimlichen ding der gantzen
natur begriffen werden. [. . .] Es ist auch zefragen warauß got
dise so grosse vnd so wunderperliche ding gemacht hab. dann
er hat alle ding gemacht auß nichten. darůmb ist garuil
gerechter vngeachtet der vnentpfintlichen vnd eiteln ding die
augen do hin zuwenden da der stul. da die wonung des waren
gottes ist. der das ertreich mit bestendiger vestikeit. auffge-
henckt den himel mit scheinenden sternen vnderschiden die
allerclarsten sunnen vnd ainig liecht zu beweysung seiner
ainigen mayestat den menschlichen dingen angezůndet. das
ertreich mit dem mere vmbringet. die wasserflůs mit ewigem
abfal zefliessen gebotten vnd den feldern sich auß zepraiten.
den tallern sich zesencken. den walden sich mit lawbgewachs
zebedecken. vnd die staynigen perg auffzesteigen verschaffet
hat.

16

Petrus Dasypodius: Dictionarium

[Teil II, T vii^{r–v}] Ameiß / Formica; Bien / Apes [. . .] Egel /
Hirudo; Ků Fliege / Tabanus; Floch / Pulex; Heimel / oder
Grill / Gryllus; Hewschreck / Cicada; Imme / Apes [. . .]
Muck / Musca [. . .] Raup / Eruca; Spinn / Araneus [. . .]
Wespe / Vespa.

17

Elucidarius

[B III^v] J⟨unger⟩ Wo ist die ober Helle? M⟨eister⟩ An mancher statt der Erden / auff den hohen bergen / vnd in den Jnseln bey dem Meer / da brennet Schwebel vnd Bech / da werden die Seelen in gepeiniget / die da von Gott behalten sollen werden.

18

Elucidarius

[B IV^r] M⟨eister⟩ [. . .] Der Himmel ist also geschaffen / daß er jmmer laufft / von Osten bis zu Westen / da entgegen laufft / die Sonn / vnd der Mon / vnd das gestirn. J⟨unger⟩ Wie kompt das / wir sehen doch wol / daß Sonn vnd Mon von Osten ghen Westen lauffen? M. Das kompt von dem Himmel / Dann der Himmel ist so kräfftig / daß er die Sonn / Mon / vnd das gestirn jhres gewalts hinführet / wie doch jhr recht wer / daß sie zu Osten vndergieng. J. Durch was geschuff Gott dieses also? M. Durch das die Himmelischen geschöpff nicht zerbrechen / Dann strebet die Sonn / vnnd Mon / vnnd das gestirn nicht wider den Himmel / so lieff er so baldt ⟨*d. i. schnell*⟩ / daß ers alles zerbreche.

19

Elucidarius

[C I^v] M⟨eister⟩ Die Welt ist aller vmbschlossen / vnd ist recht sinnwel ⟨*d. i. rund*⟩ / ist beschlossen mit dem Wendelmeer / darinn schwebet die Erden als der dotter in dem Ey. J⟨unger⟩ Wovon ward die Erd befestigt / daß sie nicht ent-

weich? M. Die Erde helt nichts auff / dann die Gottes krafft /
dann sie schwebet in der Wag 〈*d. i. Meer*〉 / vnd rinnet deß
wassers so viel darumb / wer oben in den Lůfften wer / jhn
gedeucht die Erde nicht breyter dann ein Pfenning.

20

Elucidarius

Überschriften der einzelnen Abschnitte in Kap. 8:

Bőhem. Osterreich. Merhernlandt. Schlesierlandt.
Franckenlandt. Schwabenlandt. Beyerlandt. Lithauw
oder Lithuania. Eyflandt / sonst Liuonia oder Lyflandt
genandt. Preussen Landt / sonst Prusia geheissen. Samo-
githia. Moscouia / Moscowiter. Reussen / Rusia oder
Ruthenia genandt. Meissen. Thuringia / Thůringen.
Von Saxonia / Sachsen. Frießlandt. Holandt. Westphalen vnd jr Gericht. Seelandt. Brabantia / Brabandt /
sonst Rhetia genanndt. Flandria / Flandern. Francia oder
Gallia / das ist / Franckreich. Pariß die Statt oder Sicam-
bria genandt. Engellandt / Hibernia / Scotia. Hispania.
Lusitania oder Portugalia. Welschlandt. Venedig. Po-
lonia / das ist / Polen. Hungaria / Vngerlandt. Grecia /
Hellis oder Attica / Griechenlandt.

21

HARTMANN SCHEDEL: Buch der Croniken

[23ʳ] Trier ist also ein alte statt das sie vor zukunft cristi .jᵐ.
ixᶜ. xlvij. iar zu Abrahams zeiten [...] zepawen angefanhen
ist. [...] da selbst sind auch vil anzaigung ires alters. [...]
daselbst wird gezaigt ein pallast wunderperlichs wercks zu

gleichnus der Babilonischen mawrn auß gepachen ziegel
gemacht. noch hewt bey tag söllicher festikeit wesende das es
nit allain den feind nicht förchtet. sunder auch mit keinem
werckzeůg geprochen werden mag. [. . .] Daselbst wird auch
ein pforten gezaigt die auß vnglewplicher grösse der stein mit
eysen zusamen gefůeget die leichnam sand Simeonis vnd des
erwirdigen bischoffs Popionis in der kirchen von dem selben
bischoff gemacht inn sich helt. [. . .]

[39ʳ] Parys die königlich vnd hohberůmbt stat der Gallier
[. . .]. Vnd Karolus der groß hat nach empfagung seiner kaiserlichen kron derselben stat von irer wolgelegenheit wegen
ein gemeine hohe schul aller römischen auffgerichtet. [. . .]

[39ᵛ] Mayntz die ertzbischoflich hawbtstat [. . .]. da beyhin
fleůßt nit ein vnedler fluss den sie Mayn nennen. [. . .]

[42ʳ] Neapolis ist ein alte vnd hohberůmbte stat des lands
Campanie. [. . .] Aber yetzo von. iijᶜ. iaren her ist dise stat mit
königlicher wirdigkeit erleůchtet. vnd mit vil kirchen. vnd
großen hohen gemeinen vnd sunderen gepewen vnd hewsern
die andern gepewen welscher stett wol zegleichen seyen löb-
lich vnd herlich gezieret. [. . .] Daselbst ist auch ein gschloss
oder burg das new castell genant. ain lob vnd gedechtnus
wirdigs werck mit seinen newen gepewen vor andern alten
gepewen welscher land wol zepreyßen. ich gesweyge der
höhe. dicke. schöne. weyte vnd mancherlay zierde der thůrn.
mewre. pallast. schlafkamer vnd aller andrer gepew darin.
Vesuuius der berg des lands Campanie. der von allem anderm
berg ledig ist ligt auff tausent schrit bey diser stat. der ist vol
weingarten. ölpawm vnd ettlicher anderer fruchtperer pawmen. vnd vor andern pergen wunderperlich an fruchtperkeit
des weins. den sie den kriechyschen wein nennen. [. . .]

[43ᵛ] Venedig zu vnsern zeiten die berůmbtst stat. [. . .]

[44ʳ] Aber kůrtzlich ein wenig von vil dingen zemelden so
ist sich von diser stat Venedig vnd von irem geleger vnd gepew
mer zeuerwundern. dann dauon zesagen oder zeschreiben.
dann dise stat ligt geringßůmb imm meer. also das allerlay
kaufmanschatz vnd notturft zu menschlicher enthaltung nit

allein auff dem meer sunder auch auff andern dohin zuflie-
ßenden wassern. auß den nahend vmbgelegnen landen vnd
gege⟨n⟩ten daselbsthin gebracht werden. darümb ist es wol
ein wunderperlich ding das in diser stat darinn schier gar
nichts wechst dannoch aller zu menschlicher enthaltung
noturftiger ding ein überflüssigkeit oder genugsamkeit gefunden wirdt. ich wil geschweigen der weyten hewßer. der hohen
thürn vnd zierde der gotzhewßer vnd gepewe enmitten in den
wassern gegründet vnd aufgerichtet. die den ihenen die die
ding nit gesehen haben kawm glauplich sind. [. . .]

[44ᵛ] Padua ein fast alte treffentliche vnd weitgesüchte stat
welscher land [. . .]. Darnach haben die Charrarier vnder dem
tittel der hawbtmanschaft diser stat gepflegen vnd sie bey .c.
iaren beseßen vnd habhaftiger reicher vnd zierlicher gemacht.
dann auß vleis derselben Charrarier sind zum größeren teil
erhebt vnd geziert die zynnen damit die stat mit trifeltigem
vmbkrais vnd mawr befestigt ist. vnd wiewol Tymanus durch
sie hinein fiel. yedoch sind durch vil vnd mancherlay graben
mit grosser überschwencklicher arbeit gemacht die wasser
vmb die stat an manchen örtern der stat. zu zier vnd füg von
denselben Charrariern gefürt vnd gelaitet worden. Jn diser
stat ist ein garfeste burg. vnd ein pallast vnder den walhen der
erst. vnd ire gepew sind mancherlay. Keyser Henrich der
vierd ein teütscher hat die thumkirchen alda gepawen. da
ist auch ein rathaws schöner den keins in der werlt. das darnach verprannt wardt. vnd doch die Venediger köstlicher
wider gepawet. vnd die gepayn Titi liuij an ein sichpere stat
gelegt haben. Daselbst ist auch sannd Anthonis ein so löbliche kierch das ir gleich selten in welschen landen gefunden
wirdt. [. . .]

[57ʳa] Rom die statt in der gantzen werltt berümbt ein her-
rin aller ding in welschen landen bey dem fluß Tyberis gelegen [. . .] Die Tyber fleusset von mitternacht in die stat vnd
rinnet auff der mittaglichen seyten gegen der stat hostiam
widerhinauß. also das sie die zwen perg Vaticanum vnd Jani-
culum ihenßhalb auff der rechten seyten findet. Aber auff der

lingken seyten begreyft die statt imm krais siben berg oder
pühel. Plinius schreibt das die stat .xxx. pforten offen vnnd
siben besloßen gehabt hab. Aber nach dem sich die statt von
weyln zu weyln gemeret hat deßhalb die pforten die innerhalb
dem letsten vmbkrais der mawren bliben sind ir gestalt verlorn haben. vnd so dann auch dise stat darnach zerstört worden ist so wollen wir sie alle zeerforschen vermeyden. die erst
pfort heißt Flumentana. die ander Pinciana. die dritt Solaria.
die vierd Viminalis yetzo sand Agnesen oder numentana
genant. die fünft Exquilina yetzo sand Laurentzen. die sechst
Nenia. Die sibent Asniaria. ytzo sand Johansen. vnd von den
alten Celimontana gehaissen. die acht die man yetzo in eim
winckl besloßen siht heißt die pfort Metrodori. die die alten
Gabiusam nennten. darnach die Lateinisch pfort. Jtem eine
Apia weylund Capena genant: die letst in der Tyber ettwen
Hostiensis vnd sand Paulßen gehaißen dann sie füret zu seiner
kirchen vnnd gein Hostiam. Jtem noch eine ist in der Tyber
genant Carmentalis. zum letsten Triumphalis die Sygpforten.
vnd vnder den andern die allerberümbtst vnd noch bey vnsern
zeiten ist durch die die Triumpff vnd sygspil geübt warden.
Da mag man sehen das groß gepew amm ewßern gestadt der
Tyber. vnd auch ein prucken daselbsthin bis zu dem spital des
hailigen gaists belaytende. auch den weg den man das syghaft
ertreich nennt. dasselb ertreich vnd was daran hangt heißt
man Vaticanum von dem berg also genant. der an sand Peters
kirchen ligt. vnd vor allen dingenn emßigelicher besucht vnnd
heiliger geachtet wirdt von wegen sand Peters heiltums vnd
seyner hohen kirchen vnd des babsts pallast. den babst Nicolaus der ander gestift vnd einen großen lustgarten mit mawrn
vmbfangen hat. [. . .] [57ᵛ] amm eüßersten ort desselben bergs
ist yetzo die kirch Lateranensis also gehaißen. dann sie ist auff
des edelsten volcks lateranensier poden erpawt worden. Dise
erwirdig kirch behellt die hewbter der apostel. vnd sunst vil
heiligthums. ist an gepew vast hoh in der gantzen werlt
berümbt. [. . .] also ist sie von ine etwen fast bewonet worden.
Nw aber sind die pallast ettwen vmb dieselben kirchen gele-

gen. zumm merern teyl eingefallen. [...] Jtem auf dem berg
exquilinus genant. der der grôßist ist ligt die berûmbtst kirch
sand Marie der grôßeren genant. an disem perg sind vil [58ʳ]
vnd wunder perliche gepew gewesen. vnnd erstlich vomm
thurnn der ritterschaft aufwartz werden gesehen. die verfal-
len gepew der pallacien Constantini des keysers. vnd groß
marmorsteinin sewln halbnackennder alter. [...] so siht man
noch ein außberaytte sewln begangner geschihten. [...] So
liset vnnd sihet man gar vil sigpogen vnder den etwen die
Rômischen keyser nach irer ûberwindung der feind in die stat
Rom mit freûden gefûrt warden. [...]

[72ʳ] Mayland die machtig statt bey den Jnsubriern dess
gantzen herdißhalb dem gepirg gelegen Gallie [...]. Babst
Alexander der fûnfft schreibt das Mayland also eins natûrli-
chen gûten gelegers sey das alda weder entzundung der hytz
noch scherpffe der keltt vbertreffe vnd darûmb so sey daselbst
gar ein wolgemassigts ende vnnd fast guter luft vnd frischs
gesûndlich wasser vnd .xvij. gar schône see. vnd .lx. wasser-
flûss die erden begießende werden in derselben gegent gefunden. Jn was plûendem wesen aber dise statt ettwen gestanden
sey vnnd noch stee das zeigen an die große der tempel. die
weitte der kôniglichen hewser. [...] Amm iungsten haben die
hertzogen ein gar hohe burg daselbst vnd ein fast lôblich spital
in vnßer lieben frawen kirchen gepawen vnd mit vil andern
dingen geziert.

[86ᵛ] Florencia die edel vnd fûrnamste statt vnder den stetten Etrurie [...]. Jn diser statt sind außerhalb andrer
vnglewplicher zierden ein berûmbte thumbkirch. mit eim
wunderwirdigen schwinbogen oder gewelb gezieret. vnd in
der ere der hohgelobten gloriwirdigen iunckfrawen Marie
geweyhet. darnach imm vierden iar wardt ein hoher pallast.
darinn die vôrdern des regiments wonen zepawen angefangen
vnd nach [87ʳ] folgend imm fûnften iar. das ist das jᵐ. lxxi. iar
nach cristi gepurt ein pawmgart gepflantzt. die statt an zinnen
erweytert vnd vber sand Lorentzen kirchen an dem gestadt
des fluss mit ewigem vmbgang gelaytet. vnnd darnach im

xxxi. iar ein kôstlicher marmorsteininer glocken thurn auffgerichtet. alda dann der zaiger finger des vorlawfers cristi in
großer ererbietung gehalten wirdt. in des ere ein kôstlicher
tempel. den sie baptisterium nennen. an eim gelegnern ende
der statt geweihet ist. daran die thore von fester glocken speiß
oder ertze gemacht. vnnd die historien des neven vnd alten
testaments mit vnaußsprechlichem werck darein ergraben
sind. [. . .] Das feld darinn Florencia ligt tregt fast gůten wein.
die fůrsichtigkeit der Florentiner ist in vil dingen loblich vnd
preyßlich. vnnd sunderlich in außerlesung irer cantzler vnd
schreiber. [. . .]

[88ʳ] Lugdunum. das ist Lyon die statt Gallie ihenßhalb des
gepirgs nahend bey Vienna ist zu den zeiten keysers Augusti
octauiani (als Eusebius sagt) von Numancio plauco an einem
berg do die zwen flůss Arar vnnd Rhodanus zusamen lawffen
gepawt worden. [. . .] daselbst ist auch ein tempelein treffen-
licher wirdigkeit habende einen tittel .lx. vôlcker an einer
seůln. [. . .]

[90ᵛ] Agrippa oder Colonia. das ist Côln. auff der lingken
seyten amm Rheyn [. . .]. Alda enmitten in der statt syht man
den schônsten vnd doch nochmals nit gar außgepawen tempel. den sie den hohstifft nennen. daselbst sind der heyligen
dreyer konig leichnam. vomm aufgang bis zum nidergang der
sunnen in dreyen sprůngen dahin gefůrt. die dann (als wir
lesen) den himlischen konig ettwen in der krippen wech-
tzende mit gaben geeret haben. [. . .] So hat sand Vrsula mit
den aylfftausent iunckfrawen. vnnd etliche andere daselbst
die kron der marter verdient. aber sich ist zeuerwundern der
burgerlichen syttlichkeit. gestalt [91ʳa] der statt. tapfferkeit
der mann vnnd der weiber hůbschheit vnd sauberkeit
daselbst. [. . .] Bey Côln ist ein stat Ach genannt. ein stůl des
großen kayser Karls. vnd daselbst in einem marmolsteinen
tempel ein wunderwirdigs grab desselben fůrsten. der selb hat
geordnet das sein nachkomen amm reich da selbst die ersten
kron vnd wirdigkeit des rômischen kayserthumbs annemen
sollen. als dann noch hewt bey tag beschiht vnd fůro besche-

hen wirdt. alle dieweil die teütsch nacion den zawm des Römischen reichs hanthabt.

[122ʳ] Jenff die hohberůmbten statt der Sophoyer hat der kaiser Aurelianus vnder den Galliern in disem iar zepawen geschaft. [...] Dise statt ist der Schweitzer gegenten nahennd gelegen. [...] Dise statt ist von grôße schône vnd der bůrger menig wegen nwmaln ein gewerb statt oder kaufhaws des gantzen Sophoyschen lands. dahin dan von manigfeltiger meße wegen vnzalliche reichthůmer gebracht werden. [...] Dise statt ist in irem geleger also geschickt das sie von vndenan einen berg auff raichet. vnd hat fast fruchtpere weinwachs. Daselbst ist auch ein bischoflicher stůl. [...]

[139ᵛ] Straßburg die fast alt vnd machtig statt bey den schweitzern amm reyn gelegen [...]. vnd in der selben statt ein kamer der rômer zu bezalung der tribut. zinss oder steůr gemacht. Von dannen her ist diser statt der namen Argentina. das ist nach dem latein souil als silbergrůb entstanden. [...] Vnd athila gepote ernstlich das die mawer bey seinem leben nit gepawet werden solt. Dieselb statt solt auch nit mer silbergrůb oder silberburg. sunder von der vile wegen der eingeng vnd straßen durch die mawr straßburg genant werden. [...] Daselbst ist auch ein edels bistumb. [...]

[243ᵛ] Basel ist ein weyte vnd fast namhaftige statt schweytzerlands an eim kônigclichen ende erpawt. [...] wiewol man in der gemainde sagt. das ettwen ein Basilisck alda verborgen gelegen sey von dannen her diser statt ir namen entstannden vnd bliben sey. Der Rhein fleůßt schier mitten durch dise statt. [...] Diser ⟨!⟩ statt ist in vnßern zeiten mit zygelstaynin mewrn. fast schônen behawsungen. großen clôstern vnd kirchen. mit weyten spitalen vnd andern einer statt nottůrftigen dingen mit großem vmbkrays vnnd zynnen vnd mit tieffen greben geziert vnd befestigt vnd hat zwischen den pergen ein weyte feldung. an getrayd vnnd gůtem wein fast fruchtper. Aber wiwol in diser lôhlichen ⟨richtig: löblichen⟩ vnd alten statt vil anzaigung vnd vberbleibung ser alter gepew erscheinen so sind doch dieselben auß pawfelligkeit vnd erdpidem.

auch auß alter also entstelt das man nicht erkennen kan was
gestaltnus vnd zu welchem geprauch dieselben gepewe gemacht seyen. Aber dise statt ist wunderperlich geauffet vnd
nach dem erdpidem wider erpawt. vnnd zu vnßern zeitten
daselbst ein hohe schůl auffgericht. [. . .]

[244ʳ] Aber in der klainen seyten ist ein fast treffenlichs
cartheüßer closter. [. . .]

[240ᵛ] Costnitz ist ein statt teůtscher land nit fast groß sunder habehaftig vnd wolgestalt. Bey diser statt fleůßt der Rhein
auß dem See vnd kůmbt wider in seinen fluss. Alda ist ein
prugk von der statt pforten vber den rhein [. . .] Diser see ist
.xxᵐ. schrit lang. vnd ettwo .x. vnd ettwo .xvᵐ. schrit prayt.
[. . .] Zu anzaygung des alters vnd vrsprungs diser statt find
man ein marmorstaynine tafel mit alten bůchstaben daselbst.
auß den erscheint das dise statt von Constantio. des Constantini vater der von Dyocletiano vnnd Maximiano kaiser genant
ist, den namen empfangen hab. [. . .]

[190ᵛ] Ulm ist ein ziere des schwaben lands vnd ein kaiserliche reichs statt. vnd wiewol einich aygentlich anzaygung irs
vrsprungs vnd anfangs nit vorawgen ist. yedoch wird ir alter
vnd wirdigkeit vermůtet bey irem namen den sie von der
aigenschaft naturlicher befeuchtigung irer lettigen erden zu
felber gewachs geschickt gehabt vnd nach hinlegung der
grobhait auß lateinischer art den namen Vlma von demselben
felberwachs erlangt hat. [. . .] An einem ort der mawrn fleůßet
hin ein schiffreich wasser die Thonaw reich an wolgeschma-
chen vischen. [. . .] Es rynnet auch darein durch die statt der
fluss des wassers die plaw genant. Darzu ist dise statt mit
tieffen greben vnd hohen thůrnen bewaret vnnd mit zierli-
chen hewßern erfüllet. Vnder andern schönen gepewen ist
daselbst der heilligen gottes gepererin Marie pfarrkirch ein
großer paw. vnd als man zalt von cristi gepurt tawsend drew-
hundert sibenundsibentzig iar angefangen vnd bis yetzo zu
volendung diss buchs auffgerichtet. vnd sol vnd mag nach irer
visirung derhalben gemacht bis das der thurn daran volendet
wirdt außgepawet werden. mit solcher großer mercklikher

vnd vnzalberer arbeit kunst vnd kostung bißher vnd hinfůr
zum ende das der gleichen kawm in der werlt gefunden wir-
det. fast hoh vnd mit grossen gewelben beladen vnd also weyt
daß sie [191ʳ] gross volck. der vil tawsent zu feyerlichen tagen
darinn zusamen kômen begreiffen mag. Vnd ist kawm ein
einiche kirch die souil pfarlewt hat. Jn derselben kirchen
sinnd zwayundfůnftzig altar vnnd zwuundfůnftzig gestifter
pfrůnden. darinn ist auch ein mercklich kôstlich vnd wercklich sacrament gehews. [. . .] Ulm hat auch klůg ratgeben die
des gemainen nutzs mit fůrsichtiger regirung pflegen. darumb
ist Vlm in kurtzen zeitten auß armůt zu reichthůmern. vnd
von dienstperkeit zu herrlichkeit erwachßen. also das Vlm
yetzo vil reicher stett an ewigen zinsen vnd gůlten vbertrift.
Vlm hat drey grafschaft schier mit allen iren anhengen vmb
par gelt erkawft. [. . .]

[160ʳ] ⟨W⟩ Vrtzburg die vornemlich vnd berůmbt statt des
orientischen franckreichs. Franckenland genant. ist an dem
fluss des Mayins. der auß dem behmischen gepirg entspringt
gelegen. [. . .] so ist der erdpoden nit fast faist. sunst zumm
mereren teil sandig. An vil enden sind die berg mit weingarten
besetzet. die gůten wein gepern. vnd allermaist bey Wůrtz-
burg. Vnd wiewol diss land in vil herrschaft geteylt ist so
haißt man doch den Wůrtzburgischen bischoff einen hertzog
zu Francken. Nach dem dieselb edel statt des bischoffs stůl
ist. [. . .] Auch ist bey der statt auff eim hohen berg (den man
vnßer frawen berg hayßt) ein geschloss mit kunst vnnd gepew
befestigt. vnd anschawens wirdig. Allda dann der bischoff
sein‘anwesen gewônlich hat. [. . .] Daselbst sind auch vil
weytte vnd gezierte wonung. Auch vnder dem geschloß fast
weyt keler. vnd vil stallung. Dise lôblich statt hat drey chor-
herrisch kirchen. on die bischoflichen thumkirchen. vnd die
vier petl ôrden. Auch sant Benedicten orden. zu sant Stephan.
vnd carthewßer. teůtsch herren. vnd sant iohansen. mit den
schotten. Auch funff frawen clôster. Jn diser statt sind auch
funff pfarr vnnd zway spitall. Auch der iunckfrawen Marie
capell mit eim thurn wunderwirdigs gepews. [. . .]

[100ᵛ] Nurmberg ist in gantzem teûtschen land vnd auch
bey eûßern vôlckern ein fastnamhaftige vnd weyt besuchte
stat. [. . .] Ettlich maynen das der statt ir namen von derselben
burg entsprungen sey. So sprechen ettlich. das sie von Tiberio
nerone dem kayser nach Resgenspurg ⟨!⟩ gepawet. oder von
Druso nerone seinem bruder (der die teûtschen bestritten hat)
Neroberg genant worden sey. [. . .] [101ʳ] Jn diser statt sind vil
weyte vnd wolgezierde gotzhewßer. auch zwu pfarr. sant
Sebalds vnd sand Laurentzen kirchen. [. . .] Auch ein koniglicher wolgezierter sal der allerhailigsten iunckfrawen Marie
amm marck mitsambt einem aller schônsten prunnen. Dise
statt frewet sich nicht wenig irs konigclichen patrons sant
Sebalds der in seinem leben vnd mit wunderwerken also
erleûchtet gewest ist das er auch dise statt erleûchtet hat. Sie
frewet sich auch der keyserlichen zaichen. als des mantels.
schwerter. scepters. der ôpffel vnd kron des großen keyser
Karls die die zu Nûmberg bey ie haben. vnd die in der
krônung eins rômischen konigs von der heiligkeit vnnd alters
wegen einen glawben geben. so wirdt auch dise statt sunderlich hohgezieret mit dem vnerschetzlichen vnd gôtlichsten
sper. das die seyten Jhesu cristi am creûtz geoffent hat. Auch
mit einem mercklichen stuck des creûtzs [. . .]

22

HANS SACHS: Lobspruch der statt Nürnberg

Abdruck nach: Keller/Goetze, Bd. 4, S. 192 ff.

[192] Schaw durch die gassen uberal,
Wie ordenlich sie sein gesundert
Der sein acht und zwaintzig fünff hundert
Gepflastert durch-auß wol besunnen,
Mit hundert sechzehn schöpff-brunnen,
Wellich stehen auff der gemein
Und darzu zwölff rörprunnen fein,

Vier schlag-glocken und zwo klein hor.
Zwey thürlein und sechs grosse thor
Hat die stat und eylff stayner prucken,
Gehawen von grossen werck-stucken.
Auch hat sie zwölff benandter bergk
Unnd zehen geordneter märck
Hin unde wieder in der stat,
Darauff man find nach allem rat
Allerley für die gantze menig
[193] Zu kauffen umb ein gleichen pfennig,
Wein, korn, ops, saltz, schmaltz, kraut, ruben,
Auch dreyzehen gemein bad-stuben,
Auch kirchen etwan auff acht ort,
Darinn man predigt gottes wort.
So bedeudt jhenes wasser groß
Den bach, so durch den garten floß,
Das fleust dort mitten durch die statt
Und treybt acht und sechtzig mülrat. [...]

[194] Darnach in hauptmanschafft gar fleissig,
Der sind hundert und zwo und dreissig. [...]

[197] Bedeut der gantzen stat Nürnberg
Gewalt, macht, reichthumb, krafft und sterck,
Wann sie ringweiß umb sie ist haben
Zwo ringkmawer, ein tieffen graben,
Daran hundert achtzig und drey
Thürne und viel starcke pastey. [...]

So wirdt die stat bey tag unnd nacht
Gar wol behütet unnd bewacht.
Auch hat die statt on undterlaß
Ir eygen reutter auff der straß. [...]

23

Hartmann Schedel: Buch der Croniken

[91ᵛ] Augspurg ein löbliche hohberůmbte. vnd obrer teůtscher land gar alte statt. [...] als die schwaben in das rieß
komen vnnd daselbst von wegen dess zusamanlawfs zwayer
schneller flůss. der Synckelt vnd des Lechs. ein schicklichs
vnd zu beschirmung auß natur befestigts ort vermerckten.
haben sie erstlich dise statt daselbst gepawen vnd die nach
denselben zwayen wassern Vindelicam genent. [...] Nach
dem nw die streypern weyber Amazones genant Europam
verfolgten. haben sie vnder irer kônigin Marsepia die schwaben [...] auß diser statt bis an das gepirg zeweichen gezwun-
gen [...] Nw erwelten sie ine die gôttin Zizam. die maynen
sie Cererem gewesen sein. Von derselben gôttin wardt die stat
Zizaria genambt. vnd ist ir tempel bis an die zeit der Rômer
vnuerletzt bliben. vnd darnach auß veraltung eingefaln. vnd
hat behabt den namen eins bergs den die inwoner zu Augspurg noch hewt den Eysenberg heyßen. [...]

[92ʳ] vnd nach dem sie dann auß den anfengen Augusti
vberwunden vnnd gemeret was so ist dise statt Augusto
Octauiano zu eren Augusta genant worden. [...]

[97ᵛ] Regenspurg [...] Dise statt hatt siben namen gehabt.
Zu erst wardt sie genant von irm erpawer Tiberina oder
Tuburina. dann Tiberius liuie des weibs Augusti rechter vnd
desselben Augusti stief sun wardt von Augusto mit grossem
heer wider die Norckawer oder Bayern vnd Lechfelder gesen-
det vnd nach erniderlegung derselben dise statt von ime gepawen vnd nach ime Tiberina genant. Zum andern ist sie
langzeit Quadrata das ist die vierecket statt gehaißen worden
darumb das sie in vieregckete gestalt vnd mit einer mawr von
großen quadersteinen vmbfangen gewesen ist. [...] Zum
dritten Hyatospolis oder Hyaspolis von wegen der groben
sprach des volcks in der nachpawrschaft auff dem gew
wesende. das seine wort mit weyttem zedentem mund außre-

det. [. . .] Zum vierden Germanßheim von dem teŭtschen volck. die man Germanos haißt. [. . .] Zum fŭnften Reginopolis das ist souil als konigßpurg von vilfeltiger zusamenkomung wegen daselbst der fŭrsten vnd konig. als die hŏff thŭrn vnd hohe gepew der herren anzaigen. Zum sechsten von dem fluss ymber das ist zu teŭtzsch regen. ymbripolis das ist Regenspurg. dann derselb fluss Regen fleŭßt gegen mitternacht in die Thonaw. Daselbst ist ettwen dise stat angefengt vnnd ir der namen Regenspurg dauon biß hieher bliben. Zum sibenden Ratißbona von den schiffen oder flŏssen die kaufmanschatzs halben. vnd zu den zeiten des großen keiser Karls zu den kriegen daselbst zusamen komen vnd darumb als festigclich gelegen vnd mit gepewen bestercket auf disen hewtigen tag zu latein Ratißbona genant wirdt. Thonaw der [98ʳ] groß fluss teŭtscher land. entspringt an dem teŭtschen gepirg. vnd nymbt .lx. flŭss die schier alle schiffreich sind in sich vnnd fleŭßt vor diser lŏblichen statt hin. vnd ist dabey vber dieselben Thonaw ein fast starcke steinine prugk mit vil schwynbogen. angefengt nach der gepurt cristi tausend hundert vnd in dem .xv. iar. [. . .] Von derselben zeit her hat dise edle statt große auffung vnd zunemung empfangen. vnd wirdt auch gezirt mit einer bischoflichen kirchen. darnach in der ere sant Peters geweihet. vnd dauor sant Remigien kirchen genant. gar ein hohberŭmbt werck in der statt nochmals nit volbracht. [. . .]

[225ᵛ] Mŭnchen die statt des ŏbern teŭtschen lannds an dem fluss der yser gelegen ist vnder der fŭrsten stetten in teŭtschen landen hohberŭmbt vnd in bayerland die namhaftigst. Aber wiewol dise stat fŭr new geachtet wirdt so fŭrtrift sie doch andere stett an edeln gemaynen vnnd sunderlichen gepewen. dann alda sind fast schŏne behawsungen. weyte gassen vnd garwolgezierte gotzhewßer. [. . .]

[152ᵛ] Saltzburg ettwan iuuauia vnd petena genant ist ein fast alte statt des norgkews vnd yetzo ein bischofliche hawbtstat des bayerlands. [. . .] Der wasserfluss iuuarus ⟨*d. i. Salzach*⟩ genant darob das geschloß ligt. hat ime auch den

namen gegeben. von dem die statt darnach erpawen iuuauia
genant wardt. Dise stat hat weyer. see. ebne pühel vnd berg
von den [153ʳ] die Saltzburger vnd ir nachpawrschaft wunn
vnd wayd. fogel vnd willprett. vnnd an mancherlay enden
vischung gar füegclich haben mügen. [...]

[98ᵛ] Wienn ist ein weitberümbte statt in österreich an dem
fluss der Thonaw gelegen. Derselb fluss [...] berürt vil tref-
fenlicher stett. vnder den ist kein habhaftigere. kein volck-
reichere. kein eltere dann Wienn. [...] Dise statt ist ettwen
(als man in den alten freyhaiten der hertzog findet) Flauianum
genant worden. nach Flauio dem landfogt der diser gegent
vor was vnnd die statt anfienge. [...] Dise großmachtig statt
ist in irem vmbkrays der mawrn zwaytausent schrit weit
vmbfangen. hat auch groß vnd weyt vorstett mit eim graben
vnd schüt bewaret. so hat die statt auch einen großen graben
vnd daran ein fast hohe auffgeworffene schütt. vnd dick vnd
hoh zinnen. vil thürn vnd vorweer zum krieg geschickt.
daselbst sind weyte vnd zierliche burgerßhewser. [...] so
sind die hewßer gemalet. also das sie innen vnd außen scheinen. [...] Jn diser statt ist auch ein hohe schul der freyen
künst. [...] [99ʳ] So werden .xviij. mann zum rat gewelet.
[...] Bey zwolfhundert pferden gepraucht man taglich zum
werck des weinlesens. [...] Die weinkeller sind also tieff vnd
weit. das (als man maynt) zu Wienn nit minder gepews vnder
der erden dann darob sein sol. Die gassen vnd strassen
daselbst sind auch also mit hertten stayn gepflastert das das
pflaster mit den raden der geladen wagen nit leichtlich zertri-
ben werden mag. Jn den hewsern ist vil vnd rayns hawß-
geschirr. weyte stallung der pferdt. vnd allerlay thier. allenthalben schwinbogen. gewelb vnd weyte lustgemach vnd
stuben darinn man sich wider die scherpffe des winters ent-
heltet. [...]

[229ᵛ] Prag ein hawbtstatt des Behmischen königreichs [...]
vnd in drey tayl. nemlich in klein prag. alt prag vnd new prag
getailt. Klein prag begreift die lingken seytten der Mulda vnd
berürt den berg auff dem dann der königclich hoff vnnd sant

Veits bischofliche thumkirch ligt. Alt prag ligt gantz in einer ebne. mit großtatigen hohlöblichen gepewen gezieret. Auß derselben alten statt kombt man in die klainen vber ein staynine prugken. die hat .xxiiij. schwinbogen. So ist die new statt von der alten mit eim tieffen graben gesündert. vnd vmb vnd vmb mit mawrn bewaret. Dise statt ist fast weyt vnd streckt sich bis an sant Karls vnd sant Katherinen berg vnd bis an den vischerat. der dann in gestalt eins schloss gepawt ist. Daselbst ist das collegium der schůl. Dise statt ist hohberůmbt [. . .] vnd hat ein rotunde gestalt. vnd allenthalben vomm mittel an die örter drey tagrayse vnd einen wald gantz vmb sich. [. . .]

[264ʳ] ⟨K⟩Rackaw die namhaftig vnd durchleüchtig statt des Polnischen lands an dem fluss Weichßel genannt gelegen ist von Kracco dem ersten polnischen hertzogen gepawt vnd also nach ime genambt worden. Dise statt ist erstlich mit hohen zynnen. mit ergkern. vorwern vnnd hohen thürnen. darnach mit einer klainen alten pawfelligen mawr. vnd zu letst mit schütt vnd greben vmbfangen. derselben greben sind ettliche mit visch wasser gefült. [. . .] Dise statt hat siben pforten vnd vil schöner lüstiger burgerßhewser. vnd vil großer gotzhewßer. [. . .] Bey disem heilligen tempel ligt die gross treffenlich hohschůl mit vil klaren hohberůmbten vnd wolgelerten mannen besetzt. [. . .] [264ᵛ] Daselbst vmb sind geh. spitzig vnd also hoh felsen das ymant bedůnckt sie halten den himel auff. darnach mit sand vnnd zusammen getragner erden bedeckt einen großen mechtigen půhel machende. der ligt an der statt gein orient. vnd syht auß der andern seyten den schneeigen hohen berg Carpathum an. [. . .]

[129ᵛ] Constantinopel die kaiserlich vnd aller hohberůmbst statt ist ettwen dieweil sie noch klain was Bizancium vnd darnach Constantinopolis genant worden. dann als der groß Constantinus im fürgenomen het den kaiserlichen stůl zu schickerlicher gegenweer wider die Parthos auß Rom in den orienet zewenden. do ist er [. . .] in Traciam gein Bisancium geschiffet die statt alßpaldt erweytert. newe zinnen aufgerichtet. hohe thůrn gepawet vnd mit großtatigen gemaynen vnd sundern gepewen so hůbsch vnnd schön gezieret das sie das ander Rom nit vnbillich genant werden mȯcht. [...] Diser kaiser hieß dise statt das new Rom. [...] Sie schreiben dise statt dreyegket gewesen sein. an zwayen ȯrtern růret das meer daran. [...] Dise statt hat aylff pforten die die zierde der statt fůrzaigten. [...]

[22ʳ] Memphis ietzo Cayrum. oder Alkeyro genant die kůniglich statt in egypten [...] vnd .c. l. mal achteil einer meyl weyt. vnd die allerberůmbtist statt in egipten. vnd an dem allerbequemlichsten ort der selben gegent gelegen. da sich der flus Nilus in vil end in gestalt des buchstaben d auß-tailet. vnd die stat schier vmbfleůsset. [...] vnd in andern ȯrtten allenthalben einen grossen tieffen ergraben see der die stat gantz wol befestigt. [...] [22ᵛ] Bey diser statt Memphis lauft hin Nilus der fluss egyptier land einer auß den grȯssern flůssen der gantzen werlt der mit grossem ůberswal der was-ser alle iar so die sunn im krebs ist das gantz egyptisch land begeůsset. Memphis ist ietzo der sarracener ein fůrtreffent-lichste volckreichste. vnd an vil gůttern habhaftigiste stat. do selbst wonet der großmechtigst Soldan in einem weiten schloß.

[138ᵛ] Ofen ist ein hohberůmbte namhaftige stat des konig-reichs hungern vnd ein stůl der konig daselbst. [...] Nw ist hungern ein fruchtper land. Da ist ein wasser flůßlein in dem das eysen darein gesenckt zu kupffer wirdt. daselbst ist ein fruchttragende getraidreiche erden. gold vnd silber grůben vnd gůter luft. [...] [139ʳ] Aber buda hieß dise start ⟨ʔ⟩ nach seinem namen budam. die wir nach vnserm teůtschen gezůng ofen nennen. [...] Vnd nachfolgend ist ofen zu glůckhaftigen zeiten ein hawbtstatt in hungern erpawen an eim solchen ende das nichtzs festers noch wunsamers schier in gantzem hun-gerland gefunden werden mȯcht. Vor andern stetten dersel-ben gegent ist dise statt [...] mit koniglicher wirdigkeit gezie-ret. vnd von hohen zinnen vnd wunderwirdigem geschloss die allerschȯnst. [...]

[179ᵛ] Magdeburg ist ein hawbtstatt in sachßen land [. . .].
Dise stat ein erberer ersamer stůl der kaiser vnnd bischoff
ist in drey ryfier getaylt. [. . .] [180ʳ] Sie glawben das alda sey
der sechs krůeg einer darinn nach sag der euangelischen historien der herr cristus vnßer hayland waßer zu wein gemacht
hat. Den zaigt man dem volck vnd ist marmorstaynin vnd
leicht [. . .].

[265ᵛ] Lůbeck des Sechsischen lands ein durchleůchtige vnd
kaiserliche statt. [. . .] [266ʳ] Jetzo sitzet alda in dem bischoflichen stůl der hohwirdig herr Dietterich von Hamburg ge-
porn.

24

Hᴀʀᴛᴍᴀɴɴ Sᴄʜᴇᴅᴇʟ: Buch der Croniken

[19ʳa]   Von den inseln in gemain ein capitel.

Die inseln werden nach aigentlicher bedeůtnus des lateinischen gezungs darumb also genant das sie in dem meer ligen.
auß den selben sind dise die mercklichsten vnd grösten. nemlich Britania. die man auch ⟨g⟩emainlicher engelland heist.
vnd ligt von Gallia an gegen hispanien. vnd sind dar inn vil
wasserflůß warm prunnen. menig der metall. auch der stein
gagates. vnd vil edels gesteins [. . .]. daselbst ist auch der perg
Caucasus der den maysten tail der werlt mit seiner höhe vnd
gipfel durchdringt. alda sind auch pfefferpawmen gleich als
die wachalterstawden.

Jtem orchades sind inseln des grossen meers innerhalb britania gelegen .xxiij. in der zal. der sind .x. wůest vnd .xiij.
einwonlich [. . .].

Jtem Creta die inseln grecie ein grosser teyl gegen pelopo-
nensem. [. . .]

[38ʳ] Dise innseln ist ytzo den Venedigern vnderworffen.
[. . .] Dise innsel ligt nit ver von Peloponesso. oder Archa-
dia [. . .].

[19^{r}a] dise innsel ist vol der gayße. vnd mangelt der hirschen. vnd gepiert keinen wolff. fůchss noch einig ander wild
schedlich thier. slangen noch nachtewle. vnd ob man die find
so sterben sie palde. auch ist sie milt an weinreben vnd pawmen. do wechst die wurtz diptamus. vnd werden daselbst
groß vergifft spynnen [19^{r}b] gefunden [. . .].

[7^{v}a]   Von dem paradeis vnd seinen vier flussen.

Das irdisch paradeis vnder der gleich mitnachtlichen linien.
gegen dem aufgang der sunnen gelegen hat got der herr von
anbeginn gepflantzt. vnd ist nach lateinischer vnd hebrey-
scher sprach ein garten: oder pawmgartten. oder lustperkeit
genant. als ein garten mit allerlay pawmen besaet. daselbst
was auch das holtz des lebens. vnd sie sagen das dieselb statt
mit einer fewrinen mawr von der erden bis an den himel
vólligclich vmbschrenckt sey. [. . .] [8^{r}b] Das paradeys ist als
der maister in historijs setzt imm anfang der werlt. der sunnen
aufgangs. so ein hohe statt das die wasser der sintflus dahin nit
geraicht haben. [. . .]

[7^{v}a] vnd der engel gottes mit einem flammigen swert dauor
stee vnd verhindere die die hinzu geen wóllen. [. . .] Dise statt
ist weit von vnserm inwonlichem teyl entlegen. vnd in aller
wunsamkeit scheinperlich. vnd hat gesundlůftigkeit. fruchtperkeit. wunsamkeit vnd frólichkeit. Auß des mittel geet ein
prunn der es gantz erfeůchtet. vnd der selb prunn wirdt in vier
geperende flůss geteylt. als die außleger des buchs der ge-
schópff zeerkennen geben.

                    Ganges oder phison.

Phison oder ganges heißt der erst fluss vnd ist ein gar groß
vnd namhafftigs wasser indier land [. . .].

Gion oder nilus.

[. . .] die inwoner des selben lands heis[7ᵛb]sen disen fluss
nilum von dem erdklose oder letten den der selb fluss mit im
zeůht vnd damit das egyptisch feld fruchtper machet. [. . .]

Tigris.

Tigris der drit ist der allerschnellist fluss des grõssern
Armenie. [. . .]

[8ʳa]   Euphrates.

[. . .] ettlich sagen das er auß dem paradeis. ettlich in dem
grossern armenia in dem perg paracoatra nit verr von dem
prunnen tigris entspringe. [. . .]

[8ʳb] [. . .] vnd diese wasser fliessen auß ey[8ᵛa]nem prunnen
des paradis. vnd gepern vier flůss. nemlich phison oder ganges. geon oder nilus. tigris vnd eufrates: vnd das paradis ist die
allerbastgemessigst stat schier vnder der wag vnd dem wider
gelegen in dem aufgang. [. . .]

[8ᵛb] Aber der zugang diser stat ist nach des menschen
sůnd versloßen vnd allenthalb mit einer fewrin mawr vmbschrenckt also daß die schier an den himel růrt. vnd cherubin
das ist der engel beschutzung ist auf der selben mawrn geor-
dent den bõsen geysten zeweeren das die flammen die menschen vnd die gutten engel die bõßen von dannen treyben
sůllen. also das keinem fleisch nach gayst der übertrettung.
diser zugang des paradis geõffent soll sein.

25

Elucidarius

[H III^r] J⟨unger⟩ Was sagstu hierzu / so sich der Mon verwandlet? M⟨eister⟩ Es kommet dick / daß die Sonn innhalb
vnder der Erden / vnnd der Mon vnderhalb / vnnd stehen
gleich als ob ein Schnur gienge durch die erden / von der
Sonnen durch den Mon / So ist die Sonn so rechtfertig / daß sie
dem Mon nimpt seinen schein / daß er aller rot wirdt / Wann
er aber sich verwandlet / so er hoch amm Himmel stehet /
das kompt von Gottes wunder / das bedeut Mannschlacht
⟨d. i. *Männermorden*⟩ / oder sterben in dem Reich.
J. Lieber Meister sage mir von dem Stern Cometa. M. Cometa scheinet nimmer / dann so sich das Reich verwandlen
soll / derselb Stern Cometa sendet den schein von jm / als der
Mon / Derselbe Stern laufft nicht vnder andere Sternen / Die
Bücher sagen / daß es sey ein Liecht / das Gott mit seinem
Gewalt entzündet hab in dem lufft.

26

JOHANNES AURIFABER: Tischreden D. Martin Luthers

[61^r] Ein Comet ist auch ein Stern / der da leufft vnd nicht
hafftet wie ein Planet / aber er ist ein hurenkind vnter den
Planeten. Jst ein stoltzer Stern / nimet den gantzen Himel
ein / thut als were er allein da / hat ein natur vnd art / wie die
Ketzer / welche wollens auch alleine sein / vnd für andern
stoltzieren / meinen sie seyen allein die Leute die es verstehen.

27

Elucidarius

[H III^r] J⟨unger⟩ Wie kompt es / daß wir Stern fallen sehen von dem Himmel? M⟨eister⟩ Ich hab dir gesagt / daß die Stern grosser seind / dann alle die Erden / wie klein sie vns bedůncken / einer erschlůge alle Welt. Es ergehet dick / daß grosse still ist auff der Erden / daß man meynet / das grosse gestöß sey in den Lůfften / So dann das grosse gestöß wirdt / So mischet sich dann das Fewer vnd der Lufft / So dann der Lufft den sieg gewinnet an dem Feuwer / vnnd die den Stern zuthal scheußt / důnckt die Leute / daß die Stern zu thal schiessen.

28

Elucidarius

[H III^v] J⟨unger⟩ Von wannen kompt der Donder vnd das Feuwer? M⟨eister⟩ So die vier Winde auß dem Meer kommen / vnd oben in den Lůfften zusammen stossen / so wirt das Gestöß so groß / daß sich der Lufft zerret / So es sich zusammen mischt / so wirt das Gestöß so groß / daß wirs hören auff Erden / das ist der Donder / So sich dann der Lufft zerret von dem Fewer / so scheußt das Fewer zu Thal / das seindt die Donderstralen / So dann die Stralen kommen auff die Erde / so werden sie Eisen graw / die Farb nemmen sie von dem Feuwer / da sie durchschis[H IV^r]sen / so mischen sich die vblen Geister vnder das Windgestöß / vnd führen das in welches Land jhn Gott verhengt.

29

JOHANNES AURIFABER: Tischreden D. Martin Luthers

[301ʳ] Von Samuel / so Kőnig Saul erschein / was es gewest.

1. Reg. 28.　　　Doctor Martinus ward gefraget / Da Samuel / auff des Kőnigs Sauls begeren / von der Warsagerin / jm erschienen were / ob es der rechte Prophet gewest. Sprach er / Nein / sondern were ein Gespenst vnd bőser Geist gewest. Welchs damit beweiset wird / Das Gott in Mose verboten hat / das man die Warheit nicht sol von den Todten fragen / Sondern [301ᵛ] ist nur des Teufels Gespůgnis ⟨*d. i. Blendwerk, Vorspiegelung*⟩ gewest / in der gestalt des Mannes Gottes / Gleich wie ein Zeuberer vnd Schwartzkůnstiger / der Abt von Spanheim ⟨*d. i. Johannes Trithemius*⟩ / hatte zu wegen bracht / das Keiser Maximilian / alle verstorbene Keiser vnd grosse Helden / die Neien Besten ⟨*die Neun Besten, d. i. die neun grőßten Helden des Altertums und des Mittelalters, engl. The Nine Worthies*⟩ / so man also heist / in seinem Gemach / nach einander gehend / gesehen hatte / wie ein jglicher gestalt vnd bekleidet war gewest / da er gelebt / vnter welchen auch gewest war der grosse Alexander / Julius Caesar / Jtem / des Keisers Maximiliani Braut / welche der Kőnig von Franckreich Carolus Gilebosus ⟨*lat.* gibbosus ›bucklig‹, *d. i. Karl VIII.*⟩ jme genomen hatte.

Abt von Spanheim.

30

JOHANN WEIER: DE PRAESTIGIIS DAEMONVM

[42b] Man sagt / daß auff ein zeit an Keyser Maximilians deß ersten / Hoff / vnder anderm gespräch der zweyen dapfferen Helden / nemlich deß Hectoris vnd Achillis gedacht sey wor-

den. Da nun auß den Råthen einer sie hôchlich gerhůmet /
vnd wie es so streitbar dapffere Månner gewesen meldung
gethan / ist der Keyser etwas lůstig worden / vnnd gesagt / er
môchte hertzlich gern sehen / wie sie doch gestalt / vnd wie
groß sie nur gewesen weren. Es war aber dazumal zu allem
glůck ein grosser Schwartzkůnstler am hoff vorhanden / so
bald derselbige von deß Keysers wundsch etwas vernommen /
liesse sich gleich hôren / er wôlte das ohn allen kosten vnnd
schaden dem Keyser wol zuwegen bringen. Da nun dem Keyser die rede vorkommen / hat er jhn vor sich gefordert / vnd
jhm seine kunst zubeweisen / aufferlegt. Der Schwartzkůnstler hat gleich geantwortet / er wôlle solches thun ohn allen
sein schaden vnnd nachtheil / wann er nur / so lang die Månner sich sehen liessen / stillschweigen vnd reinen mund halten
kônte. Da er jhme nun stillzuschweigen / vnnd darneben auch
eine gute verehrung zu geben verheissen / hat der Schwartzkůnstler den Keyser in [43a] einem grossen Circkel oder krin-
gen auff einen herrlichen kôniglichen Stuel gesetzt / darnach
auß einem buch heimlich etliche dinge abgelesen / also bald
hat Hector an der thůren angeklopfft / mit solcher vngestům /
daß das gantze Hauß davon erzittert. So bald jm aber auffgethan worden / ist er zur thůr hinein getretten ins gemach in
seinem gantzen Kůriß / mit einem gantzen eisernen hell glan-
tzenden spieß / vnnd flammenden augen / dermassen daß
erschrecklich gewesen ist anzusehen. Er ist auch grôsser vnd
lenger gewesen / dann kein man zu dieser zeit seyn mag. Nach
diesem ist kommen Achilles auch auff daß stattlichste ange-
than vnnd eben so groß anzusehen / der leuchtet den Hecto-
rem gar schel an / vnnd schwunge seinen spieß nicht anders /
dann als wolte er jhn jetzo anfallen vnd zu boden schmeissen.
Nach dem sie aber vor dem Keyser beyde / sich geneigt vnd
dreymal auff vnd ab gangen / sind sie wider verschwunden
vnd beyde jres weges gezogen. Nach diesen zweyen ist auff-
getretten auch der Prophet Dauid mit seiner kôniglichen
Kron vnd geschmuck / trug ein harpffen / und war was liebli-
cher anzusehen / dann die zwen vorigen / gienge wol auch /

wie die andern / dreymal fůr dem Keyser auff seinem Stul also
sitzend / vber / aber ohne alle reuerentz vnd ehrerbietung /
vnd nach dem verschwand er. Da nun der Keyser den
schwartz kůnstler gefragt / auß was vrsachen Dauid jhm keine
reuerentz vnd ehr erzeigt hette? Hat er jme zur antwort / es
sey darumb geschehen / dieweil Dauids kőnigreich alle andere
reich auff erden vbertroffen hab / vnd Christus deß ewigen
Gottes Sohn / auß dem geschlecht vnd stammen Dauids nach
dem fleisch geboren sey worden.

31

Augustin Lercheimer: Ein Christlich Bedencken vnnd
Erjnnerung von Zauberey

[274b] Diß / was ich jetzt von jm ⟨ *d. i. Johannes Trithe-*
mius ⟩ erzelen wil / hab ich zu mehrmaln von ansehnlichen
glaubwirdigen Leuten gehőrt. Keyser Maximilian der erste /
der hochlőblich / hatte zum ehegemahl Mariam Carols von
Burgundien Tochter / die jm hertzlich lieb war / vnd er sich
hefftig vmb jren Todt bekůmmerte. Diß wußte der Abt wol /
erbeut sich / er wil sie jhm wider fůr augen bringen / daß er
sich an jrem Angesichte ergetze / so es jm gefalle. Er leßt sich
vberreden / willigt in diesen gefehrlichen fůrwitz. Gehen mit
einander in ein besonder Gemach / nemmen noch einen zu
sich / daß jrer drey waren: vnd verbeut jnen der Zåuberer /
daß jrer keiner bey leibe kein wort rede / so lang das Gespenst
werete. Maria kompt herein gegangen / wie der gestorbene
Samuel zum Saul / spatzirt fein seuberlich fůr jnen vber / der
lebendigen waren Marien so ånlich / daß gar kein vnderscheid
war vnd nit das geringste daran mangelte. Ja in anmerckung
vnd verwunderung der gleicheit / wird der Keyser einge-
denck / daß sie ein schwartz flecklein zuhinderst am Halse
gehabt / auff das hat er acht vnd befindts auch also / da sie zum
andern mal fůrůber gieng. So eben weiß der Teuffel / wie ein

jeder [275a] geschaffen ist / vnd so ein gute gedechtnuß hat er /
vnd solcher Meister ist er im abcontrofeien. Da ist den Keyser
ein grauwen ankommen / hat dem Abt gewincket / er sol das
Gespenst weg thun: vnd darnach mit zittern vnnd zorn zu
jhm gesprochen: Mônch / mache mir der possen keine mehr:
vnd hat bekannt wie schwerlich vnnd kaum er sich habe enthalten / daß er jhr nicht zu redete. Wann das geschehen were /
so hette jhn der bôse Geist vmbbracht. Darauff wars gespielt:
aber Gott hat den frommen Gottsfôrchtigen Herrn gnediglich behût vnd gewarnet / daß er hinnfort solcher schauw-
spiele mûssig gienge.

32

Michael Lindener: KATZIPORI

[Gijᵛ]   Ein vnerhôrter Grille von Schrammhansen /
in Faßnachten zû Saltzburg geûbet.

Einsmals in Faßnachten / wie jederman nårrisch vnd visier-
lich sich stelt / nam Schrammhaus ⟨!⟩ ein Meßpfaff zû Saltzburg / einen gurt voller schållen / wie man denn Schlytten-
pferden anzuhengken pflegt / und lûff auff dem marckt hin
vnnd wider / vnnd macht ein geklümper / es stôst ein yederman den Kopff zum fånster hinauß / vnd vermeynen es sey ein
Burgerschlitte. Wie er aber ain grosser Zauberer was / vnd jm
nichts vnmüglich ware inn der schwartzen kunst zûuerbrin-
gen / macht er einem yetlichen (der zum fånster herauß [Gijᵗ]
sahe) ein Hirschhorn an die stiren: Wie das sie aber die kôpff
zûruck wider hinein rucken wôlten / kunden sie nicht vor den
hôrnern / sahe eines das ander an / vnd war nichts dann lauter
verwundern. schrammhans lieff auff dem Marckt herumb /
vnnd spottet jr nach seim vermügen: Wie das sie ein weyl im
zûsehen / vergehen jn die hôrner / vnd erhebt er sich mit
zween Flederwischen / vnd fleuhet vber die heüser hinauß /

vnd leßt vnden die klôters hangen vnnd thût ein schreyer / das
man es vber die gantze Stat hôret / wie ein rechte natürliche
ganß. Diser hat vil vnzelicher schalckheyt angericht vnd ver-
bracht / hat sich auch einmal hôren lassen / wann er einen
wußte der es kündte wie er / so wolt er jm [Gijᵛ] nach ziehen
und jm den halß abstechen / damit solche schelm-stuck nit an
tag kämen / und die leüt verfüret wurden.

33

JOHANNES AURIFABER: Tischreden D. Martin Luthers

[308ʳ]   Das Zauberey eine die ander bezalet hat.

Grosser
Herren
Teufeli-
scher fur-
witz.

Keiser Friderich / Maximiliani Herr Vater / lies
einen Schwartzkůnstiger zur Malzeit laden / vnd
machte durch seine geschicklichkeit vnd kunst / das
der Schwartzkůnstiger Ochsenfüsse vnd Klawen
an den Henden bekam / Vnd da er vberm Tische
sass / hies jn der Keiser / Er solt essen / Er aber schempte sich /
vnd verbarg die Klawen vnterm Tisch. Endlich / da ers lenger
nicht kondt bergen / muste ers sehen lassen / Da sprach er
zum Keiser / Jch will E. K. M. auch etwas machen / da sie mirs
erleubet. Da sagte der Keiser ja / Da machte er mit seiner
Zeuberey / das ein Lermen ward draussen fur des Keisers

N. B.
Es ist on vr-
sach nicht
geschehen.

Gemach / Vnd da der Keiser zum Fenster hinaus
sahe / vnd wolte erfaren / was da were / Da kriegte
er am Heubte ein gros Geweih vnd Hirschhôrner /
das er den Kopff nicht kondte wider zum Fenster
hinein bringen. Da sprach der Keiser / Mach sie
wider ab / du hast gewonnen. Vnd saget D. M. Luther / Das
gefellt mir wol / wenn ein Teufel den andern vexiret vnd
geheiet / Daraus schliesse ich / das ein Teufel stercker ist denn
der ander.

34

Johannes Aurifaber: Tischreden D. Martin Luthers

[307ʳ]   Von Kaucklern.

Zu N. war einer / mit Namen Wildferer / der
frass einen Bawr mit Pferd vnd Wagen / Welcher
Bawr darnach vber etliche stunden / vber etliche
Feld wegs in einer Pfützen mit Pferd vnd Wagen
lag. Also dinget ein Mönch mit einem Bawr / der
ein fuder Hew auffm Marckte feil hatte / Was er
nemen wolte / vnd jn Hew lassen fressen. Da
sprach der Bawr / Er wolte einen Creutzer nemen. Der
Mönch fieng an / vnd hatte schier das Hew gar aufffressen /
das jn der Bawr muste abtreiben.

Solchen
Teufelsbu-
ben ver-
gönnet man
offentlich jr
Gespenst
zu treiben.

Dergleichen lies jm ein Schůldener ein Bein von einem
Juden ausreissen / das der Jude dauon lieff / vnd er jn nicht
bezalen durffte etc. So gewaltig ist der Teufel / die Leute an
den eusserlichen Sinnen zu bethören / Was solt er denn nicht
an der Seelen thun.

35

Andreas Hondorff: PROMPTVARIVM
EXEMPLORVM

[74ʳ] Zu Northausen ist einer gewesen mit zunamen Wilt-
fewer / der fraß ein Bawer mit Pferde vnnd Wagen / welcher
Bauer nach etlichen stunden vber etliche Feldweges mit
Pferde vnd Wagen in einer pfützen lag.

36

WOLFGANG BÜTNER: EPITOME Historiarum

[59ʳ] 12. Vnd in der Stad Northausen gieng ein Abentew-
rer aus vnd ein / dem begegnet ein Bawer mit seinem Wagen /
der Zauberer mit Namen Wildfewer / sprach zum Fuhr-
manne: Weich oder ich fresse dich hinab in meinen Wanst /
mit Pferden vnd Wagen. Darzu muste der Bawer lachen / vnd
achtet solche rede vor einen schimpff / Aber der sperret sein
maul aus einander / vnd verschlang den Bawren mit Wagen
vnd allem / wie er gesagt hatte / redlich / hernach eine halbe
meil vor der Stad / lag der Bawer mit seinem Geschirr in einer
Pfützen / dahin jn der Zauberer wider abgeleichet vnd ausge-
speyet hatte.

37

AUGUSTIN LERCHEIMER: Ein Christlich Bedencken vnnd
Erjnnerung von Zauberey

[264b] Zu solchen geschefften lassen sich die bösen Geister
brauchen / leisten solche dienste / nicht den Zaubern vnd
Zauberinnen zu gefallen vnd vmbsonst: sondern daß sie sie
dadurch / wann sich gelegenheit begibt / hie in zeitlich vnnd
dort in ewig verderben stürtzen. Brechen denen die sich jhnen
ergeben haben / die hälse / wann die bestimpte zeit der ver-
pflichtung auß ist / oder bringen sie sonst vmb / wie es jhnen
kommlich vnd gelegen. Wie einem gar mutwilligen vnnd von
jugend auff bösen Lecker / den ich seins Vatters halben nicht
nennen wil / geschahe. Der treib auch diß Teuffels spiel / fuhr
auff dem mantel mit seinem guten gesellen / etc. Da sein zeit
verlauffen war / reysete er von hauß an ein ander orth seine
Freunde vnd verwandte zubesuchen. Als er bey denen zu
Tisch sitzt / wirdt jhm vnfürsehens der Kopff hinderwerts

gedrehet / bleibt also todt. Man meinte er hette sonst hindersich gesehen / so wars der vnsichtbar Teuffel ders jhm thete.

[279ᵛb] Ich habs selbs von einem zauberer gehört / daß er
sampt andern von N. auß Sachsen gehn Parijs mehr als hundert meil zur hochzeit vngeladen gefahren sind auff eim mantel / haben sich aber bald wider davon gemacht / da sie
gemerckt daß man im Saal mummelt / was das für gåst weren /
wo die her kåmen. Es hatte warlich der selbige zauberer rote
Augen / die er villeicht von solchem fahren bekommen.

In dem grundsätzlich paginierten Theatrum de veneficis
*findet sich innerhalb des Lercheimer-Textes eine Partie mit
Blattzählung (277–282). Die Ziffern laufen jedoch einfach
weiter, ab S. 283 wieder als Seitenzählung.*

38

Andreas Hondorff: PROMPTVARIVM EXEMPLORVM

[76ʳ] Für etlichen Jaren / ist ein Schwartzkůnstler gehenckt
worden / von dem gesagt ward / daß er zu zweimal zuuor
were gehenckt gewesen / da allweg ein Strohwisch am Galgen
blieben hangen. Er hat einmal einem einen schönen Hengst
verkaufft / vnnd verbotten / daß man ihn nicht baldt zur
Trencke ritte / als nun solcher erfahren wolte die vrsach /
vnnd das Pferdt ins Wasser geritten / ists zum Strohwisch
worden / Derwegen er zornig / eilet zur Herberge / da der
Geuckler ware / als dieser ihn hat sehen kommen / leget er sich
auff eine Banck / da kompt er mit Zorn bewegt / zeucht ihn
hart bey eim Beine / daß er jhme als balde außgerissen / vnnd
in die Stuben geworffen / vnnd dauon gelauffen / denn der
Schwartzkůnstler hat jhn also verblendet / daß es jhn nit
anders dauchte / also geschehen / etc. Jtem / er hat auch
Schweine vnnd anders verkaufft / daß entlich zu Strohwi-

schen worden / vnd also die Leute betrogen. Als aber Gott zu
solcher bůberey nit lenger zusehen wolte / Jst er mit andern
zweien weibern so seine Gesellschafft / zur Naumburg
gefenglich einkommen / die er durch seine Kunst hatte listgli-
chen vnd vnmercklichen stelen lernen / Auch wurde durch
diese eine reiche Fraw daselbst die Zeit wonent / die man
erstlich vor eine Erbare Fraw hielte / berůchtiget / daß sie
auch eine solche Diebin / vnnd in die Gesellschafft gehorte /
vnnd des Zeubers Bulschafft / Darumb sie auch von berůrten
Personen zu Gefengniß durch jr bekenntnuß gebracht wůrde.
Der Schwartzkůnstler hat erstlich in der Tortur zu aller pein
nichts bekennen wőllen / daß er auch zurdehnet / das er nicht
gehen kundte / Da es aber angezeigt / wie er seine Kunst oder
den geist in haaren gehabt / vnnd man jhm die allenthalben
abgenommen / hat er seine Bůberey bekant / Wurden erstlich
die zwo Frawen / nach wenig tagen auch der Schwartzkůnstler an galgen gehenckt / die Fraw aber kam auß dem Gefeng-
nuß bey nacht / nicht ohne hůlffe / kame also dauon / etc.

39

Johann Jacob Wecker: De secretis

[43] Porro maxime admiranda sunt ea, quae praestant
incantatione magi, dum corporum naturalium, aut animalium
actiones praepediunt: vt Faustus, qui rusticis ebriis, et nimio-
pere vociferantibus ora distenta ligauit, ut taciti consisterent.

[Es ist (ferner) höchst erstaunlich, was Zauberer mit ihrer
Kunst leisten, wenn sie Bewegungen menschlicher oder tieri-
scher Körper hindern: wie (zum Beispiel) Faustus, der Bauern, die betrunken waren und heftig schrien, die offenen
Mäuler festsperrte, so daß sie still blieben.]

40

Jacob von Liechtenberg: Ware Entdeckung

[310a] Wann nuhn GOTT den Ascendenten vnnd Zauberen verhenget / so mag der Geist alles zuwegen bringen / das die Natur vermag. Daher der Zauberer durch Hůlff der Ascendenten die Sommerfrucht / als Kirschen / Erdtbeer / Apffel / in dem Winter bringen / ja recht natůrlich / nit verspenste Frůcht / dann die Regiones deß Erdrichs seind vngleich / dem Einfluß nach. Wann es bey vns Sommer ist / so ist es bey den Antipodibus Winter. Vnser Horizon oder Clima mag Frucht haben / das der Aphricanisch / Indisch nicht vermag. Vnnd so bey vns ist Herbst / ists bey den Niateren Glentz ⟨*d. i. Lenz, Frühling*⟩: Bey vns Nacht / bey den Nideren Tag. Wie dann heiter im Globo gezeigt. Da findet Mann alle Tag / Sommer / Glentz / Winter / Herbst / etc. Also fůr vnnd fůr gibt die Zeit elle Tag Kirschen / Erdtbeer / Apffel / ist allweg Herbst vnd Erndt / daß alles Natůrlich. Ob es wol dem Vnwissenden [310b] seltzam ist / vnnd Wunder gebirt / auff das mag der Magus Zauberer / durch sein Ascendenten solches schnell zuwegen bringen. Also offt beschehen / daß der Zauberer durch sein Ascendenten / einem Kőnig / Fůrsten / Herren auß Orient sein Essen auß der Kůchen genommen / vnnd einem anderen in Occident zu gefůhret. Das alles so es GOTT verhengt / Natůrlich beschehen / dann der Geist geschwind vnd bald von statt fahren mag / wie die Geschrifft von Habacuc melden thut.

41

Petrus Dasypodius: Dictionarium

Anhänge »Nomina Aquatilium, seu Piscium« und »Volatilium vel Avium Nomina«, beide in Teil II:

[Tvij^v] Aal / Anguilla; Bresem / Prasmus; Barb / Mullus Barbo; Bersig / Perca, Rubellio; Bücking / Arenga passa; Bolch / Milago, ut putatur; Egle / Hirudo; Esche / Aschia; Forel / Truta [...] Karpff / Carpio; Krebs / Cancer [...] Moschel / Concha, Conchilium; Neunaug / Oculata; Plateißle / Passer [...] Salme / Salmo; Schleie / Tencha. –

[Tviij^r] Cappaun / Capus; Dauchente / Mergus; Daub / Columba [...] Fasant / Phananus ⟨!⟩ [...] AwrHan / Gallus sylvester; Han / Gallus; Henne / Gallina [...] råb hůn / Perdix; Hasel Hůn / Bonosa [...] Kramatvogel / Turdus [...] Lerch / Alauda [...] Pfaw / Pauo; Reiger / Ardea [...] Schwan / Cygnus [...] Strauß / Struthius; Trapp / Pygargus [...] Wachtel / Coturnix.

42

Augustin Lercheimer: Ein Christlich Bedencken vnnd Erjnnerung von Zauberey

[279^{v}b] Also fuhr Faust ein mal in der Fastnacht mit seiner gsellschafft / nach dem sie daheim zu nacht gessen hatten / zum schlafftrunck auß Meissen in Beyern gen Saltzburg ins Bischoffs keller vber sechtzig meil / da sie den besten wein truncken. Vnd da der Kellermeister ongefer hinein kam / sie als dieb ansprach / machten sie sich wider darvon / namen jhn mit / biß an einen wald / da setzt jhn Faust auff ein hohe tanne vnd ließ jn sitzen: flog mit den seinen fort. Summa / es ist ohn zweiffel vnd vnleugbar / daß die geister / ob sie gleich selbst

kein Leib haben / doch die Leib vnd Leibliche dinge von
einem ort zum andern führen: wie auch auß dem vorgemelten
abzunemmen / da der Teuffel dem Abt die schüssel mit dem
hecht vnd die flåsch mit wein bracht.

43

PETRUS DASYPODIUS: Dictionarium

[Teil I, Miij^v] Helena, penultima correpta, Ein tochter Tyndari vnd Lede / Castoris vnnd Pollucis schwester / vnnd ein
haußfraw Menelai.

44

AUGUSTIN LERCHEIMER: Ein Christlich Bedencken vnnd
Erjnnerung von Zauberey

[272a] [. . .] daß ein Gauckler den andern frißt / das ist vber
Menschlich vermögen vnnd kunst. Etwan hauwet einer dem
andern den Kopff ab / setzt jhn jm wider auff: damit der
mörderische Geist nicht anders suchet / dann daß einem in
dem schawspiel der Kopff ein mal recht abgehawen / nit wider
wachse / oder auffgesetzt werde.

Dessen erinnere ich mich hie einer schrecklichen
Geschichte / die muß ich erzelen: habe sie von glaubwirdigen Leuten gehört. Im Land zu H. war ein Edelmann A. v.
Th. genannt / konnte auch Köpffe abhawen vnd wider auffsetzen. Der hatte jm fürgenommen vnd bey jm beschlossen
hinfort deß teuffelischen gefehrlichen dings müssig zu gehen /
ehe er einmal in vnglück darüber geriehete / wie dann
geschahe. Ließ sich in einer Gasterey von guten Gesellen
vberreden / daß er jn diese ergetzligkeit noch einmal zu guter
letzte zeigte. Nun wolte niemand gern seinen Kopff darzu

leihen / wie zu erachten. Letzlich leßt sich der Haußknecht
darzu brauchen / doch mit dem gewissen geding er wolte jm
sein Kopff wider anmachen. Er heuwet jn jm ab / aber das
wider anmachen wolte nicht fort gehen. Da spricht A. zu den
Gesten: es sey einer vnder jhnen der jhn verhindere / den
wólle er vermahnt haben / vnd gewarnet / daß ers nit thue.
Darauff versuchet ers abermal / kan nichts außrichten. Vermahnt vnd dráuwet dem zum andern mal / er sol jhn vnver-
hindert lassen. Da das auch nicht halff / vnd er den Kopff
nicht wider ersetzen konnte: leßt er auff dem Tisch ein Lilge
wachsen / der hieb er das Háupt vnd die Blumen oben abe.
Alsbald fiel einer von den Gesten hindersich von der Banck /
vnd war jm der Kopff abe. Der war der Zauberer der jn
verhindert hatte. Da setzt er dem Haußknechte seinen Kopff
wider auff. Das wars das der mórderische Geist mit dem spiel
suchte: vnd ist hie zusehen / wie die Teuffel vnder einander
schertzen den Menschen zu schaden. Der eine Zauberer / der
den ge[272b]ringeren Geist hatte / mußte dem gróssern vnnd
stárckern weichen / oder hats gern gethan / damit ein Mensch
vmbkem. Der Todtschláger flohe / war ein weile auß dem
Lande / biß die sach vertragen ward / vnd er verzeihung erlangte.

45

Andreas Hondorff: PROMPTVARIVM
EXEMPLORVM

[34ʳ] Justinus / der bald nach der Apostel zeit gewesen / ein
hochberůmbter Ma⟨nn⟩ / schreibet zum Keiser Antonino /
also: Nach der Auffart vnsers Herrn Jesu zum Himmel /
haben die Teufel etliche Menschen gereitzt / daß sie sagen
solten / sie weren Gótter / die wir vertrieben haben. Vnnd
einer mit namen Simon ein Samariter vnter dem Keiser Claudio / hat durch Zeuberey vnnd hůlffe des Teufels / in einer
Stadt Rom / viel Menschen verführet / Jst für ein Gott geach-

tet / vnnd seiner Bildniß ist Göttliche ehr beweiset worden /
welche einen solchen Tittel gehabt. Simon Deo Sancto. Diesen Simon anbeten vnnd verehrten fast alle Samariter / vnnd
viel auß den anderen [34ᵛ] Heiden. Auch haben sie eine elende
Huren / zu Tyro / in Phenicer Land / Selena oder Helena
genant / die eine Gesellin war seiner jrrthumb / als eine Göttin
gehalten / vnd verehret / Von Simon / liß weiter Euseb. lib. 2.
cap. 13. Vnd in der Apostel Geschichte das 8. Cap.

46

JOHANNES AURIFABER: Tischreden D. Martin Luthers

[285ᵛ]   Wie des Teufels Hoffart zerbrochen werde.

Doctor Martinus Luther sagte / Der Teufel ist ein stoltzer
Geist / jedoch kan er nicht hören / Infirmitatem filij / Denn
wenn sich der Teufel sehr brüstet / so kömpt jrgends ein
armer Prediger / der treibet jn ein. Also lesen wir in Vitis
Patrum / das ein mal ein Altuater sass / vnd betete / da war der
Teufel balde hinter jm her / vnd machte ein gerümpel / das den
Altuater dauchte / er hörete einen gantzen hauffen Sawen
girren vnd gruntzen / 30 / 30 / 30 / damit der Teufel
jn schrecken / vnd er sein Gebet verhindern wolte /   Der Teufel
Da fieng der alte Pater an / vnd sprach / Ey Teufel /   in einer
wie ist dir so recht geschehen / du solt sein ein   Sawen ge-
schöner Engel / so bistu zu einer Saw worden / Da   stalt.
hörete das gedöne vnd gekirre auff / denn der Teufel kan nicht
leiden / das man jn veracht. Vnd das sihet man fein / wenn sich
der Teufel hat wider einen Christen gelegt / so ist er zu schan-
den worden / Denn wo fides et fiducia in Christum ist / da kan
er nichts gewinnen.

47

Augustin Lercheimer: Ein Christlich Bedencken vnnd
Erjnnerung von Zauberey

[282ʳb] Ein ander alter Gottsförchtiger Mann vermant jn
auch / er solt sich bekehrn. Dem schickt er zur dancksagung
einn Teuffel in sein schlaffkammer / da er zu bett gieng / daß
er jn schreckte. Geht vmbher in der kammer / krócht wie ein
saw. Der mann war wol gerůst im glauben spottet sein / Ey
wie ein fein stimm vnd gsang ist das eins Engels / der im
Himmel nit bleiben kont / geht jetzt in der leut heuser verwandelt in ein saw / etc. Damit zeucht der geist wider heim
zum Faust / klagt jm wie er da empfangen vnd abgewisen sey:
wolt da nit seyn / da man jm seinen abfall vnd vnheil verweiß
vnd sein darüber spottet.

48

Wolfgang Bütner: EPITOME Historiarum

[59ʳ] Albertus Magnus / Ist ein berhůmpter vnd vortreffli-
cher Meister / oder Naturkůndiger gewest / der hat viel heim-
liche art / natur / vnd eigenschafft / der Göttlichen Creatur
vnd geschöpffe / in seinem schreiben / vnd in seinen Bůchern
an tag geben / Vnd wiewol er in seinen sechs kleinen Bůchern /
auch mancherley heim[59ᵛ]liche / vnd der Natur anklebende
Ding angibt / vnd abwirffet / so bedeucht mich / es
sey ein jung Zauberschůlerlein darinnen versteckt /
Man saget von jm / er sol im Winter / vmb das
Fest der Geburt CHRISTI / die Beume im Keyserlichen Thiergarten / angerichtet vnd darzu gebracht / das sie schöne / wie vmb Walpurgis tag /
geplůhet haben.

Die Beume
blůhen
vmb
Wey-
nachten.

49

Augustin Lercheimer: Ein Christlich Bedencken vnnd Erjnnerung von Zauberey

[274a] Der hochgelerte weitberhůmpte / Albertus von Lau-
gingen / der von wegen seins verstands vnd geschicklicheit /
der Grosse genannt ist worden / ließ jm nicht genůgen an den
trefflichen gaben damit er von GOtt gezieret war: hat sich
auch mit diesem teuffelsdreck besudelt / Zauberey getrieben /
jm zum rhum vnd den grossen Herrn zu gefallen vnd zur
ergetzung. Nach dem der / nach vbergebung deß Bißthumbs
zu Regenspurg / ein Prediger Mônch zu Côllen war / kam
dahin von Ach / von der krônung / Keyser Wilhelm ein Graff
zu Holland / mit viel Fůrsten vnnd Herrn / denen er ein
herrlich Bancket da anrichtete im Winter vmb Weihenacht.
Da mußte Albertus der kurtzweilige Mônch auch bey seyn.
Der machete den Herrn da zu ehren vnd zum lust / daß der
Saal grůnete vnd blůete mit beumen / kreutern / laub vnnd
graß: der Guckguck / Lerch / Nachtigall sungen / als wanns
im Meien were. Daran der Keyser ein solch gefallen gehabt /
daß er deß Alberti ordensbrůdern zu Vtrecht ein stâttlich
Landgut schenckete / vnd so hochstrâffliche sůnde als eine
wolthat vnnd tugend belohnete: ohn zweiffel der meinung /
daß es kein Sůnde were / weil es vom Mônche / von eim so
heiligen Vatter / in beyseyn / mit bewilligung vnnd frolocken
so viel Geistlicher Prelaten / geschahe.

50

Augustin Lercheimer: Ein Christlich Bedencken vnnd Erjnnerung von Zauberey

[271a] Der Pfaffe zu N. dem sein Geist einen Schatz zeigte
in einer alten Steingruben: sahe da ein Kist stehen / darauff lag

ein schwartzer Hund: gehet hinzu: alsbald fellt die Grube zu /
erdruckt jn. Der sahe nichts fůr etwas an: ein Gespenst war
es / oder ein bezauberung der augen.

51

Philipp Mathesius: Historien

[CLʳ] Die zwelffte predig / von Doctor Luthers historien
vom viertzigsten jare.

Auff bőse vnd trawrige gedancken / gehőrt ein gut vnd
frőlich liedlein / vnd freundtlich gesprech / sagt er offt.

Er saget auch gern gute Deutsche reim vber Tische vnd auff
der Cantzel / wie ich auß seinem Pselterlein etliche außge-
schrieben: Weistu was so schweig / Jst dir wol so bleyb /
Hastu was so halt / Vnglůck mit seinem breyten fuß kombt
bald.

Jtem / Jß was gar ist / Trinck was klar ist / Red was war ist.

Jtem / Schweig / leyd / meyd vnd vertrag / dein not niemand
klag / An Gott nicht verzag / dein hůlff kompt alle tag.

52

Johannes Aurifaber: Tischreden D. Martin Luthers

[204ʳ]　　　　　Schweig / leid / meid vnd vertrag /
　　　　　　　　Dein Not allein Gotte klag.
　　　　　　　　An Gott je nicht verzag /
　　　　　　　　Dein Glůck kőmet alle tag.

53

JACOBUS DE GRUYTRODE: Ain schōne matteri

[63ʳ] Hierumb wiß. als in den verdampten ist vil vnd men-
gerlay weg der sünder. also wirt auch mengerhant pein den
selben. Dauon schreibt der heylig lerer sant Gregorius vnd
spricht: Es ist zeglauben das ain hellisch feür seye. aber die
sünder werden nit gleich durch das selbig feür gepeinigt.
einem yeglichen nach würckung seiner sünd ist er enpfinden
die vile der pein. Dann als von ainem feür wirt gebrennt
anderst dann sprüer. anderst dann holtz. anderst dann eysen.
Also werden die verdampten ye eins anderst vnd ferrer gepeiniget dann das ander. yeglichs nach seinem verdienen.

Eine früher (s. QT 11) angeführte Stelle folgt im Original
nur wenige Seiten später.

54

JOHANNES MANLIUS: LOCORVM COMMVNIVM /
Der Erste Theil:

[46ʳ]   Von dem Fausten.

Ich habe einen gekennt / mit Namen Faust von Kundling /
(ist ein kleines Ståttlein / nicht weit von meinem Vatterland)
derselbige da er zů Crockaw in die schůl gieng / da hatte er die
zauberey gelernet / wie man sie dann vor zeiten an dem orth
sehr gebraucht / auch offentlich solche kunst geleeret hat. Er
gieng hin vnd wider allenthalben / vnd sagte viel verborgene ding. Er wolt einsmals zů Venedig ein schau[46ᵛ]spiel anrichten / vnnd sagte / er wolte hinauff in Himmel fliegen. Alsbald fůret jn der Teuffel hinweg / vnd hat jn dermassen zer-
martert / vnnd zerstossen / daß er / da er wider auff die

Erden kam / vor todt dar lag / Doch ist er das mal nicht
gestorben.

Vor wenig jaren ist derselbige Johannes Faust / den tag vor
seinem letzten ende / in einem Dorff im Wirtemberger land /
gantz traurig gesessen / Der Würt fragt jn / wie es keme / daß
er so traurig were / daß er doch sonsten nicht pflegte (dann er
war sonsten gar ein unuerschämbter vnflat / und fürete gar
vber auß ein bübisch leben / also daß er etliche mahl schier
umbkommen were von wegen seiner grossen hůrerey) da hat
er zum Würte gesagt: So er etwas in der nacht hören würde /
solte er nicht erschrecken. Vmb mitternacht ist im hause ein
grosses getümmel worden. Des morgens wolte der Faust
nicht [47ʳ] auffstehen. Vnd als es schier auff den Mittag kam /
hat der Würt etliche menner zů jme genommen / vnd ist in die
schlaffkammer gangen / darinn er gelegen ist / da ist er neben
dem bette tod gelegen gefunden / vnd hatte jm der Teuffel das
angesicht auff den rucken gedrehet. Bey seinem leben hatte er
zwen hund mit jm lauffen / die waren Teuffelen / Gleich wie
der vnflat / der das büchlein geschrieben hat von vergebligkeit
der künste ⟨d. i. Agrippa von Nettesheim⟩ / der hette auch
alle wege einen hund mit jhme lauffend / der war der Teuffel.
Derselbige Faust ist zů Wittenberg entrunnen / als der
fromme vnd löbliche Fürst Hertzog Johannes hette Befelch
gethon / daß man jhn fangen solte. Deßgleichen ist er zů
Nürnberg auch entrunnen / als er vbers Mittagmal saß / ist jm
heiß worden / vnd ist von stundan auffgestanden / vnd hat den
Würt bezalt was er jme schuldig war / vnd ist daruon gangen.

[47ᵛ] Vnd als er kaum ist fürs thor kommen / waren die
Stattknecht kommen / vnd hatten nach jm gefragt.

Derselbige Faust der zauberer / vnd ungeheurig thier / vnd
stinckend heimlich gemach ⟨d. i. Abort⟩ des Teuffels / rühm-
mete vnuerschempt / daß alle siege / die Keiserlicher Maiestet
kriegßuolck im Welschenlande gehabt hetten / die waren
durch jn mit seiner zauberey zůwegen gebracht worden. Das
ist eine erstunckene lüge vnd nicht war. Solchs sage ich aber
von wegen der gemeinen jugent / auff daß sie sich nicht von
solchen losen leuten verfüren vnd vberreden lassen.

55

ANDREAS HONDORFF: PROMPTVARIVM
EXEMPLORVM

[73^v] Zu Wien seind zwene Schwartzkůnstler gewesen /
vnnd hat einer den andern (also scheinendt) gefressen / denn
der Teuffel hat denselben gefressen in eine Hőle oder Loch
gefůhrt / der erst nach dreien Tagen herfůr kame. Ein solcher
Schwa⟨r⟩tzkůnstler ist auch Johan Faustus gewest / der viel
Bubenstůck durch seine Schwartzekunst geůbet / etc. Er hat
bey sich allewege ein Hund gehabt / das war ein Teuffel / etc.
da er gen Wittenberg kommen / wer er aus befehl des Chur-
fůrsten gefangen worden / wo er nicht entrunnen / Dergleichen were jhm auch zu Nůrnberg begegnet / da er auch entrunnen / Sein lohn aber ist dieser gewest. Da seine zeit aus war /
ist er in ein dorff in Wirtenberger gebiet / bey einem Wirt
gewesen / da jhn der wirt gefraget / warumb er also trawrig
were? Sagt er / Diese nacht soltu dich nicht fůrchten / ob du
schon groß krachen vnnd er schottern des Hauses hőren wirst /
Auff den morgen hat man jhn in der kammer da er lage todt
gefunden / mit vmbgedrehetem Hals. Iohan. Man. lib. I.

56

CHRISTOPH ROSSHIRT: Vierte Nürnberger
Faust-Geschichte

[396^v] Alls nun Doctor Georgius Faustus im Lande hin und
wider mancherley abentewer vnd Schalckheit geubt vnd
getriben hette / dardurch er doch wenich Ehr noch danck
erworben / kam die bestimpte Zeyt darinnen er sich gegen
dem Teuffel seinem Lehrmeinster / verschrieben hatte. Den
tag zuuor zog er auff einem dorff ins wirtshauss ein / wurb
umb die Nachtherberich / Die im dan vom wirt gutwillich

zugesagt / Als er aber in die Stuben kumpt / sass ein Tisch
voller Bauren / die den tag gezecht / vnd noch / Die hetten
durcheinander Ein lauts geschrey vnd singen / wie dan ihr
gebrauch ist / das verdross D. Fausten v̊bel / Er fragt den wirt
ob er sunst kein stuben mehr im Hausse hette / darinnen er
allein von der Bawren geschrey fried haben möchte / [397ʳ]
Nein sprach der wirt / der Her muss also Heind für gut nemen /
vnd ire volle weiss im gefallen lassen / es sey ir gewonheit
also. Faustus war zufrieden / sagt zum wirdt er sol im Heind
gutlich thun auffs beste er vermochte / gab im zwen taler auf
rechnung / davon die wirttin einkauffen solt. Der wirt thet
alle ding auffs beste zurichten / von guten fischen / gesotten
eingebickts vnd ein Herliches gebratens / darzu den allerbe-
sten wein so er im Keller hette. Als nun das Nachtmal zůge-
richt vnd aller ding verfertiget war / auch der Tysch nach aller
Notturft zum vleissigsten zugericht war / Sprach D. Faustus
zu den vollen Bawren / Lieben freund / ich bitt euch / ir wollet
doch ein kleine Zeyt (biss wir gessen haben) ruich und still
seynn. [397ᵛ] Solches verdross die Bawren vbel / sagten es
koste ihr gelt / darumb wolten sie frolich dabey sein / gefiels
im nicht / so geschehe ihm dester weher darbey / und wurden
ungestumb. D. Faustus gin⟨g⟩ hinauss in Hoff / als wolt er
sunst sein Notturft thun / richtet balt mit seiner Schwartzen-
kunst zu / das den vollen Bawren in der Stuben / alzumal die
Meuller weit offen bliben / also das keiner nichs reden kundt /
welchs dan schrecklich zu sehen / Als aber der D. Faust
wider in die stuben gehen wolt / kam er zuvor zur wirttin in
die Kuchen / batt sie wőll sampt all irem Haussgesinde zum
essen kommen / er wolt Heind mit ihnen ein guten Muth
haben / vnd ir aller Wirt sein vnd für sie bezalen / des im die
wirtin / sampt dem wirt zusagenn musten / Do nun der wirt
sampt der wirtin [398ʳ] die erste richt ⟨*d. i. Gericht*⟩ auftru-
gen / vnd sahen / das die Bawren so still waren / darneben wie
ihn die Meuller so weit aufgespert stunden / do erschracken
sie / aber Faustus sagt sie solten ohne sorg sein / es wurde
ihnen die sprach wiederkommen. Knecht und wird ⟨*!*⟩ lach-

ten des Fasanachtshandel / dan es war gar seltzsam zusehen an
den grossen weitten Meullernn. ⟨ *Bild: 2 Tische, an dem einen
– gedeckten – Faust, an dem andern fünf Bauern mit aufge-
sperrtem Mund. Getäfelte Wand, darüber ein Brett mit Krü-
gen und Gläsern. Eine männliche Gestalt serviert ein Gericht
für Faust.* ⟩ [398^v] D Faust sprach / izt haben wir fried vnd gute
ruhe von irem geschrey / vnd kőnnen auch miteinander
vnverhinderlich reden / das doch zuvor nicht hette sein konnen / dan ich hab sie zum oftermal darfur gebeten / do gaben
sie bőse Hőnische wort auss / drumb geschigt ihnen recht /
Als nun das Nachtmal volbracht wart / vnd alles gutter ding
waren / bezalet D Faust dem wirt was er den abent verzert
hette / schencket der wirtin den Knechten und Meiden itzli-
chem besonder einen Beutpfennig / sein darbey zugedencken /
gin⟨g⟩ also damit zu Betht / do in dan der wirt allein in ein
schon beth leget / Batt darneben er wolle der arme Bawren
ingedenck sein / domit sie wider reden kőnnten vnd die Meul-
len ihn zu filen. [399^r] Faustus sprach / er solt ein scheid Holtz
nemen / vnd an dem ort (do er am Tisch gesessen wer) untter
die Banck legen / so wűrde ihnen besser werden / der wirt thet
nach seim befehl / do wurden die Bawren wider reden vnd
wart das Maul zugethan / Balt sie solchs vermerckten / gingen
sie mit grosser forcht ein ider in sein bewarung / vnnd waren
hernach nicht mehr so frech mit Worten / Des morgens wart
D. Faustus Todt vnd greulich im beth gefunden / hat also
nach dem er verdint / sein Lohn entpfangen / dan bőss arbeit /
gibt auch bősen lohn. Gott wolle uns alle vor des Teuffels-
listen vnd betrug / gnediglich vnd vetterlich behűtten / vnd in
warer anruffung vnd bestendigem glauben an vnsern Hern
Christum erhalten biss an vnser letztes Ende. Amen.

57

Caspar Goltwurm: Wunderwerck vnd Wunderzeichen Buch

[CCC IV^r] Der Teuffel gibt etwan auch seinen meistern den zeubern den lohn / Sonderlich wenn sie die kunst nicht recht gelernet / vnd treffen kőnnen / Denn es ist zu Saltzburg ein Zeuberer vnd Teuffels kűnstler gewest / Welcher sich vermessen vnd erbotten hatt / zu einem spectackel / Das Er alle Schlangen auff ein meil wegslang vnd breit / in ein gruben bringen / [CCC IV^v] vnd die selbigen alle ertődten wőlle / Welches er auch zuwegen bracht / das ein vnzeliche menge der Schlangen zusammen kommen waren / Zu letzt aber / kompt ein grosse alte Schlang / die selbige wegert sich in die gruben zukriechen / Der Incantator stellet sich / als lies Er sie gern also sich wehren / Er lies sie auch frey hin vnd wider kriechen / Endtlich aber / da Er sie mit ernst mit seiner Teufflischen kunst wolt angreiffen / vnd zu den andern getődten Schlangen in die gruben zu kriechen zwingen / da tritt die Schlang zu der gruben / gegen vber des Zauberers / vnd springt an jn / vnd vmbfengt jn / wie mit einem gűrtell / vnd fűret jn mit gewalt mit sich in die gruben / vnter die andern grewliche Schlangen / vnd bringt jn vmb. Das ist sein vnd aller solcher Teuffells kűnstler rechter lohn / Denn ob sich wol der Teuffel stelt / als ob Er sich von jnen Meistern las / so gibt Er jnen doch endtlichen jnen lohn / Wie ich dess viel schrecklicher alter vnd newer Historien erzelen wolt / Aber dieweil es vor augen ist / vnd tegliche erfarung solches aussweiset / acht ich an noht sein / solche zu erzelen / Sonder ist gnug mit diesem / darauss wir lernen sollen / das wir der teufflischen kunst sollen műssig gehn ⟨d. i. uns enthalten⟩.

58

ANDREAS HONDORFF: PROMPTVARIVM
EXEMPLORVM

[73ᵛ] Der Teuffel gibt etwan auch seinen Meistern den Zeubern Lohn / Sonderlich wenn sie die Kunst nicht recht gelernet / vnnd treffen kŏnnen / denn es ist in einer Stadt ein
Zeuberer vnd Teuffelskŭnstler gewest / Welcher sich vermessen / vnd erbotten hat / zu einem Spectackel / daß er alle
Schlangen auff eine meil weges lang vnnd breit / in eine Gruben bringen / vnnd dieselben alle ertŏdten wŏlle / Welches er
auch zuwegen bracht / daß ein vnzehliche menge der Schlangen zusammen kommen waren / Zuletzt aber kŏmpt eine
grosse alte Schlange / dieselbige wegert sich in die Gruben zu
kriechen / Der incantator stellet sich / als lies er sie gern also
sich wehren / Er lies sie auch frey hin vnnd wider kriechen /
Endlich aber / da er sie mit ernst mit seiner Teuffelischen
kunst wolt angreiffen / vnnd zu den andern getödten Schlangen in die Gruben zu kriechen zwingen / Da tritt die Schlange
zu der Gruben / gegen vber des Zeuberers / vnd springet an
jhn / vnnd vmbfenget jhn / wie mit einem Gŭrtel / vnnd fŭhret
jhn mit gewalt mit sich in die Gruben / vnter die andern
grewlichen Schlangen / vnnd bringet ihn vmb / Das ist sein
vnnd aller Teuffelischer Kŭnstler rechter lohn / Denn ob sich
wol der Teuffel stelt / als ob er sich von jhnen Meistern lasse /
so gibt er jhnen doch entlich ihren lohn. Wunderbuch Caspar
Goltwurms.

59

ANDREAS HONDORFF: PROMPTVARIVM
EXEMPLORVM

[75ʳ]　　　　　　　Alexander Sextus pestis maxima.

Dieser Bapst Alexander der 6. als er ein Cardinal was / vnnd
Tag vnd Nacht trachtet / wie er môchte Bapst werden / hat er
sich auff die Teufflische schwartze Kunst begeben / dadurch
er môchte wissen / ob jhm sein fürnemen gerathen wûrde
oder nicht. Also ist er letzlich durch einen Schwartzkûnstler
dahin bracht worden / daß er dem Teuffel bewilliget zugehor-
samen / so fern er jhm sage / was er von jhm begeren wûrde /
ward auch begert / wenn vnnd wo / vnnd in was gestalt er jhm
erscheinen / vnnd mit jhm handeln solte. Nemlich / in gestalt
eines Protonotariens. Also kam zu jhm der Teuffel auff
bestimpten tag in eines Protonotarien⟨s⟩ gestalt / vnnd zeiget
ihm an wer er were / vnnd erbot sich jhm zusagen / gewislich /
was er wûrde fragen / Da fragt er den Teuffel / ob er wûrde
Bapst sein? Antwort er / Ja / Fraget weiter wie lange er wûrde
Bapst sein? Da gab der Teuffel ein solche antwort / Daß Alexander verstunde achtzehen jar / wenn wars aber nur eilf Jar
vnnd acht Monat Bapst. Als nun der vorige Bapst starb / ward
Alexander Bapst / also vons Bapstumbs wegen genannt. Nach
den eilf Jaren war er kranck / schickt seiner Diener einen /
dem er am aller besten trawet / hinauff in sein Gemach / daß er
jhm ein Bûchlein holen solt / das auff dem Tische lag (war
voller schwartzer Kûnste / wolt es brauchen zuerfahren / ob
er gesundt werden môchte oder nicht.) Da der Diener hienauff kam / die Thûr auffthat / fand er den Teuffel in des
Bapsts Stuel sitzen / in Bepstlicher bekleidung vnnd Pomp /
also daß er sehr erschrack / zeigets dem Bapst an / Vnd auff
des Bapsts anhalten must er wider hienauff / vnnd erfahren /
ob er jhn noch also sitzend fûnde. Also fand er jhn noch / wirt
von jhm gefraget / was er da schaffen wolle? Gibt der Diener

antwort / Er solt dem Bapst dis Büchlein holen / Darauff
spricht der Teuffel / Was sagstu von Bapst? Ego Papa sum,
Jch bin Bapst. Als dieses der Diener dem Krancken Bapst
saget / Ist er sehr erschrocken / vnnd hat die sach anfahen zu
mercken / wo sie hinauß wolte / hat sich derhalben in die jnner
Kammer heißen tragen / Gleich darnach kompt der Teuffel in
gestalt eines Postens / an die hinterthür der Kammer / Klopfft
vngestümlich an / vnnd ward eingelassen / kömpt zum Bapst
für das Bette / vnd zeiget jhm an / die Jar sind aus / er sey jetzt
sein / müsse mit jm daruon. Da hat sich ein Zanck zwischen
jhn erhaben / aus welchem die vmbstender wol kundten verstehen / daß sie von der zahl der Jaren gekempfft haben / Der
Teuffel aber hat jhm erst die zahl recht außgeleget / vnnd
daruon gangen. Baldt darnach hat auch der Bapst / der Vicarius Christi / vnnd Seule der Christenheit / den Geist auffge-
ben / mit dem Teuffel zur Hellen gefaren.

Es hat dieser Bapst Alexander einen Son gehabt / vnnd eine
Tochter / die hat geheissen Lucretia / die hat er der Vatter
beschlaffen / vnnd hat sie der Bruder auch beschlaffen. Es hat
auch der Vatter mit derselbigen seiner Tochter nacket getan-
tzet / Von dieser Bäpstlichen Keuscheit sind zwene Verß
gemacht worden / also lautende:

> Conditur hoc tumulo Lucretia nomine, sed re
> Thais, Pontificis filia, Sponsa, nurus.

> Das ist:
> Lucretia hier begraben leit /
> Thais die Huer vbertreffent weit
> Weil sie den Vatter noch Bruder gscheut.

60

Wolfgang Bütner: EPITOME Historiarum

[60^r] Alexander ist ein Rômischer Bapst / vnd zuuor ein Cardinal Herr / er hatte kein Weib / aber eine schône Tochter Lucretia / vnd einen Son / von einem Maulbeerbaum geschüttlet / die beschlieff er zum ersten / vnd erlaubte darnach diese blutschande dem Sone. Wenn der Schelm wolte frôlich sein / muste die Tochter mit jm nackend herumb springen vnd tantzen. Also vertreib dieser Gotteslesterer seine heiligkeit. An das Bapstthumb steige er also: Als er sich dem Teufel eigen gemachet / erscheine er jm wie ein Vorsprach ⟨ *d. h. erschien er vor ihm, als sei dieser sein Anwalt* ⟩ / vnd sprach: Wie lange sol ich auff des Bapsts Stuel sitzen? Der Teufel antwortet: Du solt mit mir achtzehen jar darauf sitzen. Wie er nun 6. jar vnd 4. Monat gesessen / vnd versahe sich noch 11. jar vnd 8. Monat / damit die zaal der 18. jar sich erfulleten / setzet sich der Sathan auff des Bapsts Stuel in seiner Kammer / 5. jar vnd 10. Monat / der Bapst saß auch so lange / vnd hatte nun 11. jar vnd 8. Monat gesessen / ward kranck vnd fühlet sein ende / Seinen Diener sendet er nach seiner zauber grammatica / in seine Zauberstube / da saß der Teufel auff des Bapsts Sessel / vnd versagt dem Diener die Grammatica zu bringen / vnd sprach: Was wil Alexander im Buche sehen? sage jm das er bereit werde / mit mir zu fahren / die zeit ist vorhin vnd verflossen. Alexander sprach: Jch habe doch nicht mehr dann 11. jar vnd 8. Monat das Bapstthumb verwaltet / es vermag aber vnser bûndnis 18. jar. Da muste der Sathan lachen / vnd sprach: Wenn du recht rechnest wie ich rechne / so findestu gewislich 18. jar / dann 6. jar vnd 4. Monat hastu das Bapstthumb allein getragen / so hab ichs dir 11. jar vnd 8. Monat helffen tragen / da hastu 18. jar / drumb bistu mein mit haut vnd haer. Jst diese Historia war / so sey sie war / ich kan sie mit niemand vertheidigen / ich habe sie offt gehô-

ret / aber gelesen kein mal / denn ⟨*d. i. ausgenommen*⟩ wie sie
in Hohndorffij Promptuario verleibt ⟨*d. i. einverleibt*⟩ vnd
verschrieben ist.

61

Ludwig Milichius: Der Zauber Teuffel

Abdruck nach: Stambaugh, S. 28 ff.

[28] Sihe / da hat der Teuffel seinen vortheyl   Zoroastres
ersehen / und auff das Fundament / welchs er vor-   der Zaube-
hin gelegt / da er die vernunffte mit den sünden   fenger.
auffs elendest schwechte / hat er nuhn angefangen
zu bawen. Hat derohalben die Zauberey inn einem feinen
schein durch den Zoroastrem den ersten könig der Bactrianer
herfürbracht / Denn es sagen alle Scribenten einmündiglich /
daß diser der Zauberey ein anfenger sey.

Auff was weise er sie nuh erfunden habe / das melden sie
nicht klar / sie zeygen aber etliche vermütungen an / dabey
man leichtlich den anfang mercken kan. Denn es sagt Justinus
lib. 1. daß derselbige Zoroastres in des Himmels   Zoroastres
lauff vnnd anderen natürlichen dingen / sehr erfa-   ein gelerter
ren gewest. Dieweil nuh die Meyster dieser kün-   Astrologus
sten nach rhům gestrebet (wie jetzt angezeygt)   gewest.
vnnd sich newer fündlin beflissen / damit sie vor
andern etwas gelten möchten / so ist glaublich / daß Zoroastres auß ehrgeitz zuvor ahn / dieweil er ein König war / sich
irgend eines newen seltzamen und unerhörten wercks under-
standen habe / damit er Göttliche ehr erlangen möchte. Denn
wo kunst ist / da ist auch ehrgeitz / vnnd wo gewalt ist / da ist
auch kůnheyt vnnd freches fürhaben. Gleich wie der Xerxes
von wegen seiner grossen macht vnnd gewalt die er hatte / so
keck war / daß er dem Meer vnnd winden gebieten wolt. Es ist
auch glaublich / daß Zoroastres seine feind / welcher er vil

hatte (denn in einem streit ist er vom Nino der Assyrier Kŏnig erschlagen) mit listen und heymlichen rencken zu beschedigen habe fŭrgenommen.

Wie nuh heut zu tage der Teuffel zu den Hexen bißweilen in eines Menschen gestalt kompt / und macht bŭndniß mit ihnen / unnd lehret sie mit glatten Worten / wie sie [29] sich in der Zauberey halten sollen / welches dann von vilen Hexen bekennt wird / Also ist er villeicht auch dem Zoroastri erschienen / hat sich einen Gott gerŭmpt / und in mit sŭssen worten angeredt.

[Marginal note:] Bundniß des Teuffels mit dem Zoroastre.

1.

Erstlich wird er im sein kunst und gewalt fŭrgehalten haben / und gesagt / er sey wirdig / daß er auch unter die Gŏtter gezelt werde / sintemal vil geringere denn er / als Bacchus / Pan / Ceres / Pales / und andere / beyd mann unnd weibs personen seien Gŏtter worden.

2.

Zum andern wird er ihm auch angezeygt haben / wie er darzŭ kommen kŏndte / und gesprochen / Er mŭsse etwas newes unnd unerhŏrtes auffbringen / denn die natŭrliche kŭnste seien nuh gar gemeyn / unnd vielen bewust / wŏlle er aber sonderliche ehr haben / so mŭsse er auch etwas sonderlichs unnd wunderlichs außrichten.

3.

Zum dritten wird er ihm weidlich die feindschafft seiner widersacher fŭrgebildet haben / wie er denselbigen nicht mit gewalt widerstehn kŏnte / mŭsse derhalben die sach auff andere wege angreiffen / daß er sich an inen reche.

4.

Zum vierdten wird er aller Creaturen natůrliche wirckung
gar vernichtet haben / und gesprochen / der Mensch můsse
sich stracks nach den Creaturen richten / und inen unterwor-
fen sein / denn die kreuter heylen wol vil gebrechen / man
můsse aber ihren brauch unnd wirckung durch langwirige
erfarung erst lehrnen / unnd sey also der Mensch aller Creaturn knecht / můsse auch vor vilen Creaturen unnd in [30]
sonderheyt für disen zweyen Elementen / Fewer / unnd Wasser sich fůrchten und inen weichen / Er solle aber ihm folgen /
so wŏlle er ihnen ein kunst lehren / daß die Creaturn im
gehorchen / und außrichten sollen was er ihnen nur gebiete / ob
schon solches in ihrer natůrlichen krafft nicht sey / Er wŏlle in
lehren daß er nuhr etliche wort spreche / so solle die kranck-
heyt weichen ohn eynigen rechten brauch der Artzney / Oder
aber so der Mensch gesund were / so solle er kranck unnd
gebrechlich werden / Und dieweil mans für ein grosse kunst
halte / daß die Sternenseher unnd Naturkůndiger vermercken
konnen / wenn ein Ungewitter fůrhanden ist / so wŏlle er
ihnen noch ein grössers lehren / nemlich daß er selbs ungewitter machen solle / wenn es ihm gefiele / Item er wŏlle ihn
lehren / wie er die leuth verlåmen / unnd beschedigen soll / ob
er schon nicht gegenwertig bey sie keme / wie er Todten
aufferwecken / den Mond verfinstern / die fliessende Wasser
stehend machen / das Fewer on eynige feuchtigkeyt außle-
schen / und grosse wunderzeychen thůn solle / welche keyner
mit natůrlichen kůnsten zuwegen bringen kŏndte.

Mit solchen und dergleichen worten / hat ohn zweivel der
Teuffel den Zoroastrem zur Zauberey bewegt / ihnen dieselbige gelehrt / und bůndniß mit im auffgericht / ja auch darnach gantz Persien voll Zauberer gemacht.

Und diser betrug des Teuffels / ist desto leichtli-
cher von den Persiern auffgerafft / dieweil dieselbige völcker ihren ursprung hatten von dem Gottlosen Ham / Denn gleich wie ir Vatter ein verflůchter

*In Persien
ist die Zau-
berey erst-
lich außge-
breytet.*

mensch war / also liessen sich seine kinder an / unnd waren
mehr zu den wercken des Teuffels geneygt / denn zu Göttlichen dingen.

Es schreiben etliche / daß Zoroastres die Zauberey offentlich in Persien gelehret habe / und gibt
solchs auch zu verstehn / der Menippus im Luciano / da er spricht: Mir kam in den sinn / daß
ich hinzůge ghen Babylon / und [31] spreche ir-
gent einen Zauberer an auß des Zoroastris schůlern
und nachfolgern. Welchs so es geschehen ist /
wie denn wol möglich / glaub ich / daß ers gethon habe / ehe er
König ist worden / und daß er von wegen solcher newen
kunst welcher er ein erfinder war / sey zu Königlichen
ehren erhaben worden. Oder daß es sey geschehen durch
einen andern / welcher auch Zoroastres geheyssen hat / denn
Plinius helts selbs für ungewiß / ob einer oder mehr dises
namens gewest seien.

Auß Persien hat sich darnach diß ubel auch in
andere lande und Königreich gebreytet durch
namhafftige Zauberer. Bey den Mediern seind
nicht in einem schlechten rhům gewest / Apusco-
rus und Zaratus / bey den Babyloniern Marmaridius / bey den Arabiern Hipocus / bey den Assyriern Zarmocenidas.

Marginalien:

Zoroastres
sol die Zau-
berey of-
fentlich ge-
lehrt
haben.

Die Zaube-
rey ist auch
in andere
lande
kommen.

62

ANDREAS HONDORFF: PROMPTVARIVM
EXEMPLORVM

[75ᵛ] Zoroastres der Bactrianorum König / der hat zum
ersten die Zeuberische Kunst erfunden / welcher auch ein
Astrologus gewesen / Dieser ist vom Teuffel in die Lufft vber-
sich geführt / die Götter vnnd das Gestirn zubesehen. (Dar-

umb er vom Himmelischen Fewer verbrunnen / etc. Vnnd
haben die Poeten jhn nachmals darumb Zoroastrem genannt /
das ist / ein lebendig Gestirn.)   Volat. lib. 2. cap. 4.

63

Ludwig Milichius: Der Zauber Teuffel

Abdruck nach: Stambaugh, S. 149.

[149] Von denen / welche den Warsagern nach-   Welche den
lauffen / stehet also geschrieben: Ihr sollet euch   warsagern
nicht wenden zů den Warsagern / und forschet   nach-
nicht von den Zeychendeutern / daß ir nicht von   lauffen.
inen verunreyniget werdet / denn ich bin der Herr / Levit. 19.
Item / Wenn ein seel sich zů den Warsagern unnd Zeychendeutern wenden wird / daß sie ihnen nachhůret / so wil ich
mein angesicht wider dieselbige Seel setzen / und wil sie auß
irem volck rotten / Darumb heyliget euch / und seid heylig /
dann ich bin der Herr ewer Gott.   Levit. 20. Cap.

64

Andreas Hondorff: PROMPTVARIVM
EXEMPLORVM

[72^v] Cyprianus libro de duplici Martyrio. Qui magicis,
inquit, artibus vtuntur, tacite Christum abnegant, dum cum
daemonibus habent foedus.

Wer sich der Zeuberey befleist /
Christo der gewiß kein Glauben leist.

65

WOLFGANG BÜTNER: EPITOME Historiarum

[63ʳ] Vnter den Türcken / sollte die Zauberey mechtig vnd
starck sein / vnd hat auff eine nacht / vnd in einer stunde / der
Türcke einen Welschen Edelman vber das hohe grosse Meer
geführet / vnd zu seinem Weibe heimbringen lassen.

66

JOHANN WEIER: DE PRAESTIGIIS DAEMONVM

[133a] Jn diese gesellschafft gehöret auch der verflucht zauberische Pfaff / durch welchen der Teuffel / der jn auch / vnnd
kein besserer heilige darzu erweckt / newlicher zeit schier
jammer vnnd hertzenleidt angericht hette. Es ist aber damit
also zugangen. Zu Hambach im Hertzogthumb Gülch hatte
Anno 1563. im anfang deß Augstmonats Petrus der Canini-
chen fenger sein Pferdt in die weide gespannet / vnd wie der
gebrauch ist jhme ein grosse Schelle an den halß gehencket.
Jn dem aber das Pferdt auff der weide so gehet verleufft es sich
vnd kompt gar auß der weid. Da nun der Herr deß Pferdts
dasselbige suchte / vnd aber nirgend finden konte / dachte er
nicht anders / dann es müste jm von eim Dieb weg geritten
oder geführet worden seyn. Derohalben gieng er eilendts zu
einem Warsagerischen Meßpfaffen / Gerhard genannt der zu
Blatsum in dem Stifft Cöllen ein Vicarius ware / vnd bate jhn
daß er jhm doch wölte anweisung geben / wie er zu seinem
Roß wider kommen möchte: der Pfaff nicht faul / fragt erstlich seinen meister / von dem er pflegt gute warheit zuerfahrn /
nemlich den leidigen Teuf[133b]fel: Darnach antwortet er
jhme / vnd sagt der Dieb were mit dem Pferdt zu Bonn vber
Rhein gefahrn / vnnd werde es in der nechsten Herberge
verkauffen. Diesen worten glaubte von stund an der Herr des

Pferdts / seumet sich derohalben nicht lang / sondern macht
sich auff die fůß vnnd eilete dem Dieb nach so schnell er konte /
vnd als er an die furte deß Rheins kame / davon der Zauberer
jme gesagt hatte / forschet er fleissig nach / ob etwan einer mit
einem solchen Pferdt / das so vnd so gestalt vnd gefårbet
gewesen / sich daselbst hab vberführen lassen. Da hőret er
von den Leuthen gleich souiel anzeige / daß er nicht anders
drauß schliessen kan / dann es můsse sein Pferdt seyn / welches er verloren hatte. Vnd dieweil jhme auch darzu der orth /
da der Dieb mit dem Pferd vber Rhein solt gefahren seyn /
gezeugt warde / folget er jmmer nach. Als er aber etliche tag
an einander gezogen / kam er letzlich gen Hackenberg in der
Graffschafft Sene / da traffe er einen gerůsten Reuttersman
ahn / der dauchte jn sesse auff seinem Pferd / den fiele er mit
grosser vngestůmb an / sagte das Roß were sein / vnnd wolte
kurtzumb haben er solte es jm folgen lassen / vnnd dieweil er
wol spůren konte / es wůrde die sach so schlecht nicht abgehn /
so sahe er sein vorteil mit dem auch auß wo er dem Reutter /
wenn er sich zur gegenwere stellen wůrde / am nechsten beykommen vnnd flugs erstechen kőnte. Dann darauff hatte es
der leidige Teuffel / der ein lůgner vnnd Mőrder ist von anbe-
gin her / gespielet / daß nur mordt vnd blutvergiessen dadurch
vervhrsachet mőchte werden. Nach dem sich aber die zwen
ein gute weil mit einander gebalget hetten / fiele dem klåger
ein / daß sein Pferd ein můnche vnd verschnitten ware. Derohalben dieweil sonst farb / gestalt vnd alles andere da ware /
griffe er dem Pferd zwischen die beine nach seinem Manns
recht / da befande er das er grob angelauffen vnd heßlich
gefehlet hatte. Derowegen bat er vmb verzeyhung / vnd erzelet den gantzen handel / wie er darzu kommen were / vnd zog
also wider heim mit seinen armen Leuten nach hauß zu. Ehe er aber
wider heim kame / erfuhre er noch auff dem wege / daß gleich
nach seinem abschiedt das Pferdt todt gefunden war worden /
dann es hatte vngefehr mit dem einen hinderfuß in [134a] das
seyle / vmb den halß / getretten / vnd war darinnen hangen
blieben / vnnd sich also selbst gekrengelt vnnd getődtet. Also

ward endlich offenbar deß vermaledeyten warsagerischen
Meßpfaffens warheit / dafür man jhme zu lohn vnnd verehrung ein guten Prügel vmb die lenden hette geben sollen. Es
hat aber dieser schimpff deß verlornen gestorbenen vnd ver-
dorbenen Pferdts Herrn bey zehen harter Thaler gekostet /
die jme auff die reise vnnd anders gangen seyn / welches jme
dermassen hernacher geschmertzet / daß er in meiner gegenwart sich vnuerholen hat hören lassen / er wolte es dem zauberischen Pfaffen vnd verlogenen bößwicht eintrencken vnd
das Gelt wider auß der haut herausser schlagen.

67

AUGUSTIN LERCHEIMER: Ein Christlich Bedencken vnnd
Erjnnerung von Zauberey

[268a] Jm Landt zu Gülich zu H. konnte ein Baur sein Pferd
auff der Weydt nicht wieder finden: fragt einen Pfaffen einen
Warsager darumb. Der antwortet jhm / es habs einer weg
geritten vber Rhein: dem ziehet er nach / trifft jn an: sagt das
Pferd / darauff er sitze sey sein / denn es war seinem gar
gleich. Jener leugnets: hette einer den andern darüber erwürget / wann der Bawer dem Rosse die hoden nicht betastet hett /
die seinem außgeschnitten waren. Mord hatte der Teuffel
damit im sinne / ist jm aber durch Gottes vorsehung vnd gnad
mißlungen.

68

AUGUSTIN LERCHEIMER: Ein Christlich Bedencken vnnd
Erjnnerung von Zauberey

[271a] Wie eim andern Pfaffen geschahe / der kam mit seim
Breuir oder Bettbuch / gieng für vber da ein Schwartzkünstler mit seinen Gesellen saß. Der spricht: Sihe da der Heuchler

wil gesehen seyn er trage ein Breuijr / so es doch Spielkarten
seyn. Der Pfaff schauwet auff sein Buch / da sinds Karten:
wirffts im zorn weg. Andere kommen hebens auff / denen
wars ein Buch. Dieser sahe ein dieng in anderer gestalt an als
es in der warheit war.

69

AUGUSTIN LERCHEIMER: Ein Christlich Bedencken vnnd
Erjnnerung von Zauberey

[275a] Demselbigen Abt ⟨d. i. *Johannes Trithemius*⟩ war-
tete sein Geist dermassen auff den dienst / war jhm allenthalben vnnd jeder zeit also willig vnd bereit / daß / wann er vber
feld reisete / vnd etwa in ein kalte Herberge kam / jm dann der
Geist speiß vnd tranck anderswo herzu trug. Er ist ein mal im
Franckenland gereyset / vnd vnder andern seinen geferdten
gewesen ein fürnemmener Mann / Keyserlicher vnd der Stadt
N. Rath / der diß erzehlet hat: Daß sie in ein Wirtshauß
kommen seyn / da nichts guts zu essen noch zu trincken
gewesen. Da hat der Abt nur ans fenster geklopffet vnnd
gesprochen / adfer / das ist / bringe. Nicht lange darnach
wirdt ein Schüssel mit eim gekochten Hecht zum Fenster
hinnein gereicht / vnd daneben ein Flesche Wein. Davon hat
der Abt gessen vnd gedruncken: die andern haben ein
abschewen darob gehabt vnnd es nicht genossen: Wie ich
auch gethan hette. Wolte lieber / vnnd hette lieber sollen
hungers sterben / dann vom Teuffel mich speisen vnd tren-
cken lassen. Dessen vns der HERR Christus ein fürbild vnd
lehr gegeben hat / da jm der SATHAN rihet daß er auß Steinen
Brodt machete: vnd er jhm antworte / der Mensch lebet nit
allein vom Brot / sondern / etc.

70

Andreas Hondorff: PROMPTVARIVM EXEMPLORVM

[74ʳ] Ein Abt ist ein grosser Schwartzkůnstler gewesen / da er einmal in eine Herberge kommen / da nicht wol zugericht gewesen / Sagt einer schertzweise zu jm / Herr Abt / lieber verschafft vns ein gut Gericht Fische. Da hat er nur an das Fenster geklopfft / bald kam einer / der brachte ein speise mit zugerichten kőstlichen Hechten. Manl⟨ius; *Stelle bisher nicht nachgewiesen*⟩.

71

Wolfgang Bütner: EPITOME Historiarum

[59ʳ] Abt. Ein Abt kam mit seiner Mőnchsrůstung in eine kalte Herberge / vnd hetten die Brůder gerne wolgelebt / da klopffet er mit einem finger an ein fenster / da kam sein Credentzer / vnd brachte die besten Fische zugerichtet / statlich vnd zum wundsch der Mőnchen.

72

Augustin Lercheimer: Ein Christlich Bedencken vnnd Erjnnerung von Zauberey

[270a] Ein Bůchsenmeister / den ich gekennt / vermaß sich / er wőlle alles treffen was jm nur innerhalb schusses were / daß ers erreichen kőnnte / ob ers gleich nit sehe. Der ließ sich brauchen in der Statt W. in der belagerung. Dafur hielt in eim Wåldlein ein fůrnemmener Oberster vnd Herr / den er nit sahe: erbot sich er wőlte jhn erschiessen: aber es ward jm

verbotten / er solts nit thun. Da schoß er oben durch den
Baum darunder er hielt auff seim Roß vnd zu morgen aß. Ob
er jhn hette auß GOttes verhengnuß mögen treffen / das weiß
ich nit. Das aber weiß ich / daß solches nicht künstlich oder
natürlich / sonder teuffelisch ist / der solchen Gesellen bey-
wohnet: vnd daß sie nachmals bey jm hausen werden: es sey
dann daß sie sich bey zeit von jm zu Gott bekern.

73

Augustin Lercheimer: Ein Christlich Bedencken vnnd
Erjnnerung von Zauberey

[272b] Vnschädlich / doch sündlich / war der posse den Joh.
Faust von Knütlingen machte zu M. im Wirtshauß / da er mit
etlichen saß vnd sauff / einer dem andern halb vnnd gar auß
zu / wie der Sachsen vnd auch anderer Teutschen gewonheit
ist. Da jm nu deß Wirtsjung seine Kannte oder Becher zu
vol schenckete / schalt er jn / drawete jm / er wölle jn fressen /
wo ers mehr thete. Der spottete seiner / Ja wol fressen:
schenckete jhm abermal zu voll. Da sperret Faust sein Maul
auff / frißt jn. Erwischt darnach den Kübel mit dem Külwas-
ser / spricht: Auff einen guten bissen gehört ein guter
trunck / seufft das auch auß. Der Wirt redet dem Gast ernstlich zu / er sol jm seinen Diener wieder verschaffen / oder er
wölle sehen was er mit jm anfienge. Faust hieß jn zu frieden
seyn / vnd hindern ofen schawen. Da lag der Jung / bebete von
schrecken / war aller naß begossen. Dahin hatte jn der Teuffel gestossen / das Wasser auff jn gestürtzt: den zusehern die
Augen bezaubert / daß sie daucht er wer gefressen / vnd das
Wasser gesoffen.

Viel weiter hat der Münch zu Erfurt das Maul auffgethan /
da er auff dem Marckt das Fuder Hew mit Wagen vnd Roß
verschlung / das der Bawr darnach draussen fürm Thor fand
stehen.

74

Augustin Lercheimer: Ein Christlich Bedencken vnnd
Erjnnerung von Zauberey

[275a] Wo hat der Teuffel den Hecht vnnd Wein genommen /
hat er sie erschaffen? Nein. Das kan er nicht / wie oben
bewehret. Er hat sie gestolen etwa auß einer reichen herrlichen Küchen vnnd Keller. Da der Koch den Fisch hatt angerichtet / daß man jhn aufftrüge / ist er jhm entzückt worden /
daß er nicht gewußt wohin er kommen sey: vnd ist ohn [275b]
zweiffel derhalben in verdacht vnd vngemach gerahten bey
seim Herren / als wan er jn entwendet hette. Den Wein hat er
leichtlich zu wege bracht / sintemal er zu allen kellern ein
schlüssel hat.

Solch stelen vnd nemmen deß bösen Geistes / wil ich mit
dieser warhafftigen Geschicht beweisen. Zu O. am Rhein /
haben etliche Edelleute jhre Höfe / da sie einziehen / so offt sie
in die Stadt kommen. Jn deren einem / genannt der Fr. Hoff /
hielt ein Bürger hochzeit. Da die Geste zum abendmal wieder
kommen waren / vnnd zu Tisch sassen / vnnd man Fische
soht: da die gar waren / vnd nun solten vom Fewer genommen
vnd angerichtet werden / fellt ein hefftiger Windt zum
Schornstein / zun Fenstern vnnd Thür hinnein / wehet alle
Liechter auß / stürtzet den Kessel vber dem Feuwer vmb / daß
es erlescht. Dessen sie alle erschrocken / wie zu erachten. Als
sie sich nun wider besunnen / vnd zu jhnen selbs kommen /
liecht wider angezündet / vnd gesucht haben / wo die Fische
weren / ist nicht ein auge oder grätlein fisch gefunden worden. Haben den Gesten mitler weil nüsse auffgesetzt / biß sie
ander Fische geholt vnd zugerichtet haben / vnnd darnach
sich entschüldiget vnd wie es zugangen / erzehlet. Wohin
seynd die Fische kommen / anders dann zum Abte / oder seins
gleichen Zauberer / der Geste geladen vnd nichts auff sie
gekochet hatte?

Hie erinnere ich mich eines solchen gesellens / der am Hofe

zu H. war / vnnd einsmals seinen Gesten (weiß nicht ob er
auch auff sie gekochet hatte) ein seltzam schimpfflich Gauckelwerck machete / darinn auch eine besondere Teuffels
krafft gemercket wirdt. Nach dem sie gessen hatten / begerten
sie / darumb sie fürnemlich kommen waren / daß er jnen zum
lust ein Gauckelspiel machete. Da ließ er auß dem Tisch ein
Reben wachsen mit zeitigen Trauben / dern fürm jeden eine
hieng. Hieß ein jeglichen die seine mit der einen Hand
angreiffen vnnd halten / vnnd mit der andern das Messer auff
den stengel setzen / als wann er sie abschneiden wolte. Aber er
solte bey leibe nit schneiten. Darnach gehet er auß der stuben /
kompt wider: da sitzen sie alle vnd halten sich ein jeglicher
selbs bey der Nasen vnd das Messer darauff. Hetten [276a] sie
geschnitten / so hett jm ein jeder selbs die Nase verwundt.
Hierauß wird verstanden / daß der Satan nicht allein die
Augen kan verhindern vnd verstricken / sondern auch das
fühlen vnd tasten kan jrre vnd krafftloß machen / wie zuvor
vom Bawren vnd seinem Korn gesagt. Denn diese Geste
weder gesehen noch getastet haben / daß sie sich bey der
Nasen hielten / meinten sie hielten trauben.

75

JOHANN WEIER: DE PRAESTIGIIS DAEMONVM

[93ᵃ] Als vor zeiten zu Cracaw in Poln die
Schwartzkunst inn offentlicher Schulen gelehrt
vnd getrieben worden / ist dahin kommen einer
mit namen Joannes Faustus / von Kündtlingen
bürtig / der hat dise schöne kunst in kurtzem so
wol begrieffen / daß er hernach kurtz zuuor / ehe
denn man geschrieben tausent fünffhundert vnnd viertzig /
dieselbige mit grosser verwunderung / vielen lügen / vnd
vnseglichem betrug hin vnd wieder in Teutschland one schew
zutreiben vnnd offentlichen zupracticiren / angefangen hat.

Faustus ein berümbter Zauberer odder Schwartzkünstler.

Was für ein seltzamer Brillenreisser ⟨*d. i. einer, der auf dem Jahrmarkt Brillen anpreist*⟩ aber vnnd Ebenthewer er gewesen / vnnd was für seltzame stücklein er gekönt habe / wil ich hie nur mit einem Exempel darthun dem Leser zum besten / doch mit dem bescheidt / daß er mir / er wölle es jhme nicht nachthun / zuuor verspreche vnd gelobe. Als vff ein zeit dieser schwartzkünstler Faustus seiner bösen stück halben zu Battoburg / welches an der Mose ligt / vnd mit dem Hertzogthumb Geldern grentzet / in abwesen Graff Hermans inn hafften kommen / hat jhme der Capellan deß orts / Herr Johan Dorstenius / ein frommer einfältiger manne / viel liebs vnnd guts erzeiget / allein der vrsach halben / dieweil er jme bey trewen vnd glauben zugesagt / er wölte jhn viel guter Künste lehren / vnd zu einem außbündigen erfahrnen manne machen. Derohalben / dieweil er sahe / daß Faustus dem Trunck sehr geneigt war / schickte er jme von hauß auß so lang Wein zu / biß das fäßlein nachließ vnd gar leer wurd. Da aber der Zauberer Faustus das mercket / vnd der Capel[93ʳᵇ]lan auch sich annahm / er wolte gen Grauen gehen vnd sich daselbst barbieren lassen / liesse er sich hören / wann er jm mehr weins geben wolte / so wölt er jhn ein kunst lehren / daß er on schermesser vnd alles deß barts abkommen solte. Da nun der Caplan das gleich eingienge / hieß er jn schlecht auß der Apotecken hinnemen Arsenicum / vnd damit den bart vnd kinne wol reiben / vnd gedachte mit keinem wörtlein nit / daß ers zuuor bereiten / vnd mit andern zusetzen brechen solte lassen. So bald er aber das gethan / hat jme gleich das kinne dermassen angefangen zu hitzen vnd brennen / daß nit allein die haar jm außgefallen / sondern auch die haut mit sampt dem fleisch gar abgangen ist. Diß Bubenstücklein hat mir der Caplan mehr dann ein mal / aber allweg mit bewegtem mut selbst erzelet. Noch ein anderer ist gewesen / den ich auch wol gekannt / der hatte einen schwartzen bart / vnd war bräunlich von angesicht / von wegen seiner Melancholischen Complexion / wie er dann auch dero vrsachen halben zeitlich am Miltzen sich vbel befande. Als derselbige den Zauberer Faustum auff ein zeit

besuchte / sagte er ⟨*d. h. dieser, Faustus*⟩ frey offentlich zu
jhme / Fůrwar ich meinte nicht anders / dann du werest mein
schwager / meiner Schwester Mann / sahe dir derhalben gleich
nach den Fůssen / ob du lange vnnd krumme Klauwen daran
etwan herfůr gucken hettest. Verglieche also den guten Mann /
dieweil er schwartz war von Angesicht / als er zu jhm eintrat /
dem Teuffel / vnd nennet denselbigen auch / wie sonst allweg
sein gebrauch war / seinen Schwager. Aber sein lohn ist jhme
zu letzt auch worden. Dann / wie man sagt / so ist er in einem
Dorff / im Wirtenberger Landt / deß morgens neben dem
Bette / tod gefunden worden / vnnd das Angesicht auff dem
Růcken gehabt / vnd hat sich dieselbige nacht zuuor ein solch
getůmmel im Hauß erhaben / daß das gantze Hauß davon
erzittert ist.

76

Wolfgang Bütner: EPITOME Historiarum

[115^r] So habe ich auch gehöret / das Faustus zu Witten-
bergk / den Studenten und einem hohen Mann N. habe Hec-
torem / Ulyssem / Herculem / Aeneam / Samson / David / und
andere gezeiget / die denn mit grausamer geperde vnd ernst-
hafftem angesicht herfůr gangen vnd wider verschwunden /
und sollen (welches Luth⟨erus⟩ nicht gelobt) dazumal auch
Fůrstliche Personen dabey gesessen / vnd zugesehen haben.

77

Augustin Lercheimer: Ein Christlich Bedencken vnnd Erjnnerung von Zauberey

[269b] Dieser art Leute findet man etwan auch vnder den
gelerten / die alle andere wöllen vbertreffen. Weil jhnen aber
jhr verstand / fleiß vnd vermögen zu gering vnd zu schwach

darzu ist / oder daß sie die arbeit verdreußt / gewehnen sie
einen Geist zu sich / der jhnen fürliset was sie begeren / jnen
anzeiget in welchem buch / an welchem ort diß oder jenes zu
finden sey: jhnen sagt was in büchern geschrieben stehet / die
etwa verborgen ligen / keinem Menschen bewußt / ja die
etwan gewesen / nun aber verweset / zerrissen / verbrannt
sind / in welchen der Teuffel wol gedencket vnd weiß was
gestanden ist. Wann nun solche Leute in jren reden vnd
schrifften so hohe verborgne kunst vnnd weißheit fürgeben /
verwundert man sich jrer / werden groß geachtet vnd gehalten. Aber es ist solcher rhum vnnd preiß viel zu thewr ge-
kaufft.

Zeugnisse zur zeitgenössischen Wirkung

1

Augustin Lercheimer: Christlich bedencken vnd
erinnerung von Zauberey (1597)

[76] Hie muß ich auch von eim zauberer / der nicht herrlich
aber doch berhůmbt / vom Johans Fausten etwas weitlåuffig
meldung thun / dazu mich verursachet ein buch das von jm
ein lecker ⟨d. i. Windbeutel⟩ / er sey wer er wolle / newlich
hat außgeben / damit fůrnemlich die schule vnd kirche zu
Wittemberg geschmehet vnd verleumdet. Saget daß der Faust
sey bey Weimar vnd Jena geboren / zu Wittenberg erzogen
instituirt Magister artium vnd Doctor Theologiae gemacht:
habe daselbst in der vorstatt beym eusseren thor in der scheergassen hauß vnd garten gehabt: sey im dorffe Kimlich ein
halbe meile von Wittenberg vom teufel erwůrget in beyseyn
etlicher Magister Baccalarien vnd Studenten am karfreitage.
Diß alles ist bößlich vnd bůbelich erdichtet vnd erlogen: wie
er dann auch / der lecker / seine lügen vnd [77] vnwissenheit
damit entdecket daß er schreibet Faust sey bey den Grauen
von Anhald gewesen vnd hab da gegauckelt / so doch dieselbige Herren nun über 500 jar Fürsten vnd nicht Grauen sind:
den Faust aber hat der teufel erst vor 60 jaren geholt. Wie
reimbt sich diß?

Er ist bůrtig gewesen auß eim flecken / genant Knůtling /
ligt im Wirtemberger lande an der Pfåltzischen grentze. War
ein weile schulmeister vnder Frantz von Sickinge bey Creu-
tzenach: von dannen muste er verlauffen von wegen beganges-
ner sodomia. Fuhr darnach mit seinem teufel in landen
vmbher / studierete die schwartze kunst auff der hohen schule
zu Craco: Kam gen Wittenberg / ward ein zeitlang alda gelit-
ten / biß ers zu grob machete daß man jn gefenglich wolte
eynziehen / da macht er sich dauon. Hatte weder Hauß noch

Hof zu Wittenberg oder anderswo / war nirgent daheim le-
bete wie ein lotterbube / war ein schmorotzer / fraß sauff vnd
ernehrete sich von seiner gauckeley. Wie konte er hauß vnd
hof da haben beym eussern thor in der scheergassen / da nie
keine vorstatt gewesen vnd derhalben auch kein eusser thor?
auch ist nie kein scheergasse da gewesen.

Daß man in solcher Vniuersitet einen solchen / den Melan-
thon ein scheißhauß vieler teufel pflag zu nennen / solte zum
Magister / ich ge[78]schweige zum Doctor Theologiae gemacht haben / welches dem grad vnd ehren titul ein ewige
schmach vnd schand flecke were / wer glaubet das? Er ist vom
teufel erwürget in eim dorffe im land zu Wirtemberg nicht
bey Wittenberg zu Kimlich / da kein dorff des namens nirgent
ist. Denn nach dem er außgerissen / daß er nicht gefangen
wurde / hat er nie dürffen gen Wittenberg wider kommen.

Jn gemeltes dorff kam er an eim feiertage zu abend beküm-
mert vnd kranck / weil die stunde jm vom teufel jrem geding
nach bestimmt / nun fürhanden war. Findet im wirtshauß ein
zeche bawren sitzen mit grossem geschrey. Bittet derhalben
den wirt / daß er jm ein besonders kåmmerlin eingebe. Alß
nun die bawren je lenger je mehr schreien / begert er von jn /
sie wollen gemacher thun / seiner als eines krancken verscho-
nen. Da machen sie es desto mehr / wie die bawren pflegen
wann man sie bittet. Da beweiset Faust seine letzte kunst an
jnen: Sperret allen die meuler auff / daß sie sitzen vnd gaffen
einer den andern an / kan keiner ein wort reden: Zeigen vnd
deuten zur kammer auff den gast / der wirt solte jn bitten / daß
er jnen die meuler wider liesse zugehen. Das geschihet mit
dem geding / das sie hinfort stille sein. Darauff machen sie
sich alsbald dauon. Zu mitternacht hôret der wirt [79] ein
gepolter ins Fausten schlaffkammer: findet jn morgens daß jm
der halß war vmbgedreiet vnd der kopff vom bette hieng. Da
vnd also ist der Faust vmbkommen / nicht bey Wittenberg.
Das der lecker vom Karfreitage saget / hat die meynung alß
wann in der schule also Gottloß vnd ruchloß die jugent erzogen wurde daß sie auch an so heiligem tage / da man das leiden

Christi betrachten solte / dem teufelischen handel nach-
gienge.

Andere eitelkeit lügen vnd teufelsdreck des buchs lasse ich
vngereget ⟨*d. i. unerwähnt*⟩: diese habe ich darumb angezeigt das michs sehr verdreußt vnd betrübet / wie viele andere
ehrliche leute / die wolverdiente hochrhümliche schule / die
selige Männer Lutherum Philippum vnd andere dermassen zu
schenden: darum daß ich auch etwan da studiert habe. Welche zeit noch bey vielen da dieses zauberes thun in gedechtnuß war. Es ist zwar nicht newe vnd kein wunder das solche
schmehesrifften von bösen leuten vnser religion feinden auß-
gegeben werden: das aber ist ein vngebürlich ding vnd zubeklagen / daß auch vnsere buchtrücker dörffen ohn schew vnd
scham solche bücher ausprengen vnd gemein machen /
dadurch ehrliche leute verleumdet / die fürwitzige jugent / die
sie zuhanden bekommt / geärgert vnd angeführt wird / wie die
affen / zu wünschen (dabey sich dann der teufel bald leßt
finden) vnd zu versuchen ob sie dergleichen [80] wunderwerck könne nachthun / vnbedacht vnd vngeachtet was für
ein ende es mit Fausten vnd seines gleichen genommen habe:
daß ich geschweige daß die schöne edle kunst die truckerey
die vns von Gott zu gutem gegeben / dermassen zum bösen
mißbrauchet wird. Daß sey gnug von dem.

Die 1597 in die letzte noch von Lercheimer selbst besorgte
Ausgabe seines überaus erfolgreichen Christlich bedencken
eingefügte Passage ist gelegentlich als die erste »Rezension«
zur Faust-Historia bezeichnet worden. Der Terminus mag
gelten, wenn man Standpunkt und Perspektive Lercheimers
richtig einschätzt. Im wesentlichen erwartet Lercheimer von
einem Buch dieser Art, daß es etwas mitteile, und zwar Richti-
ges, das den Leser fördert, indem er etwas daraus lernt; eine
solche Erwartung wird z. B. auch speziell durch den Terminus
»Historia« erweckt. In diesem Sinne hat er vollkommen recht
mit der kritischen Feststellung, daß die Faust-Historia in der
Hauptsache erfunden sei. Aber die Fiktionalität als solche exi-

stiert für ihn eben (noch) nicht. Sie ist für ihn eine übelwol-
lende Abweichung vom Faktischen wie vom Wegweisenden,
das Ganze ist somit »bößlich vnd bübelich erdichtet vnd er-
logen«.

Was er selbst für sachlich zutreffend hält, hat Lercheimer
der Erzählung seines Lehrers und Freundes Melanchthon ent-
nommen, wie sie Manlius überliefert hat. Von sich aus weiß er
über Faust gar nichts. Ungewollt macht Lercheimer auf mar-
kante Kühnheiten der Faust-Historia aufmerksam, nämlich
frei erfundene Realität. Daß Lercheimer ferner die Beheima-
tung Faustus' in Wittenberg als Opposition zur Reformation
interpretiert, weist auf eine komplizierte Problematik im Ver-
hältnis des »faustischen Strebens« zur evangelischen Lehre.

2

Wilhelm Schickard: Bechinath Happeruschim (1624)

Sed nec nobis Germanis exempla desunt. talis enim inter
plures est v. g. famosissima illa et multis quoque gravibus
viris credita, fictitii cujusdam Doctoris Fausti legenda, quam
tamen saniores non nisi in hunc finem excogitatam esse statu-
unt, ut promiscuam plebem, in superstitiones et magicas artes
pronam, tragico quem affingunt eventu, ab ejusmodi sceleri-
bus deterrere.

[Aber auch wir Deutsche besitzen durchaus Beispiele
dafür. Von dieser Art ist nämlich neben mehreren anderen
z. B. die außerordentlich berühmte und auch von vielen
ernsthaften Männern für wahr gehaltene Lebensgeschichte
jenes frei erfundenen Doctor Faust, von der freilich die Ver-
nünftigeren annehmen, sie sei einzig und allein zu dem Zweck
ersonnen, damit das gewöhnliche Volk, das eine Neigung
zum Aberglauben und magischen Künsten zeigt, dadurch,
daß man einen tragischen Ausgang hinzudichtete, von
Schändlichkeiten dieser Art abgeschreckt werde.]

*In einem viel engeren, dafür freilich auch spezifischeren
Sinne Literatur geworden, als das noch für Lercheimer der
Fall war, ist dann die Faust-Historia ungefähr eine Genera-
tion später bei dem bedeutenden Tübinger Philologen, Alt-
testamentler und Astronomen Wilhelm Schickard. Der Titel
seines Buches (vgl. Literaturverzeichnis S. 315) sei hier über-
setzt:*

> Bechinath Happeruschim. Das ist: Untersuchung der »rab-
> binischen« Pentateuch-Kommentare. Einleitung [eigtl.:
> Vorhut] oder Erster Teil, enthaltend eine allgemeine ein-
> führende Erörterung über 1. den hebräischen Text, 2. die
> aramäische Übersetzung, 3. die Septuaginta, 4. die Anmer-
> kungen der Masorethen, 5. die Auslegung der Kabbalisten,
> 6. die rabbinischen Kommentare. Mit Registern zu den
> Schriftstellen und den wichtigen Sachen. Verfaßt von Wil-
> helm Schickard, Professor der Hebraistik. Tübingen 1624.

Die Historia *war Schickard zufolge noch im Erscheinungs-
jahr der Opitzschen* Poeterey, *also an der Schwelle des literarischen Barock, eine Berühmtheit, und zwar eine, die im
internationalen Vergleich zählte. Unmittelbar zuvor hatte
Schickard von der biblischen* Gleichnisrede (Parabola) *gehandelt und ausgeführt, daß es vergleichbare Erzählwerke auch
bei weltlichen Autoren gebe, und zwar in allen Sprachen
(»Tales enim narrationes etiam apud profanos authores in
omnibus reperiuntur linguis«). Die Beispiele, die er anführt –
Xenophon, Homer, Vergil, Ovids* Metamorphosen *–, heben
das Faust-Buch allerdings in einen außerordentlichen Rang.
Daß die Erzählung fiktiv ist, wertet Schickard also nicht mehr
negativ. Indes rechnet er mit einem zwiefachen Sinn: sie ist
einmal »Dichtung«, für die einfachen Leute aber mag sie
außerdem als Warnschrift auch noch ihren Nutzen haben.*

Titelregister

zu den Erläuterungen, den Quellentexten und den
Zeugnissen zur zeitgenössischen Wirkung

Literaturverzeichnis

Das Literaturverzeichnis enthält in seinen ersten drei Teilen diejenigen Handschriften, Inkunabeln und Frühdrucke, die in der vorliegenden Edition ediert bzw. zitiert werden, in Teil IV wissenschaftliche Ausgaben des Faust-Buches und der aus ihm abgeleiteten Texte. In Teil V ist die Forschungsliteratur angeführt, auf welcher der Kommentarteil dieser Edition beruht, darüber hinaus auch Arbeiten, die ganz direkt dem Faust-Buch gelten. Titel der zuletzt genannten Art existieren in erstaunlich geringer Zahl. Die Forschung hat sich zumeist der sogenannten Faustsage gewidmet, einem schwer beschreibbaren Gemisch von Urkunden und von literarischen Texten der denkbar verschiedensten Art. Sofern ihnen ein Quellenwert zukommt, sind auch solche Werke aufgenommen worden. Diese relativ kurzgefaßte Liste soll es dem Benutzer ermöglichen, sämtliche Titel, die er benötigen könnte, aufzufinden. Es ist nicht beabsichtigt, die Benutzung anderer wissenschaftlicher Hilfsmittel, wie etwa von Bibliographien, überflüssig zu machen.

I. Bibliographie

Henning, Hans: Faust-Bibliographie. Teil 1: Allgemeines. Grundlagen. Gesamtdarstellungen. – Das Faust-Thema vom 16. Jahrhundert bis 1790. Berlin/Weimar 1966. (Bibliographien, Kataloge und Bestandsverzeichnisse. Hrsg. von den Nationalen Forschungs- und Gedenkstätten der klassischen deutschen Literatur in Weimar.)

II. Edierte Texte der *Historia*

Die Editio princeps. Frankfurt 1587 (Sigle: A[1])

HISTORIA | ⟨*rot:*⟩ Von D. Johañ | Fausten / dem weitbeschreyten | ⟨*schwarz:*⟩ Zauberer vnnd Schwartzkünstler / | Wie er sich gegen dem Teuffel auff eine be-|nandte zeit verschrieben / Was er hierzwischen für seltzame Abentheuwer gesehen / selbs angerich-|tet vnd getrieben / biß er endtlich sei-|nen wol verdienten Lohn | empfangen. | ⟨*rot:*⟩ Mehrertheils auß seinen eygenen hin- | ⟨*schwarz:*⟩ derlassenen Schrifften / allen hochtragenden / | fürwitzigen vnd

Gottlosen Menschen zum schrecklichen | Beyspiel / abscheuw-lichen Exempel / vnd treuw-|hertziger Warnung zusammen ge-zo|gen / vnd in den Druck ver-|fertiget. | ⟨*rot:*⟩ IACOBI IIII. | ⟨*schwarz:*⟩ Seyt Gott vnderthånig / widerstehet dem | Teuffel / so fleuhet er von euch. | CVM GRATIA ET PRIVILEGIO. | ⟨*rot:*⟩ Gedruckt zu Frankfurt am Mayn / | ⟨*schwarz:*⟩ durch Johann Spies. | ⟨*rote Linie: 3,4 cm*⟩ | M. D. LXXXVII.
⟨*Kolophon:*⟩ Gedruckt zu | Franckfurt am Mayn / | bey Johann Spies. ⟨*nach Druckersignet folgt:*⟩ M. D. LXXXVII.
Ex.: Herzog August Bibliothek Wolfenbüttel: 56.3 Ethica.

Die Wolfenbütteler Handschrift

Historia vnd | Geschicht Doctor Johannis Faustj | des Zauberers / DarJnn gantz | Aigentlich vnd warhafftig be-|schriben wirt. sein gantzes Leb-|en vnnd Endt / wie er sich dem | Teuffel auff ein benante Zeit | verobligiert. was sich darunder | mit Jme verloffen / vnd wie er | auch endtlich darvff seinen ver-|dienten Lohn emp-fanngen: | Es seind auch seltzame Offenbarungen dar-|Jnnen be-griffen sich Zú spiegeln so Zú Hoch-|nottwendiger Christlicher warnung vnd | Abmanen seer nützlich vnd dienstlich ist / das | sich vor der gleichen allerschedlichsten befleckh-|úngen wol Zú húetten / Die Leúth Zúúorderst | dess verZweifelten Ableibens sich genntz-|lichen Zúenthalten vrsach haben sollen. | Syrach. j. | Die Forcht des Herren wehret der sündt / dann | wer ohn Forcht fehret der gefehlt Gott nicht | vnnd seine Freyheit wirdt Jn stúrtzen. | Resistite Diabolo et fugiet à vobis ⟨*d. i. Jak. 4,7*⟩.

Ex.: Herzog August Bibliothek Wolfenbüttel: 92. Extravagantes folio.
Undatierte Handschrift des 16. Jahrhunderts. Folio, Papier be-schnitten. Einband Pergament, 17. Jahrhundert. – 12 ungezählte + 102 gezählte + 2 ungezählte Blätter. Einheitlich von einer Hand in drei verschiedenen Schriftarten: außer der Grundschrift eine Aus-zeichnungsschrift für Kapitelüberschriften, ferner eine Antiqua für lateinische Wörter und für Marginalien.

Die zweite Ausgabe von 1587 (Sigle: B)

HISTORIA | ⟨*rot:*⟩ Von D. Johañ | Fausten / dem weitbeschreyten |
⟨*schwarz:*⟩ Zauberer vnd Schwartzkünstler / | Wie er sich gegen
dem Teuffel auff eine be-|nandte zeit verschrieben / Was er hierzwi-
schen für | seltzame Abenthewr gesehen / selbs angerich-|tet vnd
getrieben / biß er endtlich sei-|nen wol verdienten Lohn | empfan-
gen. | ⟨*rot:*⟩ Mehrtheils auß seinen eygenen | ⟨*schwarz:*⟩ hinder-
lassenen Schrifften / allen hochtragen-|den / fürwitzigen vnnd
Gottlosen Menschen zum schreckli-|chen Beyspiel / abschewli-
chem Exempel / vnnd trew-|hertziger Warnung zusammen gezo-|
gen / vnd in Druck ver-|fertiget. | IACOBI IIII. | Seyt Gott vnder-
thänig / widerstehet dem | Teuffel / so fleuhet er von euch. |
CVM GRATIA ET PRIVILEGIO. | ⟨*rot:*⟩ Gedruckt zu Franck-
furt am Mayn / | durch Johann Spies. | ⟨*rote Linie: 3,85 cm*⟩ |
M. D. LXXXVII. ⟨*tatsächlicher Drucker und Druckort unbe-
kannt*⟩.

Ex.: Stadtbibliothek Ulm: 3948.

Johann Spieß' zweite Ausgabe. Frankfurt 1588 (Sigle: A²)

HISTORIA | ⟨*rot:*⟩ Von D. Johañ | Fausten / dem weitbeschreyten |
⟨*schwarz:*⟩Zauberer vnnd Schwartzkünstler / | Wie er sich gegen
dem Teuffel auff eine be-|nandte zeit verschrieben / Was er hierzwi-
schen für | seltzame Abenthewer gesehen / selbs angerich-|tet vnd
getrieben / biß er endtlich sei-|nen wol verdienten Lohn | empfan-
gen. | ⟨*rot:*⟩ Mehrertheils auß seinen eygenen hin- | ⟨*schwarz:*⟩
derlassenen Schrifften / allen hochtragenden | fürwitzigen vnd
Gottlosen Menschen zum schrecklichen | Beyspiel / abscheuwli-
chen Exempel / vnd treuw-|hertziger Warnung zusammen gezo-|
gen / vnd in den Druck ver-|fertiget. | ⟨*rot:*⟩ IACOBI IIII. |
⟨*schwarz:*⟩ Seyt Gott vnderthänig / widerstehet dem | Teuffel / so
fleuhet er von euch. | CVM GRATIA ET PRIVILEGIO. | ⟨*rot:*⟩
Gedruckt zu Franckfurt am Mayn / | ⟨*schwarz:*⟩ durch Johann
Spies. | ⟨*rote Linie: 3,4 cm*⟩ | M. D. LXXXVIII.
⟨*Kolophon:*⟩ Gedruckt zu Franckfurt | am Mayn / durch Wendel |
Homm / in Verlegung Jo-|hann Spiessen. | ⟨*nach Druckersignet
folgt:*⟩ | M. D. LXXXVIII.

Ex.: Bayerische Staatsbibliothek München: Rar. 797.

Die um die sogenannten Erfurter Kapitel vermehrte
Ausgabe von 1589 (Sigle: C²ᵃ)

HISTORIA | ⟨*rot:*⟩ Von Doct. Jo-|hann Fausti / des ausbûndi- |
⟨*schwarz:*⟩ gen Zâuberers vnd Schwartzkûnst-|lers Teuffelischer
Verschreibung / Vnchristli-|chem Leben vnd Wandel / seltzamen
Abenthew-|ren / auch vberaus grâwlichem vnd er-|schrecklichem
Ende. | ⟨*Holzschnitt 7,1 × 5,7 cm*⟩ | ⟨*rot:*⟩ Jetzt auffs newe vberse-
hen / vnnd | ⟨*schwarz:*⟩ mit vielen Stûcken gemehret. | ⟨*schwarzer*
Strich: 5,6 cm⟩ | ⟨*rot:*⟩ M. D. LXXXIX.
⟨*Kolophon:*⟩ Gedruckt im Jahr | M. D. LXXXIX.

Ex.: Universitätsbibliothek München: W 8° Hist. 768.

III. Zeitgenössische Texte

Agricola, Johannes: Die Sprichwörtersammlungen. Hrsg. von Sander L. Gilman. 2 Bde. Berlin / New York 1971. (Ausgaben Deutscher Literatur des XV. bis XVIII. Jahrhunderts.) [Nach der Ausg.
Hagenau 1534.]

[Aurifaber, Johannes:] Tischreden Oder COLLOQVIA DOCT.
Mart: Luthers / So er in vielen Jaren / gegen gelarten Leuten / auch
frembden Gesten / vnd seinen Tischgesellen gefüret / Nach den
Heubtstûcken vnserer Christlichen Lere / zusammen getragen.
Johan. 6. Cap. Samlet die vbrigen Brocken / Auff das nichts
vmbkome. Gedruckt zu Eisleben / bey Vrban Gaubisch. 1566.

Ex.: Herzog August Bibliothek Wolfenbüttel: 267 Theol. 2°.

Biblia: das ist: Die gantze Heilige Schrifft: Deudsch Auffs new zugericht. D. Mart. Luth. Begnadet mit Kurfûrstlicher zu Sachsen Freiheit. Gedruckt zu Wittemberg / Durch Hans Lufft. M. D. XLV.
Neudr. u. d. T.: D. Martin Luther: Die gantze Heilige Schrifft
Deudsch. Wittenberg 1545. Letzte zu Luthers Lebzeiten erschie-
nene Ausgabe. Hrsg. von Hans Volz unter Mitarb. von Heinz
Blanke. 2 Bde. München 1972.

Bihlmeyer, Karl: s. Seuse, Heinrich.

Bolte, Johannes: s. Montanus, Martin.

Brant, Sebastian: Das Narrenschiff. Nach der Erstausgabe (Basel
1494) mit den Zusätzen der Ausgaben von 1495 und 1499 sowie den

Holzschnitten der deutschen Originalausgaben. Hrsg. von Manfred Lemmer. 2., erw. Aufl. Tübingen 1968. (Neudrucke deutscher Literaturwerke. N. F. 5.)

[Bütner, Wolfgang:] EPITOME Historiarum Christlicher Ausgelesener Historien vnd Geschichten / Aus altenn vnd bewehrten Scribenten. Vnd die sich auch zu vnsern zeiten zugetragen. Ordentlicher vnd kurtzer Auszug. In Fůnff Bůcher Nach ordnung vnd der Lere in den zehen Geboten Gottes / Vnd der sieben Bitten in vnserm heiligen Vater vnser / Gerichtet. Darinnen abzunemenn / wie die Kinder Gottes in dem Gesetz des HErrn recht vnd wol gewandlet / Gott gedienet vnd angeruffen / Vnd darumb von Gott mit Gnaden vnd Ehren / zeitliche Belohnung empfangen. Die Weltkinder aber / so dawider gestrebet / Gott verachtet vnd gelestert / von jm auch grewlich gestrafft vnd getilget sind. Zu gutem vnd reichem Trost / den betrůbten vnd Elenden Christen / die in der Welt veracht vnd verhasset. Den Sichern aber vnd rohem Weltpôbel / zum schrecken vnd abschewe. Zusammen getragen durch M. Wolffgangum Bůtner. Psalm[us] 86. HERR / Thue ein Zeichen an mir / Das mirs wolgehe. 1576.

Kein Kolophon. Der Band ist, wie auch der der Herzog August Bibliothek Wolfenbüttel (Sign.: Alvensleben Aa 7), unvollständig.

Ex.: Bayerische Staatsbibliothek München: 2° Catech. 5.

[Dasypodius, Petrus:] Dictionarium latino GERMANICVM ET VICE VERSA GERmanico latinum, ex optimis Latinae linguae scriptoribus concinnatum. Authore Petro Dasypodio. Iam quarto recognitum et multis uocabulis locupletatum per Authorem ipsum, generibus nominum, uerborumque praeteritis et supinis adiectis. ⟨Kol.:⟩ Argentorati: Theodosius Rihelius. Anno M. D. LXV.

Ex.: Bayerische Staatsbibliothek München: 8° L. lat. 177.

[Egenolff, Christian:] Sprichwôrter / Schône / Weise Klůgredenn. Darinnen Teutscher vnd anderer Spraachen Hôfflicheit / Zier / Hôhste Vernunfft vnd Klůgheit / Was auch zu Ewiger vnd zeitlicher Weißheit / Tugent / Kunst vnd Wesen dient / gespůrt vnd begriffen. Von Alten vnnd Newen im brauch gehabt vnd beschriben / Jn etliche Tausent zusamen bracht. Cum Priuilegio. Franck [furt] Chr. Egenolff.
⟨Kol.:⟩ M. D. LII.   Faks.-Dr. der Orig.-Ausg. mit einem Nachw. von Hans Henning. München-Pullach 1967.

M. Elucidarius. Von allerhand Geschöpffen Gottes / den Engeln / den
  Himmeln / Gestirn / Planeten / vnd wie alle Creaturen geschaffen
  seind auf Erden. Auch wie die Erdt in drey theil getheilet / vnd dero
  Länder / sampt der Völcker darinn / Eigenschafften / vnd wunderbarlichen Thieren / Auß Plinio Secundo / Solino / vnd andern Welt-
  beschreybern / ein kurtze vnd lustige anzeigung. Mit angehencktem BaurenCompassz / vor die jhenigen gestellt / so sich auff den
  Compassz nicht verstehen / oder denselben nicht allzeit bey sich
  haben / die Stundt des tages in der Handt durch den Strohalmen zu
  lehrnen. Cum Priuilegio Imperiali. Franckfort am Mayn / Bey
  Christ[ian] Egen[olffs] Erben. M. D. LXXXIX.
Ex.: Herzog August Bibliothek Wolfenbüttel: 459.15 Th. (4).

Füglin, Johannes: s. Weier, Johann.

Gilman, Sander L.: s. Agricola, Johannes.

[Goltwurm, Caspar:] Wunderwerck vnd Wunderzeichen Buch. Dar-
  inne alle fürnemste Göttliche / Geistliche / Himlische / Elementi-
  sche / Jrdische vnd Teuflische wunderwerck / so sich in solchem
  allem von anfang der Welt schöpfung biß auff vnser jetzige zeit /
  zugetragen vnd begeben haben / kürtzlich vnnd ordentlich verfas-
  set sein / Der gestalt vor nie gedruckt worden. Caspar Goltwurm
  Athesinus. Luce. 12: Wenn aber dieses alles anfehet zugeschehen /
  so sehet auff / vnnd hebet ewre häubter auff / Darumb das sich ewer
  erlösung nahet. 1557.
⟨*Kol.:*⟩ Gedruckt zu Franckfurt am Main durch Dauidem Zephe-
  lium / Zum eysern Huth.
Ex.: Bayerische Staatsbibliothek München: 4° H. misc. 105.

Henning, Hans: s. Egenolff, Christian.

Herrmann, Paul: s. Zimmerische Chronik.

[Hondorff, Andreas:] PROMPTVARIVM EXEMPLORVM. Das
  ist: Historien vnd Exempelbůch / nach ordnung vnd Disposition
  der heiligen Zehen Gebott Gottes / auß heiliger Schrifft / vnnd
  andern bewerten vnd glaubwirdigen / Geistlichen vnnd Weltlichen /
  alten vnd newen Scribenten / mit allem fleiß zůsammen getragen.
  Zum Spiegel aller Christlichen vnd loblichen tugendten / in sonderheit seliger Gottsfurcht Burgerlicher erbarkeit / redliches wan-
  dels / auffrichtiges lebens / vnnd abschewung aller Sůnd / Laster
  vnd vbels / Jedermenniglichen / hohes vnnd nidriges / Geistlichs

vnd Weltliches standes / zu diesen letzten vnd geferlichen zeiten
für die augen gestellt / zuuor im Truck außgangen. Jetz aber auffs
newe vbersehen / vnd mit sehr vielen nutzbarn Historien vnd
Exempeln gebessert vnd vormehrt / Durch den Ehrwirdigen in
heiliger Schrifft hochgelehrten Herren / Andream Hondorff /
Pfarrherrn zu Droissig. Getruckt zu Franckfurt am Mayn / im Jar /
M. D. LXXII.
⟨*Kol.:*⟩ Getruckt zu Franckfurt am Mein durch Peter Schmidt An-
no 1571 ⟨*!*⟩.
Ex.: Bayerische Staatsbibliothek München: 2° Mor. 83.

[Jacobus de Gruytrode:] Ein köstlich gaistlich spiegel der armen sündigen sele.
⟨*Kol.:*⟩ Hie endet sich das köstlich büchlin, Genant ain gaistlicher
spiegell der armen sündigen sele. Begriffen mit siben Capitel auff
yeglichen tag der wochen aines zü lesen vnd betrachten. Gedruckt
von Cünrad Dinckmüt zü Ulm. Anno .M. cccc. lxxxiiij. an dem
fünfften tag des Mayens.
[Hain 14949]
Ex.: Bayerische Staatsbibliothek München: 4° Inc. c. a. 382ᵗ.

[Jacobus de Gruytrode:] Ain schöne matteri Eingedailt in siben tag
der wochen vnd genant der sündigen sele spiegel.
⟨*Kol.:*⟩ Zü Vlm gedruckt von Cünrad Dinckmüt Im .M. CCCC.
vnd Lxxxvij. iare.
[Hain 14950]
Ex.: Bayerische Staatsbibliothek München: 4° Inc. c. a. 537.

[Jacobus de Theramo:] Belial zu teutsch. Ein gerichtz handel zwischen Beleal hellischem verweser / als kleger einem teil / vnd Jesu
Cristo hymmelischem got / antwurter / anderm teile / Also / obe
Jhesus den hellischen fürsten / rechtlichen die helle zerstöret / be-
raubet / vnd die tüfel darjnn gebunden habe etc. Alles mit clag /
antwurt / red widerred / appellierung / rechtsatzung etc. wie man
sich jm rechten bruchen sol.
⟨*Kol.:*⟩ Hie endet sich das recht büch Belial genant / von des ge-
richts ordnung / vß latein in tütsche sprach gebracht. Hat getruckt
vnd ordenlicher gesetzt / der fürsichtig Johannes Prüß Büchtrucker
Burger zü Straßburg zům thiergarten. Des jares Cristi M. D. vnd
.viij.
Ex.: Bayerische Staatsbibliothek München: Res. P. Lat. 1200ᵃ.

Lemmer, Manfred: s. Brant, Sebastian.

[Lercheimer, Augustin:] Christlich bedencken vnd erjnnerung von
Zauberey / Woher / was / vnd wie vielfältig sie sey / wem sie
schaden könne oder nicht: wie diesem laster zu wehren / vnd die /
so damit beschafft / zu bekehren / oder auch zu straffen seyn.
Geschrieben durch [. . .]. Psal. 57. Richtet recht jr Menschen kin-
der. Gedruckt zu Heidelberg M. D. LXXXV.
⟨Kol.:⟩ Gedruckt in der Churfürstlichen Statt Heydelberg durch
Jacob Müller / vnd Heinrich Auenae / Im Jar 1585.
Ex.: Herzog August Bibliothek Wolfenbüttel: 26 Phys.

[Lercheimer, Augustin:] Das XI. Tractätlein. Ein Christlich Bedencken vnnd Erjnnerung von Zauberey / woher / was / vnd wie vielfältig sie sey / wem sie schaden könne oder nicht: Wie diesem laster
zu wehren / vnd die / so damit behafft / zu bekehren / oder auch zu
straffen sein.   In: Theatrum de veneficis [s. d.]. S. 261–298.

[Lercheimer, Augustin:] Christlich Bedencken vnd Erinnerung von
Zauberey / Waher / was / vnd wie vilfältig sie sey / welchem sie
schaden könne oder nicht / wie diesem Laster zů wehren / vnd die /
so damit behafft / zů bekehren / oder auch zu straffen seien. Geschrieben durch [. . .]. Jetzund auffs new gemehret vnd gebessert.
Getruckt zů Straßburg M. D. LXXXVI.
⟨Kol.:⟩ Getruckt zů Straßburg / Im Jahr M. D. LXXXVI.
Ex.: Herzog August Bibliothek Wolfenbüttel: Alvensleben Ad
576.

[Lercheimer, Augustin:] Christlich bedencken vnd / erinnerung von /
Zauberey / Woher / was / vnd wie vielfeltig sie sey / wem sie
schaden könne oder nicht / wie diesem laster zu wehren vnd die so
damit behafft / zu bekehren / oder auch zu straffen seyn. Nur an
vernünftige / redeliche / bescheidene leůte / gestellet durch Augustin Lercheimer von Steinfelden. Jetzund zum dritten vnd letzten
mal gemehret / auch mit zu end angehengter widerlegung eticher
jrriger meinung vnd breuche in diesem handel. Zu Speier Bey Bern-
hart Albin. M. D. XCVII.
Ex.: Herzog August Bibliothek Wolfenbüttel: Hr. 440.

[Liechtenberg, Jacob von:] Das XIII. Tractätlein. Ware Entdeckung
vnnd Erklärung aller fürnembster Artickel der Zauberey / was von
Zauberern / Vnholden / Hångsten / Nachtschaden / Schüssen / auch
der Hexen håndel / art / thun / lassen / wesen / bulschafften /

artzney / woher sie erwachsen / vnd aller jhrer Machination. Item
was Wåchselkinder seyen / wůttens heer / was darvon zu halten /
etc. Etwann durch den Wolgebornen Herrn / Herrn Jacob Freyherrn von Liechtenberg / etc. auß jhner Gefångnuß / erfahren:
durch Doctor Jacob Wecker an tag geben.   In: Theatrum de veneficis [s. d.]. S. 306–324.

[Lindener, Michael:] Der Erste Theyl / KATZIPORI. DArinn newe
Mugken / seltzamme Grillen / vnerhôrte Tauben / visterliche Zot-
ten verfaßt vnd begriffen seind: Durch einen leyden gůten Com-
panen / allen gůten Schluckern zů gefallen / zusammen getragen.
M. D. LVIII.
Ex.: Biblioteka Jagiellońska, Krakau: Yt 7221 (Signatur der früheren Preußischen Staatsbibliothek Berlin).

Lucidarius: s. Elucidarius.

[Manlius, Johannes:] LOCORVM COMMVNIVM / Der Erste
Theil. Schône ordentliche gattirung ⟨*d. i. wohlgeordnete Sammlung*⟩ allerley alten vnd newen exempel / Gleichnis / Sprůch / Rath-
schlege / kriegßrůstung / geschwinder rencke / historien / schutzre-
den / dunckeler sprůch / rhåterisch ⟨*d. i. rätselhaft*⟩ / hôflicher
schwenck / vnd dergleichen vieler anderer ernst vnd schimpflicher
reden vnd thaten. Nicht allein den Theologen / Gerechtsgelerten /
Studenten vnd andern Kunstverwandten / sondern auch den Ober-
herrn / Regenten vnd Befelchtragern sehr notwendig / dienstlich
vnd kurtzweilig. Vor vielen jaren her / auß Herren Philippi Melan-
thons / vnd anderer Gelerten fůrtrefflichen Menner Lectionen /
Gesprechen vnd tischreden zůsamen getragen / vorhin im Latin /
vnd jetzt zům ersten in Teutscher Sprach an tag gegeben. Durch
Johannem Manlium. Mit Rô[mischer] Key[serlicher] May[estet]
Freiheit. Getruckt zu Franckfurt am Mayn. 1565.
⟨*Kol.:*⟩ Getruckt zů Franckfurt am Mayn / durch Peter Schmidt /
in verlegung Sigmund Feyerabend / vnd Simon Hůters. Anno
M. D. LXV.
Ex.: Bayerische Staatsbibliothek München: 8° L. eleg. m. 517[m].

[Mathesius, Philipp:] Historien / Von des Ehrwirdigen in Gott Seligen thewren Manns Gottes / Doctoris Martini Luthers / anfang /
lehr / leben vnd sterben / Alles ordendlich der Jarzal nach / wie sich
alle sachen zu jeder zeyt haben zugetragen / Durch den Alten Herrn
M. Mathesium gestelt / vnd alles fůr seinem seligen Ende verfertigt.

Psalm[us] CXII. Des Gerechten wird nimmermehr vergessen. Mit Rômischer Keyserlicher Maiestat Freyheyt / inn zehen Jaren nicht nachzudrucken. Nůrnberg / [Johann vom Bergs Erben und Ulrich Neuber] M. D. LXVI.

Ex.: Bayerische Staatsbibliothek München: Res. 4° Biogr. 151.11.

Meyer, Wilhelm: s. Roßhirt, Christoph.

[Milichius, Ludwig:] Der Zauber Teuffel. Das ist / Von Zauberei Warsagung / Beschwehren / Segen / Aberglauben / Hexerey / vnd mancherley Wercken des Teufels / wolgegrůndter / vnd so viel einem Glaubigen daruon zu wissen dienstlich / genugsamer Bericht / nicht alleyn dem gemeynen Mann / sonder auch den Weltlichen Regenten vnd einfältigen Predigern nůtzlich vnd kurtzweilig zulesen / auß heyliger Schrifft vnnd bewerten Scribenten / mit fleiß zusamen getragen / Durch / LVDOVICVM MILICHIVM. Getruckt zů Franckfurt am Mayn. ANNO M. D. LXIII. Neudr. u. d. T.: L. M.: Zauberteufel. [...] Hrsg. von Ria Stambaugh. Berlin 1970. (Teufelbücher in Auswahl. Bd. 1. – Ausgabe Deutscher Literatur des XV. bis XVIII. Jahrhunderts.) S. 1–185.

Montanus, Martin: Schwankbücher (1557–1566). Hrsg. von Johannes Bolte. Hildesheim / New York 1972. (Volkskundliche Quellen. Neudrucke europäischer Texte und Untersuchungen. 3.) [Nachdr. der Ausg. Tübingen 1899. (Bibliothek des Litterarischen Vereins in Stuttgart. 217.)]

Müller, Gerhard: s. Osiander, Andreas.

Nürnberger Faustgeschichten: s. Roßhirt, Christoph.

Osiander, Andreas d. Ä.: Wunderliche Weissagung (1527). In: A. O.: Schriften und Briefe. April 1525 bis Ende 1527. In Zsarb. mit Gottfried Seebaß hrsg. von Gerhard Müller. Gütersloh 1977. (Andreas Osiander d. Ä. Gesamtausgabe. 2.) S. 403–484.

[Roßhirt, Christoph:] 120 Schôner vnd Erbaulicher Nutzlicher Fragen vnd Antwort, Doctor Martin Luther Seligen Erster Teil. [Fol. 104ʳ:] Viel Schonere Historia. von Keysern, konigen Fůrsten vnd Hernn. vnd anderen wunderbarlichen geschichten mehr, Nůtzlich vnd vnbeschwerlich zu lesen vnd hören D. M. L. Seligenn Ander Theyll ⟨!⟩. [Fol. 368ʳ:] Von den Schwartzkůnstlern.

Ex.: Badische Landesbibliothek Karlsruhe: Hs. Karlsruhe 437. Undatierte Handschrift, Format 196×160 mm, zwischen 1575 und

1586 von Roßhirt in Nürnberg geschrieben. Faust-Episoden Fol. 207^{r-v}, 217^r, 381^v – 399^r.

[Roßhirt, Christoph:] Nürnberger Faustgeschichten. Hrsg. von Wilhelm Meyer. In: Abhandlungen der Philosophisch-Philologischen Classe der Königlich Bayerischen Akademie der Wissenschaften. Bd. 20. München 1897. S. 323–402.

Sachs, Hans: Werke. Hrsg. von Adelbert v. Keller und Edmund Goetze. Bd. 4. 20. Tübingen 1870. 1892. (Bibliothek des Litterarischen Vereins in Stuttgart. 105. 193.)

[Schedel, Hartmann:] Buch der Croniken vnd geschichten mit figuren vnd pildnussen von anbeginn der welt bis auf dise unnsere Zeit. ⟨Kol.:⟩ Hie ist entlich beschlossen das bůch der Cronicken vnd gedechtnus wirdigern geschihten von anbegynn der werlt bis auf dise vnßere zeit von hohgelerten mannen in latein mit großem fleiß vnd rechtfertigung versammelt. vnd durch Georgium alten deßmals losungschreiber zu Nůrmberg auß desselben latein zu zeiten von maynung zu maynung. vnnd beyweylen (nit on vrsach) außzugs weise in diss teůtsch gebracht. vnnd darnach durch den erbern vnnd achtpern Anthonien koberger daselbst zu Nůrmberg gedruckt. auf anregung vnd begern der erbern vnd weysen Sebalden schreyers vnd Sebastiann kamermaisters burgere da selbst. vnd auch mitanhangung Michael wolgemůtz vnnd Wilhelm pleydenwurffs maler daselbst auch mitburger die diss werck mit figuren wercklich geziert haben. Volbracht am .xxiij. tag des monats Decembris Nach der gepurt Christi vnßers haylands M. cccc. xciij. iar.

Ex.: Stadtbibliothek Nürnberg: Incul. 135. 2°.

[Schickard, Wilhelm:] Bechinath Happeruschim Hoc est Examinis Commentationum Rabbinicarum in Mosen Prodromus vel Sectio prima, complectens Generalem Protheoriam, de 1. Textu Hebraico 2. Targum Chaldaico 3. Versione Graeca, 4. Masoreth, 5. Kabbalah 6. Peruschim. Cum Indicibus locorum Scripturae, Rerumque memorabilium. Authore Wilhelmo Schickardo, Sacr[arum] Literarum Hebr[aicarum] Professore. Tubingae 1624.

Ex.: Bayerische Staatsbibliothek München: 4° L. as. 186/1.

Seuse, Heinrich: Deutsche Schriften. Im Auftrag der Württembergischen Kommission für Landesgeschichte hrsg. von Karl Bihlmeyer. Stuttgart 1907. Nachdr. Frankfurt a. M. 1971.

Stambaugh, Ria: s. Milichius, Ludwig.

Theatrum de veneficis. Das ist: Von Teuffelsgespenst Zauberern vnd
Gifftbereitern / Schwartzkünstlern / Hexen vnd Vnholden / vieler
fürnemmen Historien vnd Exempel / bewärten / glaubwirdigen /
Alten vnd Newen Scribenten / was von solcher jeder zeit disputiert
vnd gehalten worden / mit sonderm fleiß (derer Verzeichnuß am
folgenden Blat zu finden) an Tag geben. Sampt etlicher hingerich-
ten Zäuberischer Weiber gethaner Bekanntnuß / Examination /
Prob / Vrgicht vnd Straff / etc. Vieler vngleicher Frage vnd Meynung halben / so in dieser Materi fürfallen mögen / jetzt auffs neuw
zusammen in ein Corpus bracht. Allen Vögten / Schuldtheissen /
Amptleuthen des Weltlichen Schwerdts / etc. sehr nützlich vnd
dienstlich zu wissen / vnd keines wegs zu verachten. ⟨*Stich.*⟩ Iacobi
4. Widerstehet dem Teuffel / vnd er wirdt von euch abweichen.
Mit Röm[ischer] Keys[erlicher] Maiest[et] Freyheit / auff zehen
Jahr nicht nachzudrucken / begnadet. Gedruckt zu Franckfurt am
Mayn / durch Nicolaum Basseum. M. D. LXXXVI.
⟨*Kol.:*⟩ Getruckt zu Franckfurt am Mayn / bey Nicolo Basseo
D. M. LXXXDVI.
Ex.: Bayerische Staatsbibliothek München: Res. 2° Phys. m. 21/2.

Volz, Hans: s. Biblia.

[Wecker, Johann Jacob:] De secretis libri VII. Ex varijs authoribus
collecti, methodiceque digesti. Per Ioannem Iacobum VVeckerum
Basiliensem, Medicum Colmariensem. Accessit Index locupletissi-
mus. Cum Gratia et Priuilegio. Basileae 1582.
Ex.: Bayerische Staatsbibliothek München: 8° Phys. g. 511.

Wecker, Jacob: s. Liechtenberg, Jacob von.

[Weier (auch: Weyer, Wierus, Wier), Johann:] DE PRAESTIGIIS
DAEMONVM. Von Teuffelsgespenst Zauberern vnd Gifftbere-
tern / Schwartzkünstlern / Hexen vnd Vnholden / darzu jrer Straff /
auch von den Bezauberten / vnd wie jhnen zuhelffen sey / Ordentlich vnd eigentlich mit sonderm fleiß in VI. Bücher getheilet: Darinnen gründlich vnd eigentlich dargethan / was von solchen jeder
zeit disputiert / vnd gehalten worden.
Erstlich durch D. Johannem Weier in Latein beschrieben / nachmals von Johanne Fuglino verteutscht / jetzundt aber nach dem
letzten Lateinischen außgangenen Original auffs neuw vbersehen /
vnnd mit vielen heilsamen nützlichen stücken: Auch sonderlich

hochdienlichen newen Zusätzen / so im Lateinischen nicht gelesen / als im folgenden Blat zufinden / so der Bodinus mit gutem grundt nicht widerlegen kan / durchaus gemehret vnd gebessert. Sampt zu endt angehencktem newem vnd volkommenen Register. ⟨*Stich.*⟩ Mit Röm[ischer] Keys[erlicher] Maiest[et] Freyheit / auff zehen Jahr nicht nachzudrucken / begnadet.
Gétruckt zu Franckfurt am Mayn / durch Nicolaum Basseum. M. D. LXXXVI.
Ex.: Bayerische Staatsbibliothek München: Res. 2° Phys. m. 21.

[Willer, Georg:] Die Meßkataloge Georg Willers. Fastenmesse 1581 bis Herbstmesse 1587. Hildesheim / New York 1980. (Die Meßkataloge des sechzehnten Jahrhunderts. Faksimiledrucke. Hrsg. von Bernhard Fabian. 3.)

Zimmerische Chronik urkundlich berichtet von Graf Froben Christof von Zimmern (†1567) und seinem Schreiber Johannes Müller (†1600). Nach der von Karl Barack besorgten zweiten Ausgabe neu hrsg. von Paul Herrmann. 4 Bde. Meersburg/Leipzig 1932.

IV. Ausgaben des 19. und 20. Jahrhunderts

Kühne, August (Hrsg.): Das älteste Faustbuch. Wortgetreuer Abdruck der editio princeps des Spies'schen Faustbuches vom Jahre 1587. Mit Einl. und Anm. von A. K. Zerbst 1868. Nachdr. Amsterdam 1970.

Scherer, Wilhelm (Hrsg.): Das älteste Faust-Buch. Historia von D. Johann Fausten, dem weitbeschreiten Zauberer und Schwartzkünstler. Nachbildung der zu Frankfurt am Main 1587 durch Johann Spies gedruckten ersten Ausgabe. Berlin 1884. (Deutsche Drucke älterer Zeit in Nachbildungen. 2.)

Petsch, Robert (Hrsg.): Das Volksbuch vom Doctor Faustus. Nach der ersten Ausgabe, 1587. 2. Aufl. Halle 1911. (Neudrucke deutscher Litteraturwerke des 16. und 17. Jahrhunderts. 7. 8. 8a. 8b.)

Fritz, Josef (Hrsg.): Das Volksbuch vom Doktor Faust. Nach der um die Erfurter Geschichten vermehrten Fassung hrsg. und eingel. von J. F. Halle 1914.

Historia von D. Johann Fausten. Nachdruck des Faust-Buches von 1587. Mit einem Nachw. von Peter Boerner. Wiesbaden/Nendeln 1978. – Dass. [reprogr. vergr.] Schaan (Liechtenstein) 1983.

Schmitt, Ludwig Erich / Noll-Wiemann, Renate (Hrsg.): Historia von D. Johann Fausten, dem weitbeschreyten Zauberer und Schwartzkünstler. Hildesheim / New York 1981. (Deutsche Volksbücher in Faksimiledrucken. R. A, 13.)

Henning, Hans (Hrsg.): Historia von D. Johann Fausten. Neudruck des Faustbuches von 1587. Hrsg. und eingel. von H. H. 3. Aufl. Leipzig 1984.

*

Milchsack, Gustav (Hrsg.): Historia D. Johannis Fausti des Zauberers nach der Wolfenbütteler handschrift nebst dem nachweis eines teils ihrer quellen. Wolfenbüttel 1892[–97] (Ueberlieferungen zur Litteratur, Geschichte und Kunst. 2.)

Haile, Harry Gerald: Das Faustbuch nach der Wolfenbüttler Handschrift. Berlin 1963. (Philologische Studien und Quellen. 14.)

Mahal, Günther (Hrsg.): Der Tübinger Reim-Faust von 1587/88. Aus dem Prosa-Volksbuch »Historia von D. Johann Fausten« (1587) in Reime gebracht von Johannes Feinaug. Kirchheim (Teck) 1977.

*

Fritz, Josef (Hrsg.): Ander theil D. Johann Fausti Historien / von seinem Famulo Christoff Wagner 1593. Hrsg. und eingel. von J. F. Halle 1910.

Widman, Georg Rudolf: Faust's Leben (in der Bearbeitung von Johann Nicolaus Pfitzer). Hrsg. von Adelbert von Keller. Tübingen 1880. (Bibliothek des Litterarischen Vereins Stuttgart. 146.) Nachdr. Hildesheim 1976.

Widman, Georg Rudolf: D. Johannes Faustus. Faksimiledruck der ersten Ausgabe. Hamburg 1599. Mit einem Nachw. von Gerd Wunder. Schwäbisch Hall 1978.

Szamatólski, Siegfried (Hrsg.): Das Faustbuch des Christlich Meynenden. Nach dem Druck von 1725 hrsg. von S. S. Stuttgart 1891. Nachdr. Nendeln 1968.

*

Wehrli, Max (Hrsg.): Historie von Doktor Johann Fausten. Hrsg. und übers. von M. W. Zürich 1986. (Manesse Bibliothek der Weltliteratur.)

V. Forschungsliteratur

Baron, Frank: Doctor Faustus. From History to Legend. München 1978.
– Faustus. Geschichte, Sage, Dichtung. München 1982.
– The Faust book's indebtedness to Augustin Lercheimer and Wittenberg sources. In: Daphnis 14 (1985) S. 517–545.
Binz, Carl: Doctor Johann Weyer. Ein rheinischer Arzt. Der erste Bekämpfer des Hexenwahns. Ein Beitrag zur Geschichte der Aufklärung und der Heilkunde. 2. Aufl. Berlin 1896.
– (Hrsg.): Augustin Lercheimer (Professor H. Witekind in Heidelberg) und seine Schrift wider den Hexenwahn. Lebensgeschichtliches und Abdruck der letzten vom Verfasser besorgten Ausgabe von 1597. Sprachlich bearb. durch Anton Birlinger. Straßburg 1888.
Bücker, Hermann: Dr. Konrad Klinge, der Führer der Erfurter Katholiken zur Zeit der Glaubensspaltung. In: Franziskanische Studien 17 (1930) S. 273–297.
Düntzer, Heinrich: Die Sage von Doctor Johannes Faust. Stuttgart 1846.
Dumcke, Julius: Die Deutschen Faustbücher. Nebst einem Anh. zum Widmanschen Faustbuche. Diss. Leipzig 1891.
Ellinger, Georg: Zu den Quellen des Faustbuchs von 1587. In: Zeitschrift für Vergleichende Litteraturgeschichte und Renaissance-Litteratur. N. F. 1 (1887/88) S. 156–181.
Fränkel, Ludwig / Bauer, Adolf: Entlehnungen im ältesten Faustbuch. In: Vierteljahrschrift für Litteraturgeschichte 4 (1891) S. 361–383.
Fritz, Josef: Zur Bibliographie des Faustbuches E. In: Euphorion 19 (1912) S. 334–337.
Füssel, Stephan: »Allenthalben eine grosse nachfrage geschicht«. Marginalien zur Neuedition der »Historia von D. Johann Fausten«. In: Die »Historia von D. Johann Fausten« (1587). Ein wissenschaftliches Symposium anläßlich des 400jährigen Buchjubiläums. Hrsg. von Günther Mahal. Vaihingen (Enz) [i. Vorb.; ersch. 1988].
Gaertner, Inge: Volksbücher und Faustbücher. Eine Abgrenzung. Diss. Göttingen 1951. [Masch.]
Geldner, Ferdinand: Die deutschen Inkunabeldrucker. Ein Handbuch der deutschen Buchdrucker des XV. Jahrhunderts nach Druckorten. 2 Bde. Stuttgart 1968–70.

Gerber, Harry: Johann Spies. Um 1540 – um 1610. In: Nassauische Lebensbilder. Bd. 4. Wiesbaden 1950. S. 29–35.

Grimm, Heinrich: Die deutschen ›Teufelbücher‹ des 16. Jahrhunderts. In: Archiv für Geschichte des Buchwesens 2 (1960) S. 513 bis 570.

Gruys, Albert: Cartusiana. Bibliographie générale. Auteurs cartusiens. Paris 1976.

Haile, Harry Gerald: Die bedeutenderen Varianten in den beiden ältesten Texten des Volksbuchs vom Dr. Faustus. In: Zeitschrift für deutsche Philologie 79 (1960) S. 383–410.

Hain, Ludwig: Repertorium bibliographicum, in quo libri omnes ab arte typographica inventa usque ad annum MD. typis expressi[. . .]-recensentur. 4 Bde. Stuttgart/Tübingen/Paris 1826–38.

Häuser, Helmut: Gibt es eine gemeinsame Quelle zum Faustbuch 1587 und zu Goethes Faust? Eine Studie über die Schriften des Arztes Dr. Nikolaus Winckler (um 1529–1613). Mit einem Anh. der wiedergegebenen Quellen. Wiesbaden 1973.

Harmening, Dieter: Faust und die Renaissance-Magie. Zum ältesten Faustzeugnis. Johannes Trithemius an Johannes Virdung, 1507. In: Archiv für Kulturgeschichte 55 (1973) S. 56–79.

Henning, Hans: Faust als historische Gestalt. In: Goethe. Neue Folge des Jahrbuchs der Goethe-Gesellschaft 21 (1959) S. 107–139.

– Das Faustbuch von 1587. Seine Entstehung, seine Quellen, seine Wirkung. In: Weimarer Beiträge 6 (1960) S. 26–57.

– Beiträge zur Druckgeschichte der Faust- und Wagnerbücher des 16. und 18. Jahrhunderts. Weimar 1963.

Kiesewetter, Carl: Faust in der Geschichte und Tradition. Mit besonderer Berücksichtigung des occulten Phänomenalismus und des mittelalterlichen Zauberwesens. Als Anh.: die Wagnersage und das Wagnerbuch. Leipzig 1893. Nachdr. Hildesheim 1963.

Klusemann, Eberhard: Sprache und Stil als Mittel der Textkritik. Untersuchungen zur »Historia von D. Johann Fausten« (editio princeps von 1587). Diss. Marburg 1977. [Masch.]

Knape, Joachim: ›Historie‹ in Mittelalter und Früher Neuzeit. Begriffs- und gattungsgeschichtliche Untersuchungen im interdisziplinären Kontext. Baden-Baden 1984.

Köhler, Reinhold: Ein Bild der Ewigkeit. In: R. K.: Kleinere Schriften. Berlin 1900. S. 37–47. [Zuerst ersch. 1863.]

Könnecker, Barbara: Faust-Konzeption und Teufelspakt im Volksbuch von 1587. In: Heinz Otto Burger / Klaus von See (Hrsg.):

Festschrift Gottfried Weber zum 70. Geburtstag. Berlin/Zürich 1967. S. 159–213.

Kreutzer, Hans Joachim: Der Mythos vom Volksbuch. Studien zur Wirkungsgeschichte des frühen deutschen Romans seit der Romantik. Stuttgart 1977.

Mahal, Günther: Faust. Die Spuren eines geheimnisvollen Lebens. Bern/München 1980.

Milchsack, Gustav: Faustbuch und Faustsage. In: G. M.: Gesammelte Aufsätze. Wolfenbüttel 1922. Sp. 113–152.

Müller, Maria E.: Der andere Faust. Melancholie und Individualität in der »Historia von D. Johann Fausten«. In: Deutsche Vierteljahrsschrift für Literaturwissenschaft und Geistesgeschichte 60 (1986) S. 572–608.

Petsch, Robert: Der historische Doktor Faust. In: Germanisch-Romanische Monatsschrift 2 (1910) S. 99–115.

– Lercheimer und das Faustbuch. In: Beiträge zur Geschichte der deutschen Sprache und Literatur 39 (1914) S. 175–188.

Schmidt, Erich: Zur Vorgeschichte des Goethe'schen Faust. 2: Faust und das sechzehnte Jahrhundert. In: Goethe-Jahrbuch 3 (1882) S. 77–131.

– Faust und Luther. In: Sitzungsberichte der Königlich-Preußischen Akademie der Wissenschaften zu Berlin. Philosophisch-historische Klasse. Jg. 25 (1896) S. 567–591.

Seck, Friedrich (Hrsg.): Wilhelm Schickard. 1592–1635. Astronom. Geograph. Orientalist. Erfinder der Rechenmaschine. Tübingen 1978.

Szamatólski, Siegfried / Hartmann, Hugo / Stuckenberger, H. / Bauer, Adolf / Schmidt, Erich: Zu den Quellen des ältesten Faustbuchs. In: Vierteljahrschrift für Litteraturgeschichte 1 (1888) S. 161–195.

Szamatólski, Siegfried: Der historische Faust. In: Vierteljahrschrift für Litteraturgeschichte 2 (1889) S. 156–159.

– Faust in Erfurt. In: Euphorion 2 (1895) S. 39–57.

Tille, Alexander: Die Faustsplitter in der Literatur des 16. bis 18. Jahrhunderts. Berlin 1900. Nachdr. Hildesheim / New York 1980. [Beigebunden ist: Neue Faustsplitter. Gesammelt von Anton Kippenberg und Gerhard Stumme. Nachträge aus »Jahrbuch der Sammlung Kippenberg«. Leipzig 1921–31.]

Wendroth, H.: Hondorff als eine Quelle des Faustbuches. In: Euphorion 11 (1904) S. 701–705.

Witkowski, Georg: Der historische Faust. In: Deutsche Zeitschrift für Geschichtswissenschaft. N. F. 1 (1896/97) S. 298–350.

Wolff, Eugen: Faust und Luther. Ein Beitrag zur Entstehung der Faust-Dichtung. Halle 1912.

Zarncke, Friedrich: Johann Spieß, der Herausgeber des Faustbuches und sein Verlag. In: F. Z.: Kleine Schriften. Bd. 1: Goetheschriften. Leipzig 1897. S. 289–299.

– Bibliographie des Faustbuches. In: Ebd. S. 258–271.

– Zur Bibliographie des Faustbuches. In: Ebd. S. 272–289.

Nachwort

Die *Historia von D. Johann Fausten* ist nunmehr 400 Jahre alt. Ihr erstes Erscheinen in der literarischen Öffentlichkeit ist mit der Buchmesse in Frankfurt am Main vom Herbst 1587 datierbar. Alle Indizien weisen darauf hin, daß sie tatsächlich auch erst kurze Zeit vor diesem Datum verfaßt worden ist. Das kleine Buch macht äußerlich zwar keinen aufwendigen Eindruck, es ist aber auch keine Billigware, vielmehr durchaus mit Sorgfalt hergestellt. Der Titel entwickelte sich zu einem beachtlichen Erfolg, der allerdings nur etwa ein Jahrzehnt anhielt. Daß der Herbst 1587 nun aber die Geburtsstunde eines der bedeutendsten Themen der Weltliteratur war, läßt sich nur im geschichtlichen Rückblick konstatieren; die zeitgenössischen Leser hätte dies, wenn jemand es ihnen hätte anzeigen können, aufs äußerste verwundert. Für mindestens anderthalb Jahrhunderte war die Faust-Dichtung Goethes so etwas wie die deutsche Nationaldichtung schlechthin, eine Art Spiegel für die geistige und auch die politische Selbstvergewisserung der Deutschen. Goethes »Tragödie«, wie der Autor selbst sein Werk nannte, ist für die außerordentliche Nachwirkung des Faust-Themas gewiß von ausschlaggebender Bedeutung, aber diese Wirkung erklärt sich keineswegs aus dem Goetheschen *Faust* alleine. Das im 16. Jahrhundert erstmals geprägte Thema besitzt bereits bestimmte Eigentümlichkeiten, die für alle darauf beruhenden jüngeren Kunstwerke Grundzüge festlegen. Es hat den Anschein, daß das Faust-Thema seine spezifische Anziehungs- und Überzeugungskraft für die Neuzeit im engeren Sinne in der deutschen Aufklärung gewonnen hat.

In den Jahren 1784 und 1786 haben Friedrich von Blanckenburg und Johann Jakob Engel ihre in den Grundzügen übereinstimmenden Berichte über Lessings Plan zu einem Faust-Drama veröffentlicht. Der Faust Lessings muß von den

Teufeln geradezu verführt werden, und das bereitet diesen
Mühe, denn Faust bietet keine Fehler, keine Schwächen, bei
denen er zu fassen wäre: »er hat nur einen Trieb, nur eine
Neigung; einen unauslöschlichen Durst nach Wissenschaften
und Kenntnis«, läßt Blanckenburg einen der Teufel berichten. Bei Engel jedoch fällt dann das Stichwort, mit dem aller
wissenschaftliche Fortschritt im Abendlande, unabhängig
von den Grenzen der Epochen und Zeitalter, umrissen werden kann: Wißbegierde. Nun ist diese Formel für den Fortschritt, die Wißbegierde, ganz verschieden interpretierbar.
Auch Lessing scheint in seinem Faust-Plan zumindest die
Absicht verfolgt zu haben, die menschliche Wißbegierde in
ihrer ganzen Ambivalenz, die schon bei Augustinus in dem
Begriff der *curiositas* angelegt ist, dramatisch zu nutzen.
Andeutungsweise erfahren wir, daß den Teufeln lediglich die
Verführung eines Phantoms jenes Jünglings gelingt. Die höl-
lischen Heerscharen werden am Ende – im Grunde ähnlich
wie bei Goethe – in ihre Grenzen gewiesen, der Erkenntnis-
trieb des Menschen wird letzlich als sinnvoll bestätigt. Ein
Engel erscheint in der Höhe und ruft den Teufeln zu:

> Triumphiert nicht, [. . .] ihr habt nicht über Menschheit
> und Wissenschaft gesiegt; die Gottheit hat dem Menschen
> nicht den edelsten der Triebe gegeben, um ihn ewig un-
> glücklich zu machen; was ihr sahet, und jetzt zu besitzen
> glaubt, war nichts als ein Phantom. –

Nur für eine relativ kurze Frist finden wir in der deutschen
Literatur ein so positives Bild von der menschlichen Erkenntnis. Der sinnstiftende religiöse Rahmen des Faust-Themas
verliert sich im Laufe des 19. Jahrhunderts mehr und mehr,
der Erkenntnistrieb wird Selbstzweck. Am Beginn der Neuzeit aber finden wir in der deutschen Literatur ganz andere
Aussagen über den Erkenntnisfortschritt. Im Jahre 1587 wird
zunächst einmal eine literarische Warntafel errichtet. Das
jedenfalls dürfte letzlich der Sinn der – ansonsten überaus
rätselhaften – anonymen Faust-Historia sein. Die Symbol-

figur für den neuzeitlichen Erkenntnisfortschritt, der seinem Wesen nach ein wissenschaftlicher ist, hat hier ihre erste literarische Gestaltung erfahren – und, um den Kernpunkt vorwegzunehmen, es hat den Anschein, daß ihre Existenzform überhaupt die literarische Gestaltung und nur sie ist. Als kommentierende Randbemerkung mag der Hinweis gelten, daß die anderen drei mythischen Gestalten der neuzeitlichen europäischen Literatur ungefähr gleichen Alters mit Faust sind: Don Quixote, Hamlet und Don Juan.

Die Ursprungsform des literarischen Faust-Mythos ist denkbar einfach. Faust: das ist in diesem Zusammenhang ein Gelehrter, der die Grenzen seines Wissens und Könnens überschreitet. Er erreicht dies mit der Hilfe des Teufels, der als veritabler Widerpart Gottes verstanden wird. Unter dieser Rahmenbedingung wird eine gegliederte Folge von Begebenheiten erzählt, eine förmliche Geschichte also, die in Anlehnung an einen Lebenslauf gestaltet ist und sich damit auf vorgegebene Erzählschemata stützt. Auf die Erzählung von Herkunft, Jugend und universitärem Aufstieg eines Hochbegabten folgt ein Vertragsschluß. Die Reihe der Begebenheiten endet, gleichsam juristisch korrekt, jedenfalls rechtsförmig, mit der vollständigen Erfüllung des Vertrages. – In *dieser* Form ist das Faust-Thema erstmalig in Deutschland etwa Mitte der achtziger Jahre des 16. Jahrhunderts formuliert worden, von einem Unbekannten. Geschichten von Teufelsbündlern gibt es auch sonst zur Genüge, schon im Neuen Testament und in der legendenhaften Erzählliteratur des frühen Christentums, und auch das Mittelalter bietet mancherlei Vorstufen dieses christlichen Themas. Alle diese Teufelsbündler-Geschichten unterscheiden sich aber in ihrem literarischen Charakter von dem Faust-Thema grundlegend. Sie erzählen durchweg ein einzelnes Ereignis, das sich mit einer Gestalt ohne wiederkehrende Charakteristika zusammenfügt. Faust erweist sich als Gestalt der Neuzeit aber gerade dadurch, daß er eine Geschichte hat. Seine Existenz hat eine temporale Struktur.

Eine genauere geschichtliche Handlungszeit der Faust-Historia läßt sich durch keinerlei Indizien erschließen. Man kann den Sachverhalt allenfalls negativ bestimmen: der Erzähler zielt zwar nicht auf die unmittelbare Gegenwart ab, denn es wird von vornherein vorausgesetzt, daß Faust bereits verstorben ist, aber er macht keinerlei Anstalten, seine Geschichte in irgendeinem anderen Zeitalter zu lokalisieren. In einem weiteren Sinne rechnet er mit dem eigenen Erfahrungs- und Erinnerungszeitraum und zugleich mit dem des Lesers. Die Ortsangaben weisen auf das Stammgebiet der Reformation: Wittenberg und Thüringen. Unabhängig davon belegt der Erzähler mit allen erdenklichen Beweismitteln sein Vorgeben, daß er die reale Geschichte eines Menschen erzähle, der tatsächlich gelebt habe. Für eine in ihrem Kernbestand eindeutig fiktive Erzählung ist eine solche Behauptung geschichtlich, literaturgeschichtlich schlechterdings einmalig. Sie könnte nach all unserer Kenntnis ihren Ort eigentlich nur in einem historischen Roman des 19. Jahrhunderts haben. Die Hartnäckigkeit und kommentarlose Selbstverständlichkeit, mit welcher der Erzähler die reale Existenz seines Helden voraussetzt, mag einen ernsthaften Grund dafür abgegeben haben, das Wort »Historia« im Titel zu verwenden.

»Historia« ist für die gesamte Frühdruckzeit eine typische Bezeichnung für erzählende Literatur in einem allerdings sehr weitgefaßten Sinne. Das Faust-Buch scheint sich mit seinem Titel in einen Gattungsrahmen einfügen zu wollen, wie er beispielsweise für romanhafte Literatur bestand. Der Gattungsspielraum wird sicher erfüllt durch alle Motive, die strukturell mit dem Grundraster ›Lebensgeschichte, Fahrten und Abenteuer‹ in Verbindung stehen. Er wird aber in dem einen, entscheidenden Punkt überschritten, daß der Autor des Faust-Buches vorgibt, geschichtlich-biographische Wirklichkeit, aus seinem eigenen Zeitalter, wiederzugeben. Das vermag keine der sogenannten Historien, im Gegenteil. Sie alle bieten – und das hängt mit dem besonderen Wahrheitsanspruch zusammen, den der Begriff »Historia« besitzt – uralte Geschichten, mögen sie aus der Antike stammen, wie der Alexanderroman oder der des Heliodor, aus dem Orient, wie die *Sieben weisen Meister*, aus dem frühen Mittelalter, wie *Tristan* oder *Herzog Ernst*, oder auch aus jüngerer Zeit, wie die herzrührenden französischen Liebesgeschichten von der Schönen Magelone oder der Melusine. Zwei besonders berühmte unter diesen Büchern, die aber gleichfalls in jüngeren Verhältnissen spielen, *Eulenspiegel* und *Fortunatus*, nennen sich übrigens auffälligerweise nicht »Historia«, aber sie stammen auch bereits aus dem Anfang des Jahrhunderts.

Was die Existenz eines geschichtlichen Doktor Faust anlangt, so ist im Grunde nur das Prinzip der Aussage unstrittig: irgendeinen Faust, mindestens einen, hat es gegeben. Er könnte ungefähr gleichaltrig mit Luther gewesen sein. Alles Weitere jedoch ist, bis auf einen geringfügigen Kern, Gegenstand gelehrter Streitigkeiten. Der Familienname ist unklar, Faust oder Faustus, ebenso der Vorname, Johannes oder Georg, stehen zur Wahl. Geburtsorte werden mehrere genannt. Ein akademisches Studium ist nicht erweisbar. Falls Faust ein solches absolviert hat, dann stehen wieder mehrere Universitäten zur Auswahl. Ob Faust einen akademischen Grad erworben hat, bleibt im Dunkel. Es werden so viele Aufenthaltsorte genannt, daß allein schon die Quellenlage Faust zu einem unsteten Wanderer machen müßte; denn wollte man sämtliche Zeugnisse über ihn gleichsam zu ihrem Nennwert nehmen, dann ergäbe sich daraus zwangsläufig die Hypothese, daß mehrere Fauste gelebt haben müssen, denn nicht wenige dieser Aussagen sind miteinander unvereinbar. Beschränkt man sich auf das, was historische Kritik zu sichern vermag, so bleiben überhaupt nur drei Dokumente übrig: das sind urkundliche Belege aus Bamberg, Ingolstadt und Nürnberg aus den Jahren 1520 bis 1532.

1520 läßt Bischof Georg III. von Bamberg Faust eine relativ hohe Summe für ein Horoskop zahlen; 1528 und 1532 weisen die Räte von Ingolstadt und Nürnberg ihn aus der

Stadt bzw. lassen ihn nicht herein. Wir sehen Faust gleichsam mit der Polizei in Konflikt. Die drei Angaben würden nicht einmal für einen Steckbrief genügend hergeben, geschweige denn für einen Lebenslauf. Das Bamberger Dokument sagt uns, wovon Faust lebte. Das Stellen sogenannter Nativitäten oder Prognostikationen war eine vollkommen normale, ernsthafte Tätigkeit, die jedenfalls unter den Begriff von Wissenschaft fiel. Faust muß also eine Universitätsausbildung entweder gehabt oder vorgetäuscht haben. Ein Beruf, eine Profession war das jedoch für sich genommen nicht. Gleichwohl besaß Faust auf seinem Gebiet einen überdurchschnittlichen Ruf – es ist immer schon aufgefallen, daß der Bischof sich die Sache einiges kosten ließ. In den beiden städtischen Protokollnotizen fallen auffällig harte Worte über Faust, die darauf schließen lassen, daß ihm ein ausgebreiteter, aber schlechter Ruf vorausging, daß er einen einigermaßen anstößigen Lebenswandel führte.

Die beiden geschichtlich überlieferten Indizien, Horoskopestellen und schlechter Ruf, kehren als zentrale Motive in der *Historia* wieder: insoweit dort Faust – nach dem Paktschluß – überhaupt eine Tätigkeit ausübt, ist es die eines Kalendermachers. Die Genauigkeit seiner Vorhersagen wird gerühmt. Mit dem »Säuwisch vnnd Epicurisch leben« seines Helden aber, den »seine Aphrodisia Tag vnd Nacht« stach, leitet der Erzähler zuerst die Geschichte seines Teufelsbündlers ein und führt sie dann gegen Ende dadurch zu ihrem Höhepunkt, daß er die Verbindung von Faust und Helena erzählt. Nur – auch aus diesen zwei Motiven ergibt sich noch keine Geschichte. Das gilt auch für alle anderen Einzelheiten, welche die Faust-Überlieferung des 16. Jahrhunderts bietet. Alle diese scheinbar so sprechenden Angaben schmücken jeweils einzeln nur dasjenige weiter aus, was schon die drei Urkunden andeuten. Die Folgerung daraus lautet: Der sogenannte historische Faust und der literarische Faust, derjenige der *Historia*, hängen nur durch einige vereinzelte Reminiszenzen miteinander zusammen. In die Faust-Tradition, mit der die Literaturwissenschaft zu tun hat, reicht die reale Geschichte nur spurenhaft hinein. Daß ein solcher Zusammenhang überhaupt besteht, daß also ein geschichtlicher Kontext bis an die Faust-Historia heranreicht, wird deutlich, wenn man diejenigen Texte sorgfältig prüft, die der anonyme Autor bei der Erfindung seiner fiktiven Lebensgeschichte verwendet hat. In diesen Quellentexten ist immer wieder davon die Rede, daß ein Faust noch bis in eine Zeit gelebt habe, bis zu der das Erinnerungsvermögen von Zeitgenossen zurückreiche. Das mag bedeuten: bis gegen 1540. Allerdings bringt gerade dieser Vergleich die inhaltliche Hauptleistung des Autors der *Historia* an den Tag: die positive Umwertung der Faust-Gestalt, mit welcher der Erfinder dieses neuen Faust sich zu aller älteren Überlieferung, auch der literarischen, in Gegensatz bringt. Der Faust der Geschichte war ohne allen Zweifel ein dunkler Ehrenmann. Der Anonymus aber hat eine Gestalt geschaffen, der durchgehend die Anteilnahme des Lesers sicher ist. Man gewinnt für die literarische Ausformung des Faust-Themas mithin erst dann freien Blick, wenn man den sogenannten historischen Faust aus der Interpretation der *Historia* heraushält.

Nun hat man allerdings von Faust auch schon erzählt, bevor die *Historia* entstanden ist, freilich auf eine andere Weise. Erzählt hat man einzelne Zaubergeschichten, die er ausgeführt haben sollte. Daß man solche Faust-Geschichten erzählte, genauer gesagt: niederschrieb, läßt sich zuerst in der zweiten Hälfte der 1560er Jahre beobachten. Wenig später, um 1575, schreibt dann der Nürnberger Christoph Roßhirt seine Faust-Geschichten nieder. Roßhirt kennt möglicherweise als erster auch schon einen durch den Pakt ausgestalteten Zusammenhang zwischen den einzelnen Zaubereien, deshalb aber noch keine Lebensgeschichte Fausts.

Es scheint eindeutig, daß das Faust-Thema in seiner konkreten geschichtlichen Ausformung ohne Luther, d. h. ohne die literarische Verehrung und Stilisierung der Gestalt des Reformators durch Schüler und Freunde, wie z. B. Melanchthon, nicht hätte entstehen können. Schon der Zeitpunkt ist ein Indiz. 1566 druckte Luthers Schüler Johannes Aurifaber zum ersten Mal seine Ausgabe der *Tischreden*, neben der fünfbändigen Sammlung von kleinen Geschichten, mit denen der fabulierlustige Melanchthon seine Kollegs anziehend zu machen wußte, vermutlich die älteste derartige Vorlage, die der Anonymus benutzt hat. Die literarische Faust-Gestalt des 16. Jahrhunderts konnte erst entstehen, als jemand die beiden an sich voneinander unabhängigen Themen miteinander verband und daraus ein neues Ganzes gestaltete: zum einen die nicht nur farbige, sondern tatsächlich zweifelhafte Gestalt Fausts und zum andern Luthers Glauben an den Teufel als echten Widersacher Gottes. Es ist faszinierend zu lesen, daß unmittelbar bevor jemand diese spezifische Verbindung (in einer Erzählung) herstellte, ein Zeitgenosse, selbst einer der begabtesten Erzähler dieser Zeit, mit großer Genauigkeit festgehalten hat, was da noch zu tun war. Im Jahre 1565 nämlich notiert Graf Froben Christoph von Zimmern in seiner Chronik, mit Bezug ungefähr auf 1539/40, Faust sei in Staufen im Breisgau vom bösen Geist umgebracht worden, »nach vilen wunderbarlichen sachen, die er bei seinem leben geiebt, darvon auch ain besonderer tractat wår zu machen«. Das heißt in freier Wiedergabe: »das sollte wirklich einmal jemand im Zusammenhang erzählen«. Zwanzig Jahre später hat dann ein anonym gebliebener Autor wirklich eine solche Geschichte nach ihrem eigenen Zusammenhang erzählt.

Die Faust-Historia ist mit den Methoden, die den Literarhistorikern am Ende des vorigen Jahrhunderts zur Verfügung standen, gründlich untersucht worden, allerdings seither nur noch selten. Die Resultate dieser an sich erfolgreichen Arbeit haben dem Ansehen des Werks und seines Autors jedoch nachhaltig geschadet. Die Philologen haben als Hintergrund zu diesem Buch eine ganze Bibliothek zutage gefördert, die der Autor geplündert zu haben schien – merkwürdig berühren jedoch ihre geradezu triumphierenden Kommentare bei dieser ästhetischen Demontage. Da kaum ein Zug an der

Historia übrigblieb, der nicht irgendwoher entlehnt war, erschien das Werk am Ende als bloßes Sammelsurium, als ungeschickte Kompilation eines rührend naiven Dilettanten. Die ästhetischen Kategorien dieser Interpreten forderten von der *Historia* des 16. Jahrhunderts innere wie äußere Einheit der Darstellung, einheitlichen Sprachstil, geschlossene Komposition, ökonomische Disposition des Stoffes in Entsprechung zu einer einheitlichen thematischen Konzeption. Man hatte damit, teils sogar eingestandenermaßen, Stil- und Formmuster vor Augen, wie sie der Roman erst des 18. Jahrhunderts bot, so als trüge er einen Titel wie ›Doktor Johann Fausts Leben, Taten und Meinungen‹. Abweichungen von solchen Vorerwartungen notierte man als Fehler. Es ist methodengeschichtlich faszinierend, mit welcher Folgerichtigkeit die solcherart hypostasierten ästhetischen Prinzipien dazu führten, daß man immer neue Vorstufen der *Historia* postulierte. Die beste – und das war gleichbedeutend mit der ursprünglichen – mußte natürlich eine lateinische sein. Ausgerechnet das ist ganz ausgeschlossen. Prüft man die von dem Autor benutzten Texte, dann zeigt sich, daß die ganze Webart seiner eigenen Schreibweise nur zu der seiner Vorlagen stimmt, und die sind fast ausnahmslos in deutscher Sprache abgefaßt. Es ist möglich, daß lateinische Bücher im Prinzip überhaupt außerhalb seiner Reichweite lagen.

Das Zentrum der kleinen Bibliothek, die der Anonymus in irgendeiner Form zur Hand hatte, besteht in eindrucksvollen und kompendiösen gelehrten Nachschlagewerken, Hilfsbüchern für die Abfassung von Predigten, also z. B. Exempelsammlungen, wie sie für die Verlebendigung der christlichen Unterweisung dienen konnten. Mit Stolz stellen deren Verfasser bisweilen lange Listen der von ihnen ausgewerteten wissenschaftlichen Quellen voran. In dieser Beziehung ist die Handbibliothek des Autors durchaus à jour. In anderer Hinsicht scheint der Autor auffällig hinter seiner Zeit zurück oder unter seinem Niveau zu bleiben. Er benutzt nämlich für geographische Angaben in ausgedehntem Maße Hartmann

Schedels Weltchronik von 1493 und in kosmologischen Fragen den sehr altertümlichen *Elucidarius*. Die scheinbare Rückständigkeit des Autors wird besser verständlich, wenn man prüft, welche Quellen er für welche Partien seines Buches verwendet hat. *Elucidarius* und Schedelsche Weltchronik hat er offenkundig ausgewertet, weil er die Lebensgeschichte Fausts während der 24 Jahre, für die der Teufelspakt gilt, irgendwie auch mit Ereignissen füllen mußte. Woher hätte aber ein deutscher Autor im 16. Jahrhundert Weltkenntnis im eigentlichen Sinne beziehen sollen? Auf Bücher blieb er nun einmal angewiesen.

Hauptinteresse und originäre Leistung des Autors liegen woanders: im Anfang und im Schluß, bei Aufstieg und Untergang des Teufelsbündlers, mithin bei der kleinen romanhaften Biographie, welche die eigentliche literarische Erfindung des Autors ausmacht. Gerade für sie aber bietet die gesamte literarische Überlieferung, die der Faust-Historia vorangeht, überhaupt nichts, und der geschichtliche Kontext auch nicht. Es ist mehr als sonderbar, daß die sogenannten Positivisten des 19. Jahrhunderts das bei all ihrem Scharfsinn nicht wahrgenommen haben, obwohl sie doch gerade nach Individualität beständig auf der Suche waren. Der Autor hat sich bei dieser Biographie durchaus Ungewöhnliches einfallen lassen. Unzweifelhaft rührt es den Leser an, wenn er die Geschichte des unglücklichen Sünders von Kind auf verfolgt. Es steigert auch die tragische Fallhöhe des Helden, daß er sein Leben ganz unten, als Bauernsohn begonnen hat. Es steckt etwas vom Lebensweg ungezählter evangelischer Kandidaten als Grundmuster im Anfang dieser Biographie.

Der Autor erzählt die Lebensgeschichte eines Gelehrten von außergewöhnlicher Begabung. Erzählwerke, deren strukturelle Grundlage in einer Lebensgeschichte besteht, gibt es in Deutschland noch auf lange Zeit hin nicht, ausgenommen vielleicht die Autobiographie. Aber auch Fausts Leben wird nicht etwa um seiner selbst willen, sondern allein sub specie fidei erzählt. Das Motiv, daß Faust, der das Ziel

seines Entwicklungsganges zunächst als Theologe zu erreichen scheint, zur Medizin überwechselt, damit in einem weiteren Sinne zu den Naturwissenschaften, macht seinen Abfall
vom Glauben anschaulich. Die Naturwissenschaften erfordern einen autonomen menschlichen Erkenntniswillen. Das
hat der Anonymus gewußt oder geahnt, er hat es aber nicht
gebilligt. Unter den Bedingungen der ihm in langer geschichtlicher Entwicklung vorgegebenen Denkformen hat der Autor
das Problem des menschlichen Erkenntniswillens in theologisch geprägten Bildern und Kategorien formuliert, nämlich
als ein unerlaubtes Bündnis des Menschen mit Gottes Gegen-
spieler. Für ihn ist somit die Frage der Erkenntnis*freiheit*
a priori negativ entschieden. Auf der Grundlage eines theologischen Argumentationsschemas, das von Augustinus bis
zu Luther in seiner Substanz unangefochten gilt und das im
16. Jahrhundert durch die Einführung des Teufelsmotivs
lediglich modernisiert, bildhaft verlebendigt wird, motiviert
der Autor der *Historia* vollkommen konsequent, wenn er in
den Verhandlungen, die dem Paktschluß vorausgehen, nur
einen einzigen Beweggrund für Faust nennt: die *curiositas*,
das Wissenwollen um seiner selbst willen. Die Curiositas, im
älteren Deutsch ›Fürwitz‹, das ist Fausts Antrieb, und diese
Art von Wißbegierde ist Sünde. Dadurch, daß jemand dieses
Thema mit einem ganzen Menschenleben in seiner Zeitlich-
keit in Zusammenhang brachte, ist etwas qualitativ vollkommen Neuartiges entstanden.

Hätte der Autor ein menschliches Leben mit einer Motivie-
rung erzählen wollen, die ihre Konsequenz in und aus sich
selber entwickelte, dann hätte er dem Gang dieses Menschen
durch die Welt und letztlich damit exemplarisch dem
menschlichen Leben überhaupt einen ihm immanenten Sinn,
mit einem innerweltlichen Telos, zuschreiben müssen. Das
aber ist im Grunde das Erzählproblem erst von *Wilhelm Mei-
sters Lehrjahren*, und dort ist es tatsächlich ein *Problem*. Eine
romanhafte Gestaltung von fehlgeleiteter Curiositas exi-
stierte natürlich schon mit dem *Goldenen Esel* des Apuleius,

seit 1538 auch auf deutsch im Buchdruck. Die Reise des Esels Lucius wird ausgelöst durch bloße Curiositas, gleichfalls im Bannkreis des Zauberwesens, gleichfalls vor religiösem Hintergrund. Davon scheint die Faust-Historia aber fernab zu liegen. Mit dem geschichtlichen deutschen Humanismus kann man den Faust der *Historia* ganz sicher nicht in Verbindung bringen.

Der Sinn der Erzählung von Faust liegt, allgemein gesprochen, in der Mahnung, in der Warnung. Ein frommes Buch also, seiner ursprünglichen Intention nach. Es formuliert ein Thema der Frömmigkeitsgeschichte, indem es sich der Gestalt einer Biographie annähert. Ein altmodisches Buch überdies, gar nicht renaissancehaft gemeint. Sein Leben hat dieses Thema, die Geschichte von Faust, gleichsam unter der Hand gewonnen, und zwar eindeutig gegen die Meinung des Autors, dadurch, daß die Wünsche und Erfahrungen Fausts in anderer Umgebung und Deutung, d. h. seit und mit der Aufklärung, einen ganz anderen Sinn gewonnen haben. Die im 16. Jahrhundert noch verteufelte Wißbegierde, der Fürwitz, wertfrei gesprochen: die zweckfreie Curiositas, ist zum allgemeinsten Prinzip neuzeitlicher Wissenschaft geworden.

Für seine Entstehungszeit bildet das Buch ein literarisches Paradox. Der Autor gibt einerseits vor, von einem Menschen seines eigenen Zeitalters, der wirklich gelebt habe, zu erzählen, zugleich hat er mit seiner *Historia* eine der ersten großen fiktiven Lebensgeschichten der Neuzeit geschaffen. Die elementare Bedingung dafür besteht darin, daß individuelles Leben nach seiner temporalen Struktur erzählt worden ist. Auf einfachere Weise hat man von Faust auch vorher schon erzählt. Eine unbestimmte Anzahl einander sehr ähnlicher einzelner Geschichten, mit wiederkehrender pointenhafter Struktur, das gibt es schon etwa zwei Jahrzehnte vor der Faust-Historia. Für die Abfolge solcher Geschichten besteht keinerlei Regel. Deshalb wollen wir dieses Erzählen, das wir auch in der Faust-Historia, und zwar in ihrer zweiten Hälfte noch antreffen, *seriell* nennen: die Einzelgeschichten werden aneinandergereiht.

Die große Erfindung des Autors der Faust-Historia besteht darin, zumindest einen großen Teil der Erlebnisse seines Helden nach einem inneren Gesetz geordnet zu haben. Dieses Gesetz ist natürlich entscheidend durch den Vertragsschluß mit dem Teufel bestimmt. Die Vorstellung, daß das menschliche Leben von einem allgemeinverbindlichen Telos bestimmt ist, trug er, auch wenn das als Warnung gedacht war, bildhaft in sich. Eine in sich differenzierter gegliederte temporale Struktur freilich mußte dazu erst erfunden werden. Daß dies dem Autor nur im Umriß gelungen ist, ist eine historisch-charakterisierende Feststellung, die wir nicht in eine Wertung ummünzen dürfen. Die Aussage, daß dem Leben des Menschen ein Ziel im rein säkularen Sinne gesetzt ist, hätte schwerlich ausgereicht, dieser Lebensgeschichte ihre außerordentliche Wirkung zu verschaffen. Mindestens einen doppelten Sinn mußte die Erzählung haben, um ihre Wirkung zu erzielen. Der entscheidende qualitative Sprung in der Fortentwicklung des Erzählens vom Doktor Faust, wie er sich in der *Historia* dokumentiert, ist der, daß man der Gestalt des Doktor Faust ihre Geschichte gegeben hat. Es vollzieht sich ein Übergang vom seriellen zum *sequentiellen* Erzählen. Ein solcher Entwicklungssprung besitzt epochale Signifikanz. Erst die temporale Struktur der individuellen Lebensgeschichte verleiht der Gestalt eines Doktor Faust eine innere Folgerichtigkeit ihres Weges. Diese erzählerische Erfindung hat Faust eine Fortexistenz in der Neuzeit ermöglicht.

Hans Joachim Kreutzer

Inhalt